La vie studieuse et obstinée
de Denis-Benjamin Viger

GÉRARD PARIZEAU
de la Société royale du Canada

La vie studieuse et obstinée de
Denis-Benjamin Viger

(1774-1861)

FIDES

A133257

Couverture :
Conception graphique de François de Villemure, d'après une peinture de Théophile Hamel,
conservée à l'archevêché de Montréal (photo Armour Landry).

ISBN : 2-7621-1013-0

Dépôt légal : 3ᵉ trimestre 1980, Bibliothèque nationale du Québec.

Achevé d'imprimer le 24 juillet 1980, à Montréal,
aux Presses Élite Inc., pour le compte des Éditions Fides.

Avant-propos

De Denis-Benjamin Viger, on a dit beaucoup de bien, mais aussi beaucoup de mal au cours de sa carrière politique. Qui croire ? Ceux qui l'ont critiqué vertement pour ses attitudes à la fin de sa vie ou ceux qui en ont fait un grand bonhomme. On était violent et souvent injuste à cette époque où la politique séparait gens de même famille ou amis de longue date.

Nous avons voulu essayer de comprendre le personnage en le suivant dans son milieu et sa carrière. Y avons-nous réussi ? Nous le souhaitons. Denis-Benjamin Viger nous a paru être un homme assez remarquable, pas toujours facile à expliquer, très attaché à son milieu, très dévoué aux besoins de ses gens, prêt à faire de la prison pour une idée ou un principe, essayant d'être logique avec lui-même, poli comme on l'était autrefois, détestant la violence. Il fut studieux, obstiné ; ce qui explique le titre que nous avons donné à notre livre. On nous dit qu'il fait vieillot, un peu dépassé dans l'optique actuelle, mais ne convient-il pas à notre personnage et à son époque ? Le travail pour lui était toute sa vie et, quand il prenait une attitude, il s'y tenait avec obstination. On nous a suggéré : Denis-Benjamin Viger, l'obstiné. S'il l'était, il était plus que cela : toute sa vie a été, en effet, un long, patient et intelligent effort. Qu'on en juge par ces pages que nous lui avons consacrées.

À nouveau, nous avons eu recours au procédé de la chronique. C'est, croyons-nous, la forme qui convenait à notre étude. Si nous l'avons appuyée sur un appareil documentaire que nous croyons valable, nous nous sommes éloignés à dessein du ton magistral pour nous rapprocher de l'homme.

C'est avec un peu d'hésitation que nous présentons notre livre au lecteur, avec ses faiblesses et, nous l'espérons, ses qualités. Il lui appartiendra de le juger.

*

Nous remercions en particulier Mlle Marie Baboyant de la collection Gagnon à la Bibliothèque municipale de Montréal, le major Sheldon S. Carroll de la Banque du Canada, M. Bruno Harel, archiviste de la Compagnie de Saint-Sulpice, M. Raymond Denault, M. Henri Gérin-Lajoie des archives de la ville de Montréal, le professeur André Lefort, Mme Monique Boissonnault qui, très souvent, a dû décrypter notre écriture, M. Fabien LaRochelle, archiviste de la ville de Shawinigan, M. l'abbé Honorius Provost, archiviste du Séminaire de Québec, Mlle Denise Pélissier du Service des archives de l'Université de Montréal, Mlle Renée Martel, archiviste au Château Ramezay, M. Pierre Savard de l'Université d'Ottawa, Sœur Aline Bédard, archiviste à la maison provinciale du Bon-Pasteur, Mlle Anne Bourassa et M. Robert Derome, conservateur intérimaire de l'art canadien à la Galerie nationale du Canada, pour l'aide qu'ils nous ont accordée. Quant à M. Jean-Jacques Lefebvre, nous lui devons de judicieux avis : le sujet d'abord, puis des détails et de bien pertinentes observations.

1

Le personnage

Sous le titre de *L'échappée*, Denis-Benjamin Viger écrit ces strophes, un jour de 1823 :

> Un bon père, excédé des peines
> Que lui causaient maintes fredaines
> De ses enfants, voulait frapper
> Ses marmots pour les corriger.
> Sa femme, suivant l'ordinaire,
> Se trouva d'un avis contraire,
> L'époux lui dit un peu piqué :
> J'aurai, je crois, la liberté
> De corriger ma géniture ;
> Je tiens ce droit de la nature.
> Oui-da ! dit la femme en courroux,
> Monsieur, ils ne sont point à vous !

Viger ne se fait pas d'illusion. S'il versifie, c'est pour le plaisir du moment. Comme tous ses amis, il taquine la muse dans ses loisirs. Il le fait avec un sens de l'humour qui n'est pas fréquent dans le milieu. Il s'amuse ce jour-là lui qui, en avocat sérieux, est censé se limiter à présenter en des factums élaborés les prétentions de ses clients, tout en démolissant les arguments de l'adversaire. Et cela dans un fouillis de lois, d'ordonnances, de règlements venus de France ou adaptés par les intendants, auxquels se sont ajoutées des décisions qui ont établi dans la colonie le droit commun d'Angleterre et des États-Unis, dont la basoche canadienne sera forcée de s'inspirer tant que le gouvernement canadien n'imposera pas le Code civil au Bas-Canada. À toutes fins utiles, les règles du droit constituent à ce moment-là un des appareils les plus compliqués et les plus inefficaces que l'on puisse imaginer. Les plaideurs en sont ravis, mais les avocats, eux, sont désolés tant il leur est difficile de conseiller un client amateur de procès, en Normands que sont bon nombre d'entre eux. On se rappelle ce que Me Borgia, ami de Philippe Aubert de Gaspé, avait conseillé à un de ses clercs : « Quand vous serez embarrassé, il y a les dés qui vous tireront d'affaires. » Le mot était à peine exagéré.

Denis-Benjamin Viger est aussi un homme politique et un propriétaire foncier qui s'intéresse à certains journaux locaux, au point de leur fournir une aide financière dans des moments difficiles. On a dit qu'il avait été le père du journalisme canadien, mais n'a-t-on pas exagéré un peu ?

C'est l'histoire de ce vieux monsieur, né à Montréal en 1774 — année faste en droit constitutionnel canadien à cause de l'Acte de Québec —, et mort à Montréal en 1861 — année obscure où rien d'important ne se produisit hors le décès du vieil homme.

*

Si Viger a écrit quelques vers, il n'avait pas la fantaisie du poète. Il était un bon bourgeois, avocat et catholique pratiquant, quoique rouspéteur à l'occasion, sérieux, très écouté dans son milieu, tenté, il est vrai, par l'aventure politique. Il a été mêlé aux soulèvements de 1837 et de 1838 ; ce qui lui valut de passer de longs mois en prison, dans un immeuble qui devint par la suite l'entrepôt d'autres captives, soigneusement rangées sur des tablettes en attendant qu'elles fussent livrées aux assoiffés de la ville.

Si Viger a le sens de l'humour, avocat, il est tenace, obstiné, voire têtu. En veut-on deux exemples ? Pour sortir de geôle, il aurait suffi qu'il fournît caution. Or, il tenait à être jugé par ses pairs : ce à quoi ne voulait pas accéder le général, sir John Colborne, autre bourricot qui désirait ma-

ter les rebelles comme on tue le poulet dans l'œuf. Le second est également un trait de son caractère. Pendant vingt
ans, il tint le coup au cours d'un procès en cassation de testament qui devait faire de lui le seigneur de l'île Bizard,
après la mort de sa femme, quelques années avant que le
régime ne fût écarté de la main par l'action concertée de
Louis-Hippolyte La Fontaine et de George-Étienne Cartier : maîtres de la politique canadienne dans la Colonie
qu'était alors le Bas-Canada.

*

Viger aimait la musique. On peut l'imaginer un jour
jouant du flageolet, instrument qu'il affectionnait. Il est,
dans sa bibliothèque, entouré de ces livres qu'il a réunis patiemment, amoureusement. Aux murs, des toiles sont sus-
pendues, que Viger a achetées à des peintres nécessiteux : à
l'époque, c'était la règle. Il y a des peintures de Plamondon,
de Hamel et, peut-être aussi, de Haudry et de Krieghoff,
dont personne encore ne prévoit l'extraordinaire succès
qu'il aura au siècle suivant. En face du maître de maison,
au mur sont accrochés le pastel que Louis Dulongpré a fait
de sa mère et la toile où Hamel le présente comme il était
vers la soixantaine : les yeux vifs, l'air matois. C'est cette
toile dont l'évêché de Montréal héritera plus tard.

Que joue-t-il ? Du Bach, du Haendel et du Haydn,
peut-être du Telemann. Car si certains de ses discours sont
longs et ennuyeux, il est cultivé et il aime cette musique qui
l'éloigne de ses préoccupations journalières. Plus tard, après
sa mort, le catalogue de ses livres, donnés au Séminaire de
Saint-Hyacinthe où règne M. Raymond, confirmera l'éclectisme de son goût. Ses livres viendront rejoindre ceux que
son ami Augustin-Norbert Morin léguera au Séminaire, à
sa mort.

Voilà l'homme que nous avons voulu présenter au lecteur du XXe siècle. Excellent avocat, il est spécialiste du
droit constitutionnel, très près de la forme et de la procédure. C'est un esprit cultivé, amateur de bon vin et de bonne

chère, capable d'errer, mais prudent, voyant juste et sachant compter avec le temps, ce guérisseur.

2

Le milieu familial

Le premier Viger vient en Nouvelle-France vers 1665[1]. Il est originaire de Rouen. Pourquoi émigre-t-il ? On ne le sait pas exactement. Attiré sans doute par cette propagande à laquelle se livre un groupe qui, devant la misère de ses gens, veut y obvier en les orientant vers cette terre lointaine où de pieuses gens envoient Normands, Picards, Poitevins et Angevins pour les aider à se faire une vie nouvelle. On y donne des terres aux ruraux, et à ceux qui ont un métier, le milieu est beaucoup plus accueillant que la vieille Europe. Le climat est dur, mais on s'y fait. Il y a bien les Iroquois qu'on n'a pas encore réussi à mater, mais il y a l'intendant Talon qui, avec le régime seigneurial, a groupé les paysans autour du seigneur, en attendant que le gouverneur et sa troupe aillent, avec la crainte, créer un désir de paix chez ces Indiens que seule la force impressionne. Et puis, Dizier Viger a vingt ans. Certains l'appellent aussi Désiré, mais il n'importe. À son âge, on a toutes les audaces. Le nouveau monde est loin, bien loin. Pour s'y rendre, il faut compter un mois, deux mois ou davantage si le temps est mauvais.

---

1. Viger viendrait d'un vieux mot français *Vige*, c'est-à-dire « un terrain planté de viges (osier) ». C'est ce qu'affirme Francis J. Audet, historien du vingtième siècle (1867-1943), esprit curieux et membre de cette Société royale du Canada qu'a créée le marquis de Londres, gendre de la reine Victoria et membre d'une vieille famille écossaise à qui Disraeli avait confié le soin de créer au Canada, à titre de gouverneur général, une petite cour rappelant celle de Buckingham Palace. Ce qui ne fut, il est vrai, qu'un vœu pieux.

La traversée est dure, bien dure, comme l'indiquent les lettres du temps. À vingt ans, rien n'effraie quand l'aventure plaît à celui qui la vit. Et puis, il y a le clergé qui pousse les gens à passer l'océan pour trouver une vie meilleure. Dizier Viger part donc en 1665. Il vient s'installer à Ville-Marie, tout petit bourg qui s'organise malgré tout. Il y rencontre Catherine Moitié, venue elle aussi de France avec ses parents, Jacques Moitié et Françoise Langevin. Il l'épouse en 1667. C'est de cette humble souche que naîtront les Viger du Canada : Noëlle (1670), Jacques (1673) et François (1681). C'est à Jacques et à ses descendants que nous nous intéresserons. Il y a d'abord Jacques II, né en 1685 de Françoise César. À Ville-Marie, il a épousé Marguerite Brodeur, puis Louise Ridday. Celle-ci a donné naissance à ces quatre fils qui, à leur tour, établiront la filiation : Jacques III, Louis, René et Denis. Fait assez curieux, le premier et la quatrième seuls auront un fils, qui continuera le nom. Et puis, tout à coup, il s'arrête là avec les trois cousins : Jacques IV, Louis-Michel et Denis-Benjamin. Si la famille subsiste — car il y a eu des Viger au XIXe siècle et au XXe — c'est par le truchement de François, dont les descendants s'appelleront Senécal, puis Monk quand Marie-Louise Senécal aura épousé Frédéric Debartzch-Monk. Ces Monk, on les retrouvera à l'Île Bizard longtemps après que le dernier seigneur de l'île aura disparu[2]. Ce seigneur, ce sera Denis-Benjamin Viger dont nous raconterons l'histoire après celle de Denis, son père.

*

Denis Viger est un charpentier, assez près de la terre[3]. En effet, il a une propriété qui va de la rue Saint-Antoine, longtemps connue sous le nom de Craig : en souvenir d'un gouverneur de la Colonie qui, à Québec, secouait comme

---

2. On doit à Jean-Jacques Lefebvre (cet infatigable chercheur) d'excellentes études généalogiques sur les familles Viger et Cherrier, publiées dans *Mémoires de la société généalogique de Montréal*, respectivement en 1966 et 1947.

3. Il était un cultivateur à l'aise, dira son neveu Côme-Séraphin Cherrier dans une conférence qu'il fera longtemps plus tard sous le titre de *D.-B. Viger et son temps* (mars 1861). Cf. A.P.C., Dossier C.-S. Cherrier, p. 859 et s.

des pruniers évêque et hommes politiques. Au premier n'avait-il pas dit un jour : « Rappelez-vous, Monseigneur, que la religion catholique n'est que tolérée dans la Colonie » ? Quant aux députés qui lui résistaient, il les jetait en prison, tout simplement ; tels Louis Bourdages et Pierre Bédard. Député, Denis Viger n'eut pas le même sort, probablement parce que, homme de la glèbe, il n'avait pas l'éloquence de Pierre Bédard ou de Joseph Papineau ; il se contentait de voter, en appuyant ceux qui n'acceptaient pas la dictature craigienne.

Denis Viger, donc, était le quatrième fils de Jacques II, né de Louise Ridday, que son père avait épousée après la mort de sa première femme, comme on l'a vu. Que de décès on constate dans ces familles du XVIIe siècle où les enfants meurent comme des mouches ! Encore un petit ange au ciel, disait-on en manière de consolation ! Quelle que fût la condition de la famille, ils disparaissaient en laissant la place à d'autres. Si la natalité est abondante, la mortalité l'est non moins, en effet. Fait à signaler cependant, si la mortalité est terrible chez les hommes, elle l'est surtout chez la femme en couches et chez les enfants. Par ailleurs, dans cette société pourtant féconde, comme on voit de ménages sans rejetons[4] !

Né à Montréal en 1741, Denis Viger meurt en 1805. Il est d'abord un cultivateur dont la ferme est un peu en dehors des murs du bourg. Car Montréal, à l'époque, n'est guère que cela. Admirablement située, la terre a donné un excellent rendement car le sol est bon. Denis Viger, cependant, sera bientôt plus qu'un simple cultivateur ; il deviendra charpentier, puis maître-charpentier. Sans trop négliger sa terre et son métier, il sera élu vers la fin du siècle député du comté de Montréal-Est, conjointement avec Joseph Papineau[5], à une époque où il fallait beaucoup de désintéressement pour accepter d'être l'élu du peuple, ainsi qu'on dira longtemps plus tard dans un régime devenu démocrati-

---

4. Denis-Benjamin Viger n'a qu'une fille qui meurt en bas âge ; Jacques Viger n'a pas d'enfant, comme Augustin-Norbert Morin.

5. Son beau-frère.

que. Être député, à la fin du XVIIIᵉ siècle, cela voulait dire assister à des sessions qui se tenaient à Québec, durant l'hiver ; c'est-à-dire à un moment où la terre sommeillait et où l'on ne construisait pas. Les sessions duraient trois, quatre mois, sinon davantage. Aussi fallait-il accepter d'être absent de sa famille, de sa maison et laisser derrière soi des occupations, peu rémunératrices il est vrai, pour occuper un poste qui ne comportait aucune indemnité parlementaire. Cela voulait dire également voyager et se loger à ses frais à Québec, à une époque où les communications étaient ni faciles, ni rapides[6]. Et puis, il fallait assister à des réunions interminables qui se clôturaient abruptement certaines années quand, mécontent de ses députés récalcitrants, le gouverneur décidait de les renvoyer dans leurs foyers et de-

---

6. Il y avait bien le cheval, la diligence, le canot ou le bateau quand le temps ou la saison le permettaient, mais au prix d'un gros effort et d'un inconfort que les mémorialistes du temps ont souligné les uns après les autres. Voici comment Hector Berthelot, dans *Le Bon Vieux Temps* (vol. I, p. 23), décrit le service des diligences au début du XIXᵉ siècle :

> Il y a quarante ans, un voyage en hiver, entre Montréal et Québec n'était pas une petite affaire. Le voyage durait deux jours et demi selon l'état de la route.
> Le service d'hiver, entre Montréal et Québec, se faisait par la diligence de « la malle », les diligences proprement dites et les voitures *extras*.
> Dans la diligence de « la malle », il y avait place pour six ou huit voyageurs. Les autres diligences en contenaient autant. Il n'y avait que les gros bonnets qui voyageaient par l'*extra*.
> L'*extra* était une carriole traînée par deux chevaux attelés en flèche. Dans l'*extra*, les relais étaient moins nombreux et le voyage ne durait pas aussi longtemps que dans les diligences. Le personnage qui se payait le luxe d'un *extra* était très considéré dans les auberges sur la route. C'était ordinairement un député, un juge ou un gros bonnet du commerce. Il avait le droit de garder toujours le milieu de la route. Lorsqu'il passait quelque part, le conducteur criait aux équipages des cultivateurs : Rangez-vous, laissez passer l'*extra* ! Le tarif de l'*extra* était, pour deux passagers, un écu par lieue.
> Un passager seul dans une carriole à cheval payait trente-six sous par lieue.
> Les voyageurs par les diligences payaient dix dollars pour le passage entre Montréal et Québec, le coucher et les repas en plus.
> À six heures du matin, une trompette se faisait entendre en face de l'hôtel Rasco. C'était le signal du départ de la diligence de la ligne rouge.

Quant à la manière dont les députés se logeaient à Québec, voici ce qu'ajoute Hector Berthelot (p. 24) :

> Lorsqu'un député se rendait à Québec pour la session, il apportait avec lui toutes les provisions qu'il lui fallait pour la durée de ses travaux parlementaires. Ces provisions (consistaient en) un petit baril de lard, des porcs frais rôtis, des pommes de terre, du pain de ménage, de la mélasse, etc. M. le député louait une chambre dans une maison privée à Québec et se nourrissait lui-même. Dame, il fallait économiser, en ce temps-là, car la députation ne recevait aucun salaire.

Cela, évidemment, était pour le commun des députés. Les plus riches vivaient autrement. Aux autres, il fallait un véritable dévouement à la chose publique.

mandait des élections nouvelles, tout en mettant en prison les protestataires les plus virulents. Denis Viger n'en était pas, comme on l'a vu ; il était ce qu'on appellera plus tard un *back bencher*, c'est-à-dire celui qui vote, mais sans plus : fidèle d'un parti qui appuie Joseph Papineau de Montréal et Pierre Bédard ou Louis Bourdages de Québec, lesquels dirigent l'opposition, que l'on n'appelle pas encore la « loyale opposition de Sa Majesté ». Ces contestataires d'une autre époque mènent la bataille contre le gouverneur délégué par Londres dans la colonie du Bas-Canada, depuis qu'en 1791 on a donné aux sujets du Roi[7] le droit de s'exprimer en des votes que multiplie l'Assemblée législative et qu'annule trop souvent le Conseil législatif avec, de part et d'autre, une volonté de pouvoir évidente, mais contrecarrée constamment par l'autre partie.

Si les députés sont élus, les membres du Conseil sont nommés par le gouverneur. Les uns sont choisis par le peuple et les autres par le représentant du Roi. Les membres du Conseil ne sont pas là nécessairement pour contrecarrer les élus du peuple ou, tout au moins, de la classe votante ;

---

7. Les Canadiens n'ont rien eu à voir, même indirectement, dans la Constitution de 1791, signalent Guy Frégault, Michel Brunet et Marcel Trudel dans *Histoire du Canada par les textes* (vol. I), Fides. Beaucoup d'entre eux s'opposèrent même à l'idée d'une Chambre d'assemblée. Il y a un bien curieux extrait d'une lettre du gouverneur Dorchester (documents constitutionnels, pp. 938-940) à ce sujet.

... C'est principalement la classe commerçante de la société des villes de Québec et de Montréal qui préconise le changement des lois et du régime administratif par l'institution d'une assemblée. Les habitants canadiens ou fermiers, que l'on pourrait dénommer le corps principal des francs-tenanciers du pays, n'ayant que peu ou pas d'éducation ignorent la portée de la question et seraient, je crois, en faveur ou contre, selon qu'ils s'en rapporteraient avec plus ou moins de confiance aux sentiments des autres. Le clergé ne semble pas s'être immiscé. Mais les gentilshommes canadiens s'opposent généralement au projet ; ils ne veulent pas de l'introduction d'un code de nouvelles lois dont ils ne connaissent ni la portée ni les tendances ; ils expriment la crainte que l'organisation d'une chambre causera beaucoup de malaise et d'anxiété parmi le peuple, et pensent que le niveau inférieur de l'instruction dans ce pays exposerait celui-ci à adopter et à prendre de mauvaises mesures et à des dangers qui ne menaceraient pas un peuple plus éclairé. Je tiens pour assuré que la crainte de la taxation est l'un des motifs des adversaires du changement et qu'elle exercerait certainement une influence décisive sur les sentiments du vulgaire s'il venait à examiner les mérites de la question...

Cependant, les Canadiens comprirent rapidement le parti qu'ils pouvaient tirer de la nouvelle Assemblée, où ils avaient la majorité. Même si le droit de vote était limité, ils avaient ainsi le droit d'intervenir dans les affaires du pays.

ce qui n'est pas tout à fait la même chose à l'époque[8]. Leur fonction est partiellement d'empêcher que le gouverneur n'ait trop souvent à dire non à ces hommes venus du peuple, de la bourgeoisie ou de l'aristocratie dont les intérêts sont communs, même si les vieilles familles ont perdu leur influence avec leur fortune et, souvent, leurs terres par paresse, inertie ou orgueil de caste.

En 1792, le peuple n'avait guère compris la politique nouvelle. Il avait laissé le champ libre à beaucoup d'anglophones, sans se rendre compte comment la majorité pouvait influencer la marche des affaires. Au deuxième scrutin, les électeurs s'étaient repris. C'est à la faveur de cette deuxième étape que Denis Viger et Joseph Papineau avaient profité de ce que plus tard on appellera une vague de fond. Viger vient donc à Québec défendre la politique de quelques-uns de ceux qui s'étaient révélés les chefs d'un groupe de ruraux obstinés, ne sachant pas très bien comment le nouveau régime fonctionnait, mais décidés à obtenir qu'on les laissât parler leur langue et traiter leurs affaires selon leurs lois et leurs us et coutumes. Ils n'étaient peut-être pas les meilleurs, mais ils étaient les leurs. Pour eux, cela comptait car, sous la conduite du clergé et de leurs députés, ils en vinrent à y tenir comme à la prunelle de leurs yeux.

---

8. Comment s'établissait le droit de vote dans la lointaine colonie ? Voici les articles de la Constitution de 1791 qui le précisent :

Art. XX. Et l'autorité décrète en outre que les députés des différents districts ou comtés ou circonscriptions desdites provinces respectivement seront élus à la majorité des votes des personnes qui possèderont individuellement pour leur usage et leur profit exclusifs des terres ou tènements... tenus en franc-alleu ou en fief ou en roture ou en vertu d'un certificat obtenu sous l'autorité du gouverneur... et qui rapporteront un revenu annuel de quarante schellings ou plus... Les représentants des divers bourgs ou municipalités dans lesdites provinces respectivement seront élus à la majorité des votes 1° des personnes qui possèderont chacune, pour leur usage et leur bénéfice exclusifs, une habitation et un lopin de terre dans telle ville et municipalité... et en retirant un revenu annuel de cinq livres sterling ou plus, ou 2° des personnes qui, ayant résidé dans ladite ville ou municipalité pendant l'espace de douze mois précédant immédiatement la date de délivrance des *writs* ordonnant l'élection, auront payé *bona fide* une année de loyer du logement qu'elles auront ainsi occupé au taux de dix livres sterling ou plus par année.

Art. XXI. Pourvu toujours... que soient inéligibles et incapables de siéger ou de voter dans l'une ou l'autre assemblée toute personne qui sera membre de l'un desdits conseils législatifs à établir... ou toute personne qui sera ministre de l'Église d'Angleterre ou ministre, prêtre, clerc ou professeur, soit suivant les rites de l'Église de Rome ou suivant toute autre forme ou profession de foi ou de culte religieux...

De l'autre côté de la barrière, c'est-à-dire au Conseil législatif, il y avait, comme nous l'avons vu, ceux que le gouverneur avait nommés au nom du Roi. En cette fin de siècle, il y avait parmi eux quelques francophones, en minorité, et des anglophones, représentant à la Chambre haute ces
marchands que le commerce avait enrichis. Ils avaient les
qualités et les goûts que les autres avaient négligé d'acquérir. Ils avaient fait la traite des fourrures, puis avec le blocus continental, ils devaient mettre sur pied, en collaboration avec les importateurs anglais ou écossais, un commerce
de bois aléatoire mais rapportant beaucoup, tant que les
bois de Scandinavie n'eurent pas repris la route de l'Angleterre. Plus tard, ils expédieront les céréales, le blé et la potasse, troisième étape d'un commerce extérieur à la fois
bouillonnant, rémunérateur et plein d'embûches. Parmi
eux, il y avait aussi ceux qui importaient de Londres ou de
Liverpool ce que ne produisait pas la Colonie.

D'instinct, sinon en principe, les membres du Conseil
étaient majoritairement contre les décisions de l'Assemblée.
Il n'était pas nécessaire que leur fût donné un mot d'ordre.
De part et d'autre, on s'arc-boutait contre des dispositions
ou des décisions prises une fois pour toutes. Certains gouverneurs nommèrent des francophones au Conseil pour
donner à la population quelque gage de bonne volonté sans
risquer de déplacer la majorité. Si, longtemps plus tard, les
Canadiens français se divisèrent en partis où la discipline
joua pleinement, à l'époque l'opinion est presque unanime,
seuls quelques-uns votant contre le bloc que constitue la
députation des francophones — qu'on n'appelait pas encore
ainsi, il est vrai.

Que demandaient ces culs-terreux du Bas Saint-Laurent, qui s'appelaient les Canadiens, par opposition aux Anglais, les nouveaux venus ? Oh ! simplement qu'on les laisse
vivre en paix, à leur manière, qui n'était pas celle de leurs
opposants, nouveaux venus dans une société vivant en vase
clos. Ce n'était pas la langue qui était le problème principal
à l'époque, il est vrai ; la religion comptait avant tout. Le
Traité de Paris avait bien apporté quelques précisions sur

les droits des nouveaux sujets de l'Angleterre. Mais entre la théorie et la pratique, il y a toujours eu un fossé plus ou moins profond que l'on s'efforçait de combler à Londres. Pitt — ce grand bonhomme de la politique anglaise — n'avait-il pas dit à peu près ceci :

> Il faut donner aux Canadiens un gouvernement qui les satisfasse. Ils viendront d'eux-mêmes à nos lois et à nos coutumes quand ils auront pu constater qu'elles sont meilleures que celles du régime français.

Entêtés, butés même, ces francophones d'Amérique voulaient garder intacts les souvenirs de leur passé français. Pour eux, lois, religion et langue étaient un héritage, que ne voulait pas reconnaître l'autre groupe qui leur opposait sa langue, ses lois, sa foi. Fils d'églises différentes depuis que Henri VIII avait secoué le joug de Rome, tout les opposait dans cette colonie où se partageait bien inégalement le pouvoir. Le nombre était encore l'atout d'un groupe ; l'autre s'appuyait sur le gouverneur et son Conseil (vague rappel de la Chambre des Lords) pour orienter la politique de la colonie.

*

Mais revenons à Denis Viger. Député de Montréal-Est, il le resta jusqu'en 1800, moment où il revint sans hésitation à ses affaires de maître-charpentier, propriétaire d'une ferme qui rendait bien à l'effort exigé pour la faire valoir. Il est bien considéré par son curé qui l'invite à siéger parmi les marguilliers de la Paroisse, à une époque où les Sulpiciens desservent cette église toute simple, au clocher élégant qu'il faudra démolir parce qu'elle obstrue la rue Notre-Dame et qu'elle est devenue insuffisante pour les besoins de la Paroisse[9]. On l'écartera alors pour faire place au grand

---

9. Un groupe de paroissiens, appuyés par les Viger et les Papineau, ont demandé à l'évêque de permettre qu'on construise une deuxième église. Pour empêcher cela, les Sulpiciens commandent des plans à un architecte newyorkais et voient à ce qu'on les exécute en hâte. De son côté, l'évêque érigera sa cathédrale sur Sainte-Catherine, tout près de la rue Saint-Denis, avec l'aide de la famille Viger.

édifice qu'élèveront les Sulpiciens sur les plans de l'architecte irlandais O'Donnell, que l'on ira chercher à New York.

Ce n'est pas dans l'église de la Place d'Armes que Denis Viger se marie en 1772. Il épouse Charlotte-Perrine Cherrier à Saint-Denis-sur-Richelieu. Ainsi, il entre dans cette famille dont on suit la trace à travers la bourgeoisie naissante à Montréal, avec Joseph Papineau qui épouse Marie-Rosalie, avec Jacques Lartigue, mari de Marie-Charlotte et père du futur évêque de Telmesse. À un moment donné, l'histoire de Montréal est profondément marquée par les descendants des demoiselles Cherrier, filles de François Cherrier, marchand à Longueuil, puis notaire à Saint-Denis.

Parmi leurs enfants, il y a Denis-Benjamin Viger qui, dans le Bas-Canada, joua un rôle de premier plan presque toute sa vie : avocat, juriste, spécialiste du droit constitutionnel, que ses collègues de l'Assemblée enverront porter leurs doléances à Londres, qui fit de la prison à titre de prisonnier politique, mais qui parviendra au plus haut poste de la politique coloniale sous sir Charles Metcalfe, comme on le verra. Il y a aussi Louis-Joseph Papineau, fils du notaire et député Joseph, qui soulèvera la population et la mènera à la rébellion, assez inconsidérément, il est vrai. Marie-Charlotte Lartigue, née Cherrier elle aussi, donnera naissance à un fils, Jean-Jacques, évêque honni par ses frères Sulpiciens de Montréal, qui s'opposera au soulèvement de 1837 et qui, au nom de l'église, condamnera ses cousins, fauteurs de trouble.

Il y eut également Côme-Séraphin Cherrier, neveu des trois sœurs Cherrier et quatrième cousin de l'évêque, grand avocat, futur bâtonnier du Barreau de Montréal que l'on mit aussi aux arrêts chez lui en 1838, après l'avoir jeté en prison. Il y eut Louis-Michel — fils de Louis — cinquième cousin de cette famille prestigieuse. Celui-ci, un jour, fondera la Banque du Peuple, dont il sera le président ; ce qui ne l'empêchera pas d'être mis derrière les barreaux en 1838. Cela, on peut l'imaginer, n'arrangera pas les affaires de la

Banque qui n'avait d'existence légale que celle que lui avait accordée la firme Viger-De Witt et Associés. Mais cela est une autre histoire dont nous reparlerons un peu plus loin, quand le moment viendra d'étudier la situation politique et la part qu'y prendront, des deux côtés de la barrière, ces fils de la famille Cherrier.

Napoléon Bourassa et Louis Dulongpré ont fixé les traits de certaines des demoiselles Cherrier : Bourassa en un dessin gracieux, qui représente Marie-Rosalie, femme de Joseph Papineau, et Louis Dulongpré, auteur d'un bien joli pastel qui rappelle le souvenir de Charlotte-Perrine, aux pommettes saillantes et au nez long — comme l'avait son fils.

Denis Viger meurt en 1805, à l'âge de soixante-quatre ans ; sa femme lui survivra vingt ans, en laissant à son fils Denis-Benjamin le soin d'administrer ses propriétés, dont on retrouve la trace dans un plan du quartier hors les murs, qui deviendra partiellement le square Viger quand Viger en aura fait don à la municipalité naissante.

*

On trouve des traces de l'activité de Denis Viger dans de vieux documents qui ne manquent pas de saveur. Dans le premier, on lui confie un poste de confiance : garder la clef qui donne accès à une des pompes à incendie que possède le bourg, une autre étant remise à Peter McGill pour le quartier de l'ouest. Dans le second, à titre de marguillier en charge de la Paroisse, Viger poursuit François-Xavier Bender pour récupérer un banc à l'église paroissiale de Montréal : autre exemple de ce goût de la chicane que montrent ces descendants de Normands pour qui tout est prétexte à poursuite devant les tribunaux. Dans le troisième document, Denis Viger intente un procès à Pierre Foretier ainsi qu'à ses voisins. Les eaux s'écoulent mal de sa terre. La petite rivière Saint-Martin passe à côté. Avant qu'on ne

la canalise elle rend l'endroit peu salubre. Il faudrait égoutter le terrain. C'est cela que demande Viger à Pierre Foretier et à ses voisins, qui refusent malgré le dire des experts
auxquels on a recours. Son fils, Denis-Benjamin, deviendra
un peu plus tard, en novembre 1808, le gendre de Foretier.
Il aura maille à partir avec son beau-père, semble-t-il, au
point que, sans déshériter sa fille complètement, Foretier
s'opposera à ce que son gendre soit un des exécuteurs testa-
mentaires. Cela vaudra à sa succession un long procès qui
durera plus de vingt ans. Pour l'instant, Foretier et les autres sont forcés par le tribunal de faire ce que leur voisin
veut leur imposer. Le témoignage des experts est catégorique : le fossé d'évacuation n'est ni assez profond, ni assez
large pour assurer la vidange des eaux. Après avoir entendu
les experts, la cour du banc du roi donne raison à Denis Viger.

    Pierre Foretier s'incline-t-il ? Probablement, mais l'his-
toire ne le dit pas. Le jugement, par ailleurs, reste comme
le témoignage d'un état d'esprit. Molière ou Courteline auraient aimé ses considérants.

*

    Voilà un bel exemple du goût de la chicane, de l'obsti-
nation paysanne, qui existe ou plutôt subsiste chez Pierre
Foretier, qui n'est pas de première jeunesse. Pourquoi être
allé en appel, alors que le premier expert venu lui aurait
dit : « Élargissez votre fossé et ainsi vous éviterez d'inonder
le terrain de votre voisin ». Obstination ? Il est bien difficile
d'aller à l'encontre de son caractère, de ses goûts, de l'o-
rientation psychologique de toute une vie.

    Un siècle plus tard, un autre personnage, de la région
de Saint-Jean cette fois, pratiquait le procès comme un
sport auquel il se livrait avec plaisir. Il était heureux quand
il était parvenu à briser les ressorts de sa voiture en circulant dans ces *rangs*, dont la route était cahoteuse. Cela lui

permettait de poursuivre les gens dont les propriétés jouxtaient la route qu'ils étaient censés maintenir en bon état.

Viger et Foretier étaient des caractères que Balzac ou, plus tard, Hervé Bazin auraient aimé décrire dans un de leurs livres.

*

Denis Viger meurt en 1805. On l'enterre en toute simplicité. Sa femme reste seule avec son fils Denis-Benjamin Viger et sa fille Marie. Et la vie continue. Plus tard, en souvenir de lui et de son fils, on appellera rue Saint-Denis la voie qui traverse sa ferme.

Personnage un peu falot, pensera-t-on ? Mais non ; il semble bien de son époque où, si l'on était satisfait de peu, on vivait au rythme du moment, avec des entêtements, mais aussi avec des dévouements à la chose publique et un désintéressement certain puisque être député ne rapportait rien dans l'immédiat. Avec aussi un grand amour de la terre : source de prospérité dans le moment présent, mais aussi dans l'avenir. Car on était bien près d'une époque où la ville, en gagnant vers l'est, allait donner l'aisance à ceux qui possédaient le sol.

3

Enfance, adolescence et
formation professionnelle

1774 est une année faste dans l'histoire de la Colonie. L'Angleterre a signé le Traité de Paris avec la France et l'Espagne en 1763 ; mais à ses nouveaux sujets, elle veut reconnaître un statut politique. Ceux-ci parlent français mais, à partir de maintenant, ils sont sous la férule de George III, roi d'Angleterre[1]. Ils se sont résignés à accepter le statut nouveau de la Colonie et ils ont décidé de se plier aux exigences du vainqueur. À titre d'exemple de leur misère, voici la première d'une longue série de pétitions qu'ils adresseront au roi d'Angleterre, leur nouveau maître[2]. Si nous la citons ici, c'est qu'elle nous paraît être caractéristique d'un esprit colonial correspondant à l'époque, mais qui, fort heureusement, ira en décroissant quand les vaincus d'hier commenceront à relever la tête. Elle permet aussi de saisir l'état de la Colonie après une guerre dévastatrice :

---

1. Au Musée Chéret, à Nice, il y a un beau portrait de George III. Oeuvre d'un peintre anglais, Allan Ramsay, il représente le roi, vêtu d'un somptueux manteau qui recouvre un habit de cour. Le monarque a tout à fait l'air de ce qu'il n'était pas : souverain fort peu vertueux, mais qui a eu la chance d'avoir avec lui des ministres dont le plus grand fut William Pitt, dit le « second Pitt », adversaire implacable de la Révolution, mais aussi excellent politique, à qui la Colonie de Québec devra sa seconde constitution, celle de 1791. George III devint fou. Pudiquement, on jeta sur lui le manteau de Noé, et l'on confia à un Conseil de régence le soin de diriger le royaume et ses lointaines possessions.

2. On sourit à distance quand on sait ce qu'a été le règne énergique mais peu vertueux de George III, avant qu'il n'accepte de disparaître derrière le Conseil de régence qu'on lui impose.

SIRE,

Les Citoyens de la Ville de Montréal en Canada osent prendre la liberté de se prosterner au pied de Votre Trone Persuadés que C'est là ou resident le Sanctuaire de la Justice, et le Temple de toutes les autres Vertus.

Les Preliminaires de Paix signés au mois de Novembre dernier entre Votre Majesté, et leurs Majestés Tres Chrestienne et Catholique ne nous Laissent plus lieu de douter que le Canada devant faire partie de vos Etats, nous allons devenir vos sujets : C'est en cette qualité que nous avons recours au plus Genereux et Magnanime des Rois. Tendre Pere de son peuple nous nous flattons qu'il daignera ecouter le Recit de nos Infortunes[3].

Les fleaux de la guerre et de La famine longtems avant La Reddition du Canada. Desoloient ses malheureux habitans, des Depenses dans les finances multipliées à Lexces avoient Longtemps avant Sa Chute repandu une quantitée Extraordinaire de papier ; des Societes aussy avides que puissantes se formèrent. Tout le commerce fut envahy et les negociants du Canada furent les Tranquilles Spectateurs d'un négoce qui devoit leurs appartenir. Plut au Ciel que le ministere de la France eut été plutot instruit de ces Injustices ? il eut mis un frein a des abus si contraires au bien d'une Colonie !

Ces mêmes negotiants avoient fait des achats de Marchandises En france dans les années 1757 et 1758. La Crainte de les exposer sur mer en tems de guerre leur avoient fait prendre la resolution d'attendre une Circonstance plus favorable ; ils prirent le party de les laisser en magazins en attendant la paix. Cette paix sy chere et sy desirée leur laissoit lespoir de recommencer leurs Travaux ; mais Esperance vaine, le Canada passat sous la domination de Votre Majesté.

Des Cet Epoque la monnoye du papier seule qui circuloit en ce pays est devenuë Totalement decreditté et entierement Inutile. La suspension du payement des lettres de change nous portat Le dernier Coup ; enfin tous les Etats à la fois se sont trouvés et se trouvent aujourd'huy dans une dé-

---

3. Arch.-Can. Série Québec, vol. I, (février 1763), p. 67. (Cité par Gustave Lanctôt, historien un peu trop négligé par une génération ayant parfois tendance à oublier ceux qui l'ont précédée.)

tresse affreuse et la Scituation la plus déplorable. Les marchés publiques sont couverts des meubles et des dépouilles les plus nécessaires pour subvenir à la subsistance de nos familles.

Nous arrêtons ici la citation[4] qui suffit à montrer le découragement de ces gens que l'on a laissés bien mal en point dans un monde lointain. On trouvera le texte complet de la supplique en annexe. Pour l'instant, nous voulons simplement rappeler un fait caractéristique de l'époque : le désarroi des nouveaux sujets du roi d'Angleterre. Et puis l'unanimité de cette société qui, à Montréal, se divise d'une façon très curieuse, rappelant les trois ordres qui se sont affrontés en France, au moment de la révolution : le Corps du Clergé, le Corps de la Noblesse et le Corps du Commerce. Même si les appellations sont différentes, on se trouve devant trois groupes bien caractérisés qui se réunissent pour faire valoir leur misère auprès du roi.

On ne comprendrait pas une pareille platitude dans l'expression du désarroi, si on ne l'interprétait dans l'esprit de l'époque et si on ne se rappelait la situation de la ville après une guerre ruineuse. Tant en France qu'en Angleterre, le roi est le maître de tout, bien qu'en Angleterre la Grande Charte ait relégué le souverain à l'arrière-plan, tout en lui conservant un prestige indéniable. Il reste l'autorité symbolique, mais officielle, derrière laquelle les jeux sont faits. Comme on aurait procédé pour obtenir la protection du roi de France, on n'hésite pas à célébrer les vertus et les pouvoirs du souverain anglais, dont l'histoire nous a révélé le sort par la suite.

Si les nouveaux sujets du roi d'Angleterre ont accepté leur soumission à la Métropole, 1774 leur apporte une charte de leurs droits et pouvoirs. La Constitution nouvelle leur apprend comment on gérera leurs affaires à l'avenir.

---

4. Tout en nous étonnant du nombre de fautes qui parsèment un texte d'une telle importance dans l'histoire de la Colonie. S'il est en français, c'est sans doute que l'on ne veut pas renoncer officiellement à un droit accordé par traité, mais aussi que les sujets nouveaux ne connaissent pas encore la langue du vainqueur. On est en février 1763.

*

Cette année-là naît à Montréal un petit être qui, par la suite, jouera un rôle important dans l'histoire du Canada. Pour l'instant, c'est sur son berceau que se penche sa mère, un peu inquiète de ses vagissements, mais ravie comme on l'est au premier enfant. On peut imaginer le sentiment du père et de la mère, qui se préoccupent davantage de la santé de leur fils que de l'avenir politique de la Colonie. Lui est bien près de la terre, bien que vivant surtout de son métier de maître-charpentier. Il a, pas bien loin de là où il habite, une grande terre, qui sera lotie au fur et à mesure que la ville gagnera vers l'est mais qui, pour l'instant, lui appartient.

L'enfant est baptisé à l'église de la Paroisse, ce bâtiment très simple érigé dans l'esprit du XVIIe siècle et que surplombe un clocher gracieux comme le sera celui de l'église de Notre-Dame-de-Bon-Secours[5], que connaissent bien les marins.

C'est à peu de distance de là, dans la maison de la rue Saint-Vincent et, l'été, dans la maison de ferme de son père que l'enfant grandira, dans un milieu bousculé. Les Américains ont envahi la Colonie, en effet. Ils se sont installés à Montréal, mais leurs armées, sous Montgomery, n'ont pu entrer dans Québec. Elles ont été vaincues sous le cap Diamant et elles sont retournées au-delà d'une frontière restée floue. Les Viger ont vu l'armée à Montréal et, même, ils ont aperçu le bonhomme Franklin, venu dans la ville pour organiser la poste. On lui avait confié le soin également, par sa bonhomie et son charme, d'exercer une influence sur la bourgeoisie naissante, comme il allait bientôt le faire en France, à un point qu'on ne peut imaginer, lui si simple dans une société si sophistiquée !

_____

5. Tant qu'on n'aura pas reconstruit la façade au XIXe siècle, époque faste au point de vue politique et religieux, mais déplorable pour l'architecture sous l'influence de l'évêque Bourget : pieux et dynamique prélat, pour qui compte l'institution, plus que le cadre.

Dans ses fourgons, Franklin avait amené un Français qui devait être à l'origine de l'imprimerie à Montréal. Fleury Mesplet — car c'est de lui qu'il s'agit — transporta son matériel de Philadelphie à Montréal et, selon Victor Morin, la première édition des *Règlements de la confrérie de l'adoration perpétuelle du Saint-Sacrement et de la bonne mort,* que lui avaient commandés les Sulpiciens à son voyage précédent. Malheureusement, en traversant les rapides de Chambly, une fausse manœuvre de l'embarcation devait entraîner la perte des livres, qui durent être repris à Montréal, deuxième édition d'un ouvrage de piété ainsi relié à la source même de l'imprimerie dans la Colonie.

De loin, les gens du lieu ont assisté aux chambardements qui ont suivi l'arrivée, puis le retrait des troupes américaines. Dès leur départ, le Château Ramezay devait reprendre sa somnolence d'antan, en attendant qu'on l'utilisât à d'autres fins.

Avant de retourner dans leur pays, les Américains avaient tenté de convaincre les Canadiens de travailler avec eux, mais le clergé veillait. Il fit se ranger ses ouailles derrière l'autorité britannique, même si quelques-uns, comme le sieur du Calvet, accueillirent les envahisseurs comme des frères : premier exemple d'une collaboration avec les gens du sud qui leur coûtera cher.

Pour l'enfant qu'est Denis-Benjamin, tout cela n'évoque de souvenirs que ce qu'on lui a dit.

*

Les années passent. L'enfant a huit ans. Ce n'est pas trop tôt pour l'envoyer à ce collège Saint-Raphaël, logé tout près dans cet immeuble de la place Jacques-Cartier que l'on appelle le château de Vaudreuil. Les Sulpiciens viennent de s'en porter acquéreurs[6] et en confient la direction à

---

6. À la séance du dimanche 11 juillet 1773, les marguilliers de la Paroisse ont adopté, en effet, une résolution à l'effet d'acheter le château de M. de Vaudreuil, bâti au bas de la « Place Jacques-Cartier, rue Saint-Paul, pour en faire un collège à perpétuité ». Les Sulpiciens y logeront tant qu'il ne sera pas détruit par le feu.

l'un des leurs, M. Jean-Baptiste Curatteau, Sulpicien venu de Nantes à Québec, vers la fin du Régime français, qui avait été instituteur après son ordination. Une fois nommé curé à la Longue-Pointe, il avait ouvert une école dans son presbytère pour ces jeunes gens qu'on ne pouvait laisser incultes, même si le régime était bien peu favorable à ce que des prêtres les formassent. Parmi les instructions reçues de Londres, n'y avait-il pas celle-ci, circulant sous le boisseau, mais connue d'un clergé prêt à réagir ? Nous l'empruntons à Mgr Olivier Maurault dans son *Histoire du Collège de Montréal 1767-1967* [7] :

> Le besoin donc était grand, mais grands aussi les risques d'une pareille fondation. Le nouveau gouvernement du pays avait déjà pris et devait prendre encore davantage une attitude hostile. Le titre d'évêque enlevé au premier pontife ; le chapitre supprimé ; le palais épiscopal occupé ; l'évêque sans demeure ni traitement ; le clergé en butte à toutes sortes de vexations ; les catholiques exclus de toutes les charges ; des adresses venues de Londres ou d'Oxford sollicitant les Gouverneurs de détruire le « papisme » : c'étaient là autant d'avertissements. Voici, pour nous édifier, comment s'exprimait une des adresses que nous avons signalées : « Ne parler jamais contre le papisme en public, mais le miner sourdement ; engager les jeunes filles à épouser des protestants ; ne point discuter avec les gens d'Église, et se défier des Jésuites et des *Sulpiciens ;* ne pas exiger actuellement le serment d'allégeance ; réduire l'évêque à l'indigence ; fomenter la division entre lui et ses prêtres ; exclure les Européens de l'épiscopat, ainsi que les habitants du pays qui ont du mérite et qui peuvent maintenir les anciennes idées. Si l'on conserve un collège, en exclure les Jésuites et les *Sulpiciens,* les Européens et ceux qui ont étudié sous eux, afin que privé de tout secours étranger, le papisme s'ensevelisse sous ses propres ruines.

Ce qui était à la fois un programme et un régime qui, fort heureusement, devait évoluer.

Pour nous, gens du XXᵉ siècle qui invoquons les droits de l'homme, les instructions venues de Londres paraissent

---

7. Pages 4 et 5, édition de 1967. Aux Éditions Eugène Doucet, Ltée.

bien abusives. Dans le contexte de l'époque, elles s'expliquent, si elles ne se justifient guère. Devant cela, il fallait faire quelque chose. Ce sont les prêtres du Séminaire qui s'en chargeront à Québec et les Messieurs de Saint-Sulpice à Montréal[8]. Du collège Saint-Raphaël — embryon d'un enseignement secondaire — devait naître le Collège de Montréal, destiné à former des laïques et des prêtres. On en avait un grand besoin dans le Bas-Canada, même si les clercs chassés de France par la Révolution étaient venus à la rescousse par la voie de l'Angleterre[9], tant que les autorités avaient cru habile de les orienter vers ces francophones d'Amérique à qui, croyait-on, ils insuffleraient la haine de la république et, par ricochet, de la France.

À côté des futurs clercs qui fréquentaient le collège, il y avait ceux que l'on préparait à remplir une fonction parmi les laïques. Denis-Benjamin Viger en était, comme aussi Jacques Viger, Louis-Joseph Papineau, Louis-Michel Viger et Jean-Jacques Lartigue, ses cousins ; ce dernier commençant sa cléricature chez Louis-Charles Foucher qui fut également le premier maître à penser de Denis-Benjamin Viger, jeune clerc préparant son droit. Plus tard, Jean-Jacques Lartigue opta pour la prêtrise, en délaissant la basoche. Dans ce groupe, se trouvaient presque tous ceux qui, avec

---

8. Les Jésuites avaient fait beaucoup pour répandre l'instruction parmi les jeunes gens de la Colonie, mais ils étaient réduits à l'impuissance, depuis que le pape avait décrété la disparition de leur ordre. La Société de Jésus avait continué d'exister dans le Bas-Canada. D'un autre côté, le gouvernement anglais avait interdit le recrutement, avec l'entente que ses biens lui reviendraient après la mort du dernier jésuite au Canada.
Plus fortunés, les Sulpiciens se sont mis au travail. Et voici ce qu'ils ont réalisé, d'après *L'Annuaire de Ville-Marie* de 1864 :
   Les écoles, que tiennent les Ecclésiastiques du séminaire de Montréal, sont presque aussi anciennes que l'établissement de la ville. On y enseigne seulement à lire et à écrire en latin et en français. Le séminaire fait tous les frais d'entretien, fournit le bois et les livres, paie les maîtres, les loge et les nourrit.
   Ces écoles sont divisées en grandes et petites.
   Les petites écoles sont pour les enfants qui ne font que commencer à apprendre à lire.
   Les grandes écoles sont pour ceux qui commencent déjà à savoir lire et qui apprennent à écrire ; les parents qui sont en état paient pour chaque écolier cinq shellings par an. Les pauvres ne paient rien.
9. Benjamin Sulte a des pages bien intéressantes à ce sujet, dans son *Histoire des Canadiens-français*.

Denis-Benjamin Viger, allaient orienter la pensée politique dans leur milieu et, plus tard, livreraient la bataille contre le régime dans la région de Montréal.

*

Denis-Benjamin Viger est un bon élève, studieux, intelligent, acharné : qualités dont il fera montre durant sa longue carrière.

Des études, commencées en 1782 au Collège Saint-Raphaël et poursuivies au Collège de Montréal, quand on changea le nom, cela voulait dire une formation que l'on a gardée si longtemps dans les collèges classiques : éléments français, puis éléments latins, suivis de la méthode, de la versification, des belles-lettres et de la rhétorique. C'était l'enseignement cher aux Jésuites et qu'ils avaient donné à Québec, tant que l'on le leur avait permis. Puis, dans leur collège, le gouverneur avait logé la troupe en garnison à Québec. Avec la mort du père Cazeau, au début du XIXᵉ siècle, leurs propriétés destinées à l'enseignement et à l'évangélisation étaient passées au gouvernement impérial. À cette époque, la Société de Jésus possédait dans la région de Québec ce grand collège et cette église magnifique qui fut très abîmée pendant le siège, ainsi que d'importantes seigneuries. Il n'est guère resté de leurs propriétés que des gravures qui en gardent le souvenir ; ce qui est dommage car la qualité de l'architecture faisait de leur collège et de leur église de beaux monuments, à côté d'une basilique un peu lourde.

Les Sulpiciens étaient en fait, sinon en droit, moins mal partagés. N'ayant pas été frappés d'ostracisme par la papauté, ils gardaient leurs avoirs, même si leurs droits ne furent officiellement reconnus que beaucoup plus tard, quand lord Durham fût venu au Canada en 1838. Se rendant compte que l'on ne devait pas tarder davantage à confirmer des prérogatives accordées par le Traité de Paris, le nouveau gouverneur fit reconnaître par le Conseil spécial des prérogatives existantes, mais laissées imprécises juridiquement après la Conquête.

Dans l'intervalle, la Compagnie de Saint-Sulpice avait rendu à ses ouailles les services qu'elle jugeait à propos, en passant outre aux instructions données par Londres, mais appliquées sans rigueur, tant on sentait qu'on monterait davantage contre le pouvoir les francophones, dont la majorité tenait à ses églises et à ses prêtres comme à la prunelle de ses yeux.

La formation des élites à Montréal était aux mains des Messieurs. Et c'est ainsi que l'équipe, qui devait menacer le régime britannique dans le Bas-Canada, fut formée par les prêtres de Saint-Sulpice. Au siècle précédent, ils avaient constitué avec l'évêque de Paris l'opposition à Port-Royal et à ses thuriféraires. Autre moment, autres luttes conduites, il est vrai, avec une égale ténacité, mais aussi avec un objet bien différent.

*

Denis-Benjamin Viger sort du Collège de Montréal en 1792. Il a dix-huit ans. Certains de ses biographes, tel Joseph Royal, font valoir qu'il suivit ensuite des cours d'anglais et de philosophie, complément de formation à une époque où l'enseignement de la philosophie et de la théologie, sinon de l'anglais, était réduit à sa plus simple expression[10]. À tel point qu'une des premières préoccupations de Mgr Lartigue et de son successeur, Mgr Ignace Bourget, sera d'assurer cet enseignement au clergé et aux laïques, tant il est considéré dans les milieux latins comme une indispensable condition de la formation de l'esprit.

Au moment où il quitte le Collège de Montréal, Viger n'hésite pas : il sera avocat. Il est entouré de gens de la basoche. Parmi ses proches, n'y a-t-il pas Louis-Charles Fou-

---

10. Pour comprendre les difficultés de l'enseignement à Montréal, il faut lire M. Olivier Maurault, p.s.s. dans son *Histoire du Collège de Montréal*. Quand, au XVIIIe et au début du XIXe siècle, par exemple, les Sulpiciens voudront une université, à laquelle auraient eu accès leurs diplômés, on leur répondra en haut lieu : « The ouverture should be laid at His Majesty's feet, for such course as his Royal Grace and Wisdom should approve and command ». Comme le dit M. Maurault : « Les choses en restèrent là. » (Voir p. 20.)

cher, son beau-frère qui est avocat ? Et Joseph Papineau —
un de ses oncles — n'est-il pas notaire ? Ses cousins seront
presque tous avocats, dans un avenir plus ou moins lointain : Jean-Jacques Lartigue, qui bifurquera vers la prêtrise,
Louis-Joseph Papineau qui délaissera la basoche, lui aussi,
pour entrer en politique comme d'autres sont attirés par le
sacerdoce. Et Louis-Michel qui, avant d'être président de la
Banque du Peuple, exercera le droit. Quant à Jacques Viger
(autre cousin), il tournera le dos au droit pour être fantaisiste d'abord[11], grand collectionneur[12] puis, dans le civil, journaliste pour peu de temps il est vrai et arpenteur-géomètre.
C'est lui qui fournira des données précises à Wilhelm Von
Berczy et à Joseph Bouchette, arpenteur général du Canada
et auteur de plusieurs livres fort intéressants, publiés à Londres en 1815 et en 1832. Le dernier des cousins, Côme-Séraphin Cherrier, ira aussi vers le droit. Il y restera toute sa
vie, tandis que Denis-Benjamin Viger rapidement délaissera
les pandecques pour se jeter à corps perdu dans les affaires
publiques, comme d'ailleurs la plupart de ses cousins, très
attirés par l'Assemblée législative, première forme de la démocratie coloniale. On leur a dit : « Il faut aller à la Chambre défendre les droits et les prérogatives que le gouvernement anglais nous a accordés par la Constitution de 1791. »
Ils ont écouté la voix des sirènes, mais cela est une autre
histoire sur laquelle nous reviendrons.

Pour l'instant, accompagnons Denis-Benjamin Viger
dans ses études de droit. À l'époque, il n'est pas encore
question de suivre des cours à l'Université McGill ou chez
les Jésuites revenus au Canada en 1842 seulement et qui
créeront une école de droit dans leur Collège Sainte-Marie,
avec le concours agissant de Mgr Bourget. En 1792, il n'y a
d'enseignement du droit que celui de la pratique[13], à côté

---

11. Il faut lire ce que raconte à son sujet Amédée Papineau dans son journal.

12. Comme en font foi les *Saberdaches*, en particulier.

13. Voici comment le professeur Jacques Boucher décrit la formation du futur avocat dans *Le Barreau de Québec a 125 ans : son passé, son avenir :* « Quant
aux avocats (et aux notaires), depuis 1785, ils sont nommés par l'exécutif, sous la
tutelle du pouvoir judiciaire. Pas d'école de droit ; évidemment peu ou pas de
doctrine pour les guider dans la recherche des solutions juridiques qu'ils doivent

d'un maître auquel on est lié par un contrat passé devant notaire, entre le père — si l'apprenti-basochien est mineur — et l'avocat qui accepte de le former.

La convention est d'abord signée pour cinq ans entre Denis Viger, père du jeune clerc, et Me Louis-Charles Foucher, le 7 mars 1794. Celui-ci a une solide formation juridique et il pratique le droit depuis 1787. Il accueille avec joie son jeune clerc mais, en 1796, attiré par la politique, il devient député. Il n'a plus le loisir de former un clerc, comme il s'y est engagé deux ans plus tôt. Denis-Benjamin Viger se tourne vers un autre avocat, Joseph Bédard, frère du tribun, Pierre, qui se heurtera violemment au gouverneur Craig, au siècle suivant. Après avoir accepté de le former, Joseph Bédard doit y renoncer à son tour car il se rend compte qu'il ne peut tenir son engagement. Devenu majeur dans l'intervalle, Viger s'adresse à Jean-Antoine Panet qui exerce à Québec ; ce qui le forcera à y habiter.

Il est intéressant de voir la convention que signent l'un et l'autre des contractants. Pour qu'on en juge, voici le texte du notaire Joseph Plante :

> Par devant les Notaires Publics résidents à Québec, fut présent Sieur Denis-Benjamin Viger de Montréal, actuellement à Québec, lequel désirant parvenir à exercer la profession d'Avocat et finir ses études de Droit qu'il a commencées avec Louis-Charles Foucher, Écuyer, Avocat de Montréal, sous lequel il a servi comme clerc depuis le sept mars 1794 jusqu'au douze juillet 1796, suivant le contrat passé devant Me Gauthier, Notaire à Montréal ledit jour sept mars 1794, et le certificat au bas de l'expédition resté entre les mains dudit sieur Denis-Benjamin Viger et qu'il a continué depuis avec Joseph Bédard, Écuyer, aussi avocat à Montréal depuis le 15 juillet même année jusqu'au quatre octobre du présent mois suivant le contrat passé devant Me Mondelet, Notaire à Saint-Marc et le certificat au bas du quatre octobre courant, s'est volontairement engagé et s'engage par ces présen-

tout de même fournir à leur clients. Ils se forment entre eux pendant cinq années de cléricature couronnées d'un examen où la complaisance (les temps ont changé) est forcément de rigueur. »

tes à Jean-Antoine Panet, Écuyer, Avocat demeurant audit Québec à ce présent acceptant et retenant ledit sieur Denis-Benjamin Viger pour son clerc pour l'espace de temps qui lui reste à faire à compter de ce jour pour compléter les cinq années d'études requises par la Loi, promettant pendant ledit temps d'être assidu et de se rendre jour par jour en l'office dudit Jean-Antoine Panet, Écuyer, pour s'y appliquer à l'étude des Lois et s'y former à tout ce qui regarde ladite profession d'avocat et enfin faire tout ce qui lui sera commandé de licite et honnête au regard d'icelle promettant de sa part ledit Jean-Antoine Panet, Écuyer, l'enseigner et l'instruire de tout ce qui est de ladite profession et de tout ce dont il se mêle en icelle.

Fait et passé audit Québec en l'office dudit Jean-Antoine Panet, Écuyer, l'an 1798 le huitième jour d'octobre après-midi et ont signé, lecture faite. Signé en la minute demeurée en l'étude de Me Plante l'un desdits notaires, J.-A. Panet, D.-B. Viger, A. Dumas, Not. Pub. et du soussigné[14].

Jh PLANTE, notaire

En 1799, Me Panet donnera au clerc Denis-Benjamin Viger le certificat, dans lequel le maître juge que l'élève est apte à exercer les fonctions d'avocat. En voici le texte :

Je certifie à tous qu'il appartiendra que le sieur Denis-Benjamin Viger a étudié avec zèle et fidèlement servi comme clerc-avocat, à mon étude à Québec, depuis et compris le huitième jour d'octobre 1798 jusqu'à ce jour, date du présent inclusivement, en conformité au contrat des autres parts, dont je le décharge ; et qu'ayant précédemment étudié et servi en la même qualité, comme appert par les autres contrats et certificats y énoncés, ledit sieur Viger, à ma connaissance particulière, est de très bonnes mœurs et capable d'être admis à la profession d'avocat en cette province. Québec, 6 mars 1799.

A. PANET, avocat

Il ne restera plus au clerc qu'à recevoir sa *commission* qui, selon l'usage, lui sera remise ultérieurement.

---

14. A.P.C., MG 24B6.

Pierre qui roule n'amasse pas mousse, dit un dicton populaire. S'il eût peut-être mieux valu pour Viger de rester cinq ans avec le même maître, il avait eu la chance de travailler avec d'excellents avocats, qui ne pouvaient pas ne pas exercer une profonde influence sur un cerveau de la qualité de Denis-Benjamin. Sérieux, intelligent, esprit ouvert, ce dernier subit profondément l'influence de ses trois maîtres et, en particulier, du dernier. Jean-Antoine Panet est d'une famille de gens de robe et d'église. Venu en Nouvelle-France en 1741, son père, Jean-Claude Panet, avait été reçu avocat à Québec après la conquête. Son oncle, Pierre Méru, était notaire à Montréal et son cousin, Pierre-Louis, né à Montréal, était à la fois notaire et avocat. Quant à Jean-Antoine Panet, s'il était avocat lui aussi, il se laissa rapidement prendre dans les filets de la politique. De 1792 à 1814, après une belle bagarre[15], il fut *orateur* de l'Assemblée législative, comme on dira longtemps du président de la Chambre basse : titre assez comique d'ailleurs comme celui de « gentilhomme-huissier de la verge noire », hérités de la vieille mise en scène britannique. En passant l'océan, les fonctions avaient gardé les mêmes rites séculaires : l'un dirigeant les débats et parlant peu malgré son titre, l'autre portant la masse[16], symbole de l'autorité royale.

Dans la famille Panet, il y avait également à cette époque trois autres frères, Philippe, Louis et Charles, tous notaires ou avocats. Ce qui souligne une certaine montée dans l'échelle sociale ; mais aussi la grande désolation de cette société qui passe à côté d'une vie économique déjà bouillonnante. Mieux comprise, elle aurait pu faire, des sujets nouveaux, des hommes riches, puissants, forts, tandis qu'orientée comme elle l'était, elle ne pouvait aboutir qu'à

---

15. Une des premières batailles politiques s'engagea en Chambre au moment de l'élection de l'*orateur* : les Canadiens mettant de l'avant un des leurs et les *Anglais* lui opposant Grant, McGill ou Jordan. C'est à ce moment-là que les Canadiens comprirent l'importance que leur donnait le nouvel instrument politique dont ils disposaient.

16. La masse est le rappel d'un très vieil usage. N'y en a-t-il pas une au musée Masséna à Nice, qui se rattache à la coutume de la cour de justice de Rouen ? Il y avait là le même symbole de l'autorité qu'évoque la masse de la Chambre britannique.

la portion congrue et à une violente réaction contre le milieu correspondant à l'encombrement de presque toutes les avenues.

*

Si Denis-Benjamin Viger est avocat à partir de 1799, il sera bien d'autre chose. Plaider, pour lui, deviendra une seconde nature. C'est, croyons-nous, ce qui caractérise son œuvre, sinon sa carrière. Par ailleurs, son père et son beau-père, en lui laissant des terres et des maisons, en feront un riche propriétaire foncier, ce qui ne manquera pas d'avoir sur l'orientation de sa vie une importance indéniable, comme on le verra.

*

Denis-Benjamin Viger a vingt-six ans ; il est avocat, mais sans beaucoup de causes. Il habite chez son père, qui sera député jusqu'à 1800. Il est très attiré lui-même par la chose publique. Ce ne sera pas long avant qu'il ne suive l'exemple de tous les membres de sa famille qui se sont orientés vers la politique. À quelques pas de chez lui habite son oncle, Joseph Papineau, notaire réputé, qui lui envoie des clients de temps à autre et qui, très mêlé aux affaires publiques, l'entretient avec fougue de ce qui se passe à Québec dans cette Chambre dont les initiatives sont souvent rembarrées par le Conseil législatif. Si celui-ci a l'oreille du Gouverneur, à la Chambre basse les députés peuvent exprimer les besoins et les doléances de leurs gens. Une âpre bataille s'y livre ouvertement entre Canadiens, restés francophones malgré la conquête, et les autres qui ne veulent voir que leur intérêt et le lien qui les unit à la métropole. S'ils gardent un grand respect pour le roi, les premiers secouent d'importance ces conseillers nommés et non élus qui, de leur côté, font grand bruit à Londres contre ces ruraux qu'ils ne veulent pas admettre parmi eux. Ayant été vaincus, ceux-ci doivent accepter la volonté du vainqueur, affirme-t-on.

Vers 1800, il y a dans la colonie un gouverneur[17] qui ne manque pas de bonne volonté. Il souhaite que les seigneurs — classe privilégiée — jouent un rôle auquel, nonchalamment, la plupart ont renoncé. Aussi, à côté de cette poussée à laquelle la plupart des députés de langue française prennent part, y a-t-il un désir non moins fort, parmi la bourgeoisie naissante, de jouer un rôle dans les affaires publiques. Il y a là un jeu démocratique, assurément, mais auquel on ne sera prêt à consentir pleinement qu'un demi-siècle plus tard, après un soulèvement qui inquiétera la jeune reine Victoria au début de son règne. Dans l'intervalle, les autorités louvoient, sauf quand le gouverneur Craig mène la barque. Lui n'est pas prêt à tout accepter de ces députés contestataires et il le montrera avec une vigueur bien militaire.

Denis-Benjamin Viger suit les événements avec passion, écrivent Fernand Ouellet et André Lefort[18]. Il est « sérieux, intellectuel, idéaliste, timide ; (on le) juge souvent ennuyeux et maladroit. Il a le goût des idées, des théories, il éprouve le besoin intense de communiquer par écrit et il est ambitieux ». C'est, nous semble-t-il, assez bien décrire ce jeune homme, à peine sorti de l'adolescence, curieux des hommes et de leurs idées et à qui on a donné le moyen de juger. Il est intelligent, tenace, obstiné même : la suite de sa vie le démontrera.

Il y a une faille dans sa formation, cependant : sa connaissance de l'anglais. S'il maîtrise la langue qu'il a apprise chez les Sulpiciens[19], comme son cousin Lartigue, il la lit, la parle assez bien, mais il l'écrit difficilement, note le lieutenant-gouverneur du Haut-Canada, sir Francis Burton[20].

---

17. Sir Robert Shore-Milnes.

18. Dans le *Dictionnaire biographique du Canada*, vol. IX.

19. Dans l'*Almanach de Ville-Marie* de 1864, il y a, à ce sujet, de bien curieux détails. Collection Gagnon. Bibliothèque Municipale de Montréal.

20. Chose à noter ici, croyons-nous, Viger écrira presque toujours en français au ministre des Colonies. En font foi les lettres qu'il adresse à lord Goderich, par exemple, dont on a gardé copie dans son dossier personnel. Entêtement de sa part ou désir de bien marquer un principe, nous ne savons pas ; mais il faut noter le fait et la reconnaissance officieuse par les fonctionnaires britanniques qui, eux, répondent en anglais. Voir Archives Publiques du Canada, vol. 3, MG24.

Certains parents envoient leurs enfants étudier l'anglais à Québec. Ainsi, l'auteur de *Colas et Colinette* et du *Déjeuner à l'Anglaise*, Joseph Quesnel, enverra ses filles à Québec « pour apprendre l'anglais », note Pierre J.-O. Chauveau dans sa biographie de Madame Côme-Séraphin Cherrier. Si, au début du XIXᵉ siècle, on procédait ainsi, c'est qu'il y avait une société anglophone assez importante. Certains parents voyaient à ce que leurs enfants la fréquentent. Ainsi, Philippe Aubert de Gaspé fait sa cléricature chez Jonathan Sewell, juriste de renom ; de son côté J.-Pierre Debastzch étudie à Harvard. Au siècle suivant, Édouard-Raymond Fabre enverra son fils aux États-Unis, à Albany, où il apprendra l'anglais auprès d'un ami de son père, qui avait joué un rôle important pendant la rébellion, mais qui s'était mis à l'abri comme tant d'autres, derrière la frontière. À la fin du XVIIIᵉ siècle, les Sulpiciens — excellents éducateurs — avaient compris l'importance de l'anglais pour ces jeunes gens qu'ils préparent à la vie dans une colonie britannique. Leur école est fréquentée non seulement par les francophones de Montréal, mais par les jeunes anglais de la ville.

Pour Denis-Benjamin Viger, il y aura là une faiblesse, car toute sa vie il aura à faire valoir ses idées auprès de gens qui feront fi de la langue française dans les débats importants. Pour convaincre plus facilement, il lui aurait fallu mieux parler et écrire cette langue qui devait être le premier instrument de travail dans un milieu qui, déjà, ne voulait reconnaître d'autre langage que le sien.

Quoi qu'il en soit, Denis-Benjamin Viger est un homme cultivé, intelligent, travailleur. Il comprend rapidement le rôle qu'il peut jouer dans le milieu politique, en se spécialisant, c'est-à-dire en s'orientant vers une connaissance suffisamment précise du droit constitutionnel pour traiter d'égal à égal avec ces gens qui ont apporté d'Angleterre leurs mœurs, leurs coutumes, leur manière de faire et leur conception de la vie. Ils cherchent à convaincre ces ex-Français que tout cela est supérieur à ce qu'ils ont connu jusque-là. Viger n'en est pas persuadé, et toute sa vie sera orientée dans ce sens, comme on le verra. Il l'écrira en 1809, puis en

1819. Il fera de la prison de 1838 à 1840, pour avoir défendu ces idées. Il en sortira, deviendra député, puis ministre de Sa Majesté la Reine. Toujours, il plaidera, car c'est sa formation première qui prendra le dessus. Et puis, rejeté par la politique, il reviendra au droit en jetant les bases d'un traité qui ne verra jamais le jour, mais dont le souvenir restera dans un dossier que la vieille dame de Wellington Avenue, à Ottawa, gardera dans ses archives[21] : lieu secret que fréquentent quelques historiens, jeunes ou vieux au crâne dénudé, mais à la curiosité insatiable.

---

21. Papiers Viger, vol. 7. Des notes prises rapidement sans plan bien arrêté, mais qui indiquent son désir d'être utile dans un domaine presque inexploré, où se retrouvent toutes les influences, toutes les traditions. C'est à son ami Augustin-Norbert Morin qu'il sera donné de collaborer avec ceux à qui nous devons le Code civil.

4

Mariage, belle-famille et cellule familiale

Denis-Benjamin Viger a trente-quatre ans quand il songe au mariage. Il est presqu'un cas d'exception dans un milieu où on se marie jeune[1]. Il est chef de famille depuis la mort de son père en 1805. Cela n'explique pas qu'il ait attendu si longtemps pour chercher une épouse parmi les jeunes filles de la ville. Très occupé avec l'exercice de sa profession, lent à agir, peu travaillé par le démon de la chair peut-être, il n'est pas pressé de suivre le conseil du prédicateur qui, du haut de la chaire de Notre-Dame, aborde parfois la question du mariage et de sa fin première. Un jour de 1808, il se décide. Il demande à Pierre Foretier la main de sa fille Marie-Amable. S'il avait voulu, il aurait eu le choix car il y avait, dans cette famille, cinq filles à marier : l'une, Marie-Marguerite, épousera le notaire Thomas Barron, avec lequel Denis-Benjamin Viger aura maille à partir plus tard, au moment de l'ouverture de la succession de son beau-père ; l'autre, Marie-Elisabeth, est la femme de Louis-Charles Foucher dont il a été le clerc. Une troisième, Marie-Thérèse, deviendra Madame Heney dont Viger rejoindra le mari dans sa lutte contre le pouvoir établi ; une cinquième deviendra Madame Simon-Hippolyte Durocher.

---

1. Sauf, il est vrai, dans cette bourgeoisie naissante : Pierre Debartzch a bien près de trente-trois ans, Édouard-Raymond Fabre, vingt-sept ans et Joseph Papineau, vingt-sept ans également, au moment de leur mariage. Le fils de celui-ci, Louis-Joseph, dépasse la trentaine.

Denis-Benjamin Viger jette son dévolu sur la quatrième des filles. Elle n'est pas de première jeunesse puisque, au moment de son mariage, elle a vingt-neuf ans. Nous avons peu d'indication sur ce qu'elle était à ce moment-là, sauf cette remarque de Mme Jacques Viger dans une de ses lettres : « sa gentillesse, sa fraîcheur lui tiennent lieu de beauté. » Ce qui est à la fois un peu méchant et assez précis. Une peinture nous la présente à un âge avancé : la figure poupine, arrondie comme on l'est quand des ans on a subi l'irréparable outrage, l'air bon et tout simple ; à l'encontre de son mari à qui une peinture de la même époque donne un air matois, astucieux de Normand transplanté en Amérique.

La noce a lieu en novembre 1808. Ce n'était pas le mois de l'hyménée, car novembre à Montréal a toujours été un mois triste, pluvieux, annonciateur d'un long hiver. Généralement, les amoureux choisissent juin, moment du renouveau. Si le mariage a lieu tard à l'automne, c'est sans doute que le fiancé vient d'être élu député et que, lors de la session, il devra être entièrement libre de ses mouvements à Québec. Défait une première fois, il s'est présenté dans le comté de Montréal-Est et on l'a élu. Il est entré à la Chambre en même temps que son cousin Louis-Joseph Papineau. Or, toute sa vie, Denis-Benjamin Viger pratiquera le slogan : « Ce qui mérite d'être fait mérite d'être bien fait. » N'a-t-il pas écrit : « Il est des hommes qui ne sont pas nés pour passer leur vie dans la dissipation ou les plaisirs. Je suis de ce nombre et ma vie est quelque peu laborieuse. » Sa femme devait le constater par la suite, car son mari se jeta corps et âme dans une bataille politique qui se termina longtemps plus tard quand, assagi et un peu meurtri par les événements et les hommes de 1846, il revint à la vie bourgeoise après une carrière tumultueuse.

La cérémonie a lieu à l'église Notre-Dame. Il s'agit d'un grand mariage, comme on dira plus tard dans le siècle. Pierre Foretier est un riche propriétaire qui ne veut pas faire les choses à moitié[2]. On imagine la mariée vêtue d'une de ces robes somptueuses, comme on en portait dans la colonie et dont le musée McCord à Montréal nous a gardé le souvenir : poème de tulle, de soie brodée et de dentelles, importées d'Europe par la voie de l'Angleterre d'où vient à cette époque tout ce qui est de qualité.

La fiancée et son père quittent la grande maison de pierre, située rue Notre-Dame[3], pour se rendre à l'église en voiture. Si la distance est faible, le temps et la température ne permettent guère un défilé comme il y en a dans les noces de village en Normandie : musiciens en tête suivis des invités qui, d'eux-mêmes, se rangent suivant leurs amitiés ou leurs prétentions. Le prêtre les accueille à l'entrée de l'église ; il bénit le mariage en la présence des parents et des amis attirés par ces deux familles inégalement riches, mais également considérées : les Viger apparentés à ce qui, à Montréal, tient le haut du pavé et les Foretier, dont le père est le seigneur de l'île Bizard et le propriétaire de nombreux immeubles et d'une partie du fief Lambert-Closse.

Denis-Benjamin Viger est un bon parti : avocat déjà considéré et membre d'une famille agissante. Il a la réputation d'un homme assez bien nanti, engagé dans la vie poli-

---

2. Dans les *Cahiers des Dix*, (no 6), E.-Z. Massicotte analyse l'inventaire de ses biens dressé après sa mort. En voici un aperçu : 1. des terrains et des maisons situés rue Notre-Dame, rue Saint-Pierre, rue de l'Hôpital, Place du Vieux Marché, rue Saint-Sacrement, Saint-Jean L'Évangéliste, Craig, Saint-Georges, Bleury, une terre à la Côte Sainte-Catherine, le fief de l'Île Bizard et ce qui reste du fief Lambert-Closse, plus soixante-quatorze rentes constituées. 2. Puis, des biens mobiliers comme une garde-robe très fournie et une bibliothèque de choix, dont l'évaluation est faite par Hector Bossange et une argenterie de qualité (plats, assiettes, *cabarets*, huiliers, théières, sucriers, salières, gobelets, coupes, etc.). 3. Et enfin, des bijoux et de l'argent, prenant la forme d'aigles, de Napoléons d'or, de pièces espagnoles et françaises et de billets. Si nous mentionnons cette énumération ici, c'est autant pour montrer l'importance de la succession que la variété et la qualité des biens que possédait Pierre Foretier.

3. La maison de la rue Notre-Dame est sise à l'angle de Bleury. À l'époque, elle est assez prestigieuse puisque, à un moment donné, elle est occupée en partie par des officiers du général Montgomery, au moment de la capitulation de Montréal, en 1775. Maison cossue, en pierre, à plusieurs étages, note Massicotte, qui fut démolie en 1940. Elle disparut avant qu'un règlement municipal ne protégeât le vieux quartier de Montréal contre la pioche du démolisseur.

tique, où il devrait réussir à percer avec ces qualités d'intelligence et de sérieux, cette ténacité dont déjà il a fourni des preuves et cet esprit de travail qu'on lui reconnaît. N'est-ce pas le notaire Mondelet qui, plus tard, insistera sur son ardeur au travail? Or, Mondelet est un homme dont l'opinion compte dans le milieu.

*

Les jeunes époux habitent d'abord dans la maison que leur mère occupe dans la ferme que lui a léguée son mari en mourant. Maison de bois, située quelque part entre l'actuelle rue Saint-Denis et la rue Dubord, devenue l'avenue Viger, en souvenir de cette famille, à qui la ville devra ce terrain qui sera plus tard le square Viger, aux grands ormes royaux. C'est sur cette rue Dubord que s'élèveront bientôt les maisons de certaines familles bourgeoises les mieux connues, avant qu'elles ne viennent se réfugier rue Sherbrooke, à l'autre extrémité de la ferme Viger.

Suivant l'usage, immédiatement après son mariage, Marie-Amable reçoit chez sa belle-mère les amis qui s'y pressent. Voici comment Madame Jacques Viger décrit la scène à son mari, qui est à Québec à ce moment-là :

> Les visites de noces sont dans toute leur force chez Madame Denis-Benjamin Viger ... Elle est à son tour la victime des usages et de l'étiquette. Voilà huit jours qu'elle n'est pas sortie, pas même pour venir chez son père, notre voisin qu'elle n'a pas vu depuis son mariage. Toujours ajustée comme au premier jour, gantée, frisée, en robe parsemée d'étoiles, elle reçoit en grande cérémonie, comme de raison. Les visites ne finissent plus : la chambre n'est pas assez grande. C'est comme au premier jour de l'an du bon vieux temps. Les premiers venus, après avoir salué la mariée, sont obligés de sortir pour faire place aux autres. Son air et sa politesse surtout lui tiennent lieu de beauté et font que chaque visiteur, en se retirant, dit qu'elle est aussi aimable que gracieuse.

*

Une agréable société se groupe autour de Marie-Amable et de Denis-Benjamin Viger. Ils sont jeunes, affables. À certains moments, lui se débarrasse de ses soucis ou de ses préoccupations. Par ses épigrammes, on a vu comme il pouvait être gai. Suivant l'usage, il composait même des chansons. James Huston, dont il sera question plus loin, en a conservé une qui, en 1828, invite ses amis à chanter, à boire et à manger. Elle est longue, mais en voici les premières strophes :

> À table réunis,
> Lorsque le vin abonde,
> Quand on boit à la ronde,
> Quel plaisir d'être assis
> Auprès de ses amis !

> Chassons la noire tristesse,
> Faisons régner l'allégresse,
> La gaîté, l'amitié,
> Et la sincérité.

> J'entends souvent vanter
> Nos voisins d'Amérique,
> Leur fine politique,
> Leur art de calculer,
> Discuter, pérorer.

> Laissons-leur cette souplesse,
> Leur gravité, leur tristesse ;
> Et de les imiter
> Tâchons de nous garder.

Malheureusement, Huston ne nous donne aucune indication sur la musique, qui devait être aussi simple et bon enfant que les strophes elles-mêmes.

Certaines amies du couple sont gaies, cultivées, charmantes. Voici comment parle de l'une d'elles, l'abbé Verreau, directeur de l'École normale et grand ami de Pierre-J.-O. Chauveau. L'abbé répond aux prénoms assez inattendus d'Hospice-Anthelme :

> Je viens de parler des femmes de l'époque. Il y en avait plusieurs également distinguées par leur esprit et leur naissance, Mademoiselle Viger, sœur de l'honorable Denis-Benjamin Viger, Amélie Panet qui épousa plus tard M. William Berczy et Madame Jacques Viger, née Lacorne-Saint-Luc,

qui avait épousé, en premières noces, le fils aîné de lord Lennox. C'est dans cette société que vivaient les demoiselles Quesnel, l'animant par leurs saillies et les charmes de leurs conversations (Madame Côme-Séraphin Cherrier était une Quesnel). Dans cette société, on rencontre parfois des étrangers de distinction, comme le baron D'Erthal, homme fort aimable, très bien instruit et plein de connaissances agréables, mais qui dut partir au bout de quelques semaines sur l'injonction de sir James Craig. Tous les gouverneurs heureusement ne furent pas aussi soupçonneux que M. Craig : ils permirent aux voyageurs de séjourner librement en Canada.

L'abbé ajoute :

La politique commençait dans les salons, dans des joutes littéraires qui se terminaient dans les journaux. Messieurs D.-B. Viger, Papineau, Quesnel, J. Viger, Heney, Berczy, jusqu'au vieux baron Schaffelesky, sans être toujours du même avis, savaient se critiquer ou s'estimer. La poésie se bornait peut-être trop souvent à la satire et à la chanson politique, mais elle savait aussi parfois prendre un tour tout à fait gracieux. C'est principalement dans l'art épistolaire qu'on excellait à cette époque ... (le début du dix-neuvième siècle).

Et il précise :

Le journal, aidé du télégraphe, n'avait pas encore tué la lettre : on l'attendait avec impatience, on la communiquait à ses amis, on la lisait, on la commentait en société. Si, plus tard, on publie ce qui nous reste de la correspondance des hommes et des femmes de cette époque, on sera également surpris de la pureté du style et de l'esprit de bon aloi qui y régnait alors. Je viens de parler des femmes de l'époque. Il y en avait plusieurs également distinguées par leur esprit et leur naissance[4].

*

---

4. Extrait de la biographie de Mme Côme-Séraphin Cherrier, par l'abbé Hospice-Anthelme Verreau, pages 20 et 21. Archives canadiennes, 679 à 841. De son côté, Joseph Royal qui a vécu dans l'intimité des Viger a laissé la note suivante dans les papiers qui lui ont servi à faire l'éloge de son patron défunt : « Il a (de sa sœur) des lettres remarquables par leur esprit et leur enjouement ». Il est malheureux qu'on n'en ait pas gardé traces.

L'abbé Verreau songe en particulier à l'une des demoiselles Quesnel que devait épouser Côme-Séraphin Cherrier,
cousin de Denis-Benjamin Viger, que celui-ci et sa femme
avaient accueilli quand ils perdirent leur unique enfant
Hermine, morte à l'âge de huit mois, à la grande désolation
de ses parents. Devant le vide ainsi créé, d'un commun accord, ils décidèrent de recevoir ce jeune parent, appelé à
jouer un grand rôle non dans la politique, mais dans le
droit. Plus tard, ils eurent également Louis Labrèche qui,
en souvenir des années passées à côté d'eux, changea son
nom en Labrèche-Viger.

Meurtrie par la mort de son enfant, Marie-Amable Viger se joignit aux Dames de la Charité, fondation laïque, à
laquelle les Sulpiciens s'intéressèrent au point d'en devenir
les bailleurs de fonds. Les Sœurs Grises vinrent aussi à la
rescousse et l'on installa l'œuvre des orphelins d'abord dans
le monastère et l'église des Récollets, laissés à l'abandon
par le licenciement de la communauté, à la suite d'une autre lamentable décision d'un pape incapable de se défendre
contre les attaques de l'extérieur ou de son entourage.
L'œuvre devait porter le nom d'Orphelinat catholique à
partir de 1832. En février 1841, Madame Viger remplaça la
baronne de Longueuil à la présidence du mouvement. Elle
y resta jusqu'à sa mort. Bien seule, Marie-Amable Viger
s'intéressa aussi à l'œuvre des filles repenties qu'en 1846
avaient fondée les sœurs du Bon-Pasteur d'Angers à l'invitation de Mgr Bourget. Comme l'on sait, dans la période la
plus bénéfique de sa vie, celui-ci a fait venir dans son diocèse les institutions qui, dans son esprit, devaient établir
l'essentielle structure sociale : des collèges aux établissements de charité.

D'un commun accord, mari et femme avaient décidé
d'aider la communauté du Bon-Pasteur. Ils lui donnèrent
un grand terrain en bordure de la rue Sherbrooke où dès
1832, s'éleva la maison du Bon-Pasteur. En reconnaissance,
les religieuses accueillirent le corps de leur bienfaitrice à sa
mort, survenue en 1854. Dans la crypte, une dalle de mar-
bre au milieu des croix de bois rappelle son souvenir ainsi :

Marie-Amable Foretier, épouse de l'honorable D.-B. Viger
et donatrice du terrain sur lequel est érigé ce monastère. Dé-
cédée à Montréal, le 22 juillet 1854 à l'âge de soixante-quin-
ze ans, onze mois et vingt jours.

*

Dans le cadre de cette étude, il faut rappeler le souvenir
de cette femme de bien qui, restée seule avec son mari
après la mort de son enfant, s'oriente sans hésitation vers la
charité, à une époque où celle-ci repose sur l'individu et
non sur l'État[5]. Son époux a une vie extérieure qu'exigent
son mandat et des voyages fréquents, tant au Canada qu'à
l'étranger. Député, il est absent pendant la session qui, à
Québec, dure quatre ou cinq mois, sauf quand, exaspéré, le
gouverneur renvoie tout le monde et demande des élections
nouvelles, avec l'espoir que la prochaine fournée sera plus
compréhensive ou aura des exigences moindres que l'autre.
Mais les mêmes électeurs entêtés renvoient les mêmes députés arc-boutés dans leurs exigences. Tout cela demande
beaucoup de temps à des gens qui ne sont pas rémunérés,
mais qui, malgré cela, tiennent le coup parce qu'ils croient
en leur mission. Et puis, Denis-Benjamin Viger voyage
beaucoup. À tel point qu'un jour, dans une chanson sur
l'air : *Le Bal va s'ouvrir*, se glissent les mots « Viger jeune
mari, absent de son épouse[6] ». En 1828, puis en 1831-1835,

5. Elle n'est pas la seule, il est vrai. C'est leur souvenir que rappelle Mademoiselle Claire Daveluy dans son livre consacré à l'Orphelinat catholique, à l'occasion du centenaire, Voici ce qu'elle en dit : « De nos jours, grâce à l'action con-
jointe des révérendes Sœurs Grises et de quelques femmes d'élites de notre société
canadienne-française, l'œuvre des orphelins se poursuit, et voit la prospérité répondre à de persévérants mérites.
L'Orphelinat catholique retient notre intérêt à un autre point de vue. C'est
une association laïque, fondée par des personnes du monde, entièrement dirigée et
soutenue par elles durant quarante-neuf ans, et dont elle possède encore aujourd'hui l'administration générale et la gestion des finances. Peu d'organisations
charitables canadiennes-françaises et catholiques, ont été établies sur des bases
semblables. Peu d'entre elles surtout ont résisté victorieusement à l'épreuve du
temps. Depuis 1889, les révérendes Sœurs Grises ont la régie interne de l'Orphelinat. »
6. *Les Imprimés du Bas-Canada, 1801-1810,* Hare et Wallot. Aux Presses de
l'Université de Montréal, p. 234.

sa femme va demeurer chez les Louis-Michel Viger, avec qui elle s'entend très bien. Lui aussi fait de la politique active et il est très mêlé aux mouvements patriotes. Il est président de la Banque du Peuple. En deuxièmes noces, il a épousé Marie Faribault, veuve du seigneur Augustin de Saint-Ours d'Eschaillons qui a apporté, à son mari, avec la seigneurie de Repentigny, une grande maison où l'accueil est chaleureux. C'est là que se réfugie Marie-Amable Viger.

Elle n'oublie pas ses œuvres, et notamment ces orphelins auxquels elle veut se dévouer comme, au siècle suivant, une autre grande bourgeoise ouvrira son cœur et sa bourse aux enfants malades.

Voici ce qu'écrivit Marie-Claire Daveluy, quand on fêta le centième anniversaire de l'Orphelinat catholique, en 1932 :

> En 1841, le don généreux de Madame Cotté n'ayant pu être affecté aux fins désignées par elle dans son testament, devint caduc. L'œuvre prie les héritiers de la fondatrice de vouloir bien renouveler l'acte de donation. Afin de régulariser les futures démarches légales, les sociétaires décident de se constituer en corporation sous ce nom : Les Dames de l'Asile de Montréal, pour les orphelins catholiques romains. L'acte passé devant la législature, le 18 septembre 1841 est lu à l'assemblée générale de l'Oeuvre, le 16 novembre de la même année. Mr. Quiblier, supérieur du séminaire de Saint-Sulpice, préside la séance.

Pour montrer l'importance du mouvement, Marie-Claire Daveluy donne l'énumération des personnes faisant partie de la corporation. Les voici : « Mesdames Amable-F. Viger, Marguerite Rolland, Marie-Anne-J. de Montenach, Amélie Berthelet, Denise Perrault, Josephte Cotté-Quesnel, Agathe Fleming, Elmire de Rocheblave, Fanny Bleury-Beaubien, Fanny Bouthillier, Josette Adhémar Laframboise, Marguerite de Lorimier, Alice de Bleury, Marie-Louise Rodier, Marie-Reine Dumas, Adélaïde Quesnel, Émilie Boucher, Josephte Dupuy, Catherine Pyke, Marie-Charlotte Guy, Louise Lacroix, Marie-Louise Leprohon, Mathilda Leprohon, Sophie Larocque-Le Bourdais, Marie-Euphrosine Doucet, Adélaïde Prevost, M. M. Delorme, Élisabeth La Montagne-Mittleberger, M.-L. Viger, Émélie Mondelet, M.-Léocadie Lacombe, Lucie de Grosbois, Mary McCord, Caroline Lamontagne, Elmire-L. de Rocheblave, Louise R. de Rocheblave, Angélique Cotté Laframboise, et toutes autres personnages qui deviendront membres. »

On voit par là l'intérêt que l'on porte à l'œuvre dans cette société qui est riche de dévouement et qui n'hésite pas devant les tâches les plus rebutantes.

Il faut retenir la générosité de ces femmes, à une époque où aucune ne recevait une formation particulière en affaires, en soins hospitaliers ou en administration. Elles laissaient parler leur cœur et menaient à bien des œuvres que l'État peu argenté et de peu d'initiative n'avait pas encore accueillies et administrées à grands frais. C'était le règne du bénévolat dans toute sa rigueur et sa générosité. Il est heureux que des auteurs comme Mademoiselle Daveluy aient songé à rappeler son souvenir et sa qualité.

*

Marie-Amable Viger meurt du choléra en 1854. Que se passe-t-il : le choléra à Montréal ? Depuis le début du siècle, l'Angleterre veut faire du Bas et du Haut-Canada une colonie de peuplement. Il y a chez elle, en Irlande, en Écosse et dans ses villes des foules miséreuses que le pays a quelque difficulté à nourrir et à faire travailler. Malgré l'industrie qui se développe rapidement, on ne peut faire face aux besoins d'une population qui, de rurale, est devenue trop vite en grande partie urbaine et s'entasse dans les slums, quartiers où la misère est terrible.

On a envoyé des gens en Australie. On enverra le plus de monde possible dans ces établissements d'Amérique, où vit une population en grande partie francophone qu'on veut noyer dans un élément anglophone. On espère donner ainsi une double solution aux problèmes démographiques de l'Angleterre et du Canada et, indirectement, faire disparaître la menace que le Bas-Canada constitue. Ce qui fut dit

fut fait, mais dans quelles conditions ! Il faut lire les journaux de l'époque pour s'en rendre compte : les immigrants
arrivent à Montréal dans un état de délabrement physique
incroyable, après une traversée à fond de cale. Ils apportent
avec eux leurs germes et leurs poux. 1832 est l'année où la
terrible maladie frappe la colonie le plus durement. Le choléra s'est déclaré en Angleterre, ce qui n'a pas empêché le
gouvernement de laisser partir ses gens, même si on a averti
les autorités coloniales du danger menaçant. Pour y parer,
le clergé met ses ouailles en éveil ; on ouvre une quarantai-
ne à la Grosse-Île, en aval de Québec, mais rien n'y fait, les
malades passent à travers un filet aux mailles trop grandes.
Comme l'écrit J.J. Heagerty dans son livre intitulé assez jo-
liment *The Romance of Medecine in Canada*, beaucoup sont
morts en mer. On a jeté leurs corps par-dessus bord, mais
les autres arrivent en masse serrée à Montréal, où on les entasse avant d'expédier le plus grand nombre dans le Haut-
Canada. C'est de là que l'épidémie gagne la ville. Elle dure
tout l'été jusqu'aux froids.

Le choléra revint périodiquement par la suite. Et c'est
ainsi que Marie-Amable Viger mourut en juillet 1854, au
cours d'une autre épidémie.

En 1832, l'hécatombe avait été terrible. Qu'on en juge
par cette statistique que cite Hector Berthelot dans son livre
qu'il intitule *Le Bon Vieux Temps*[7], en pensant évidemment
à autre chose :

D'après une statistique officielle, les cas de mortalité par le
choléra ont été comme suit :

Semaine finissant le 16 juin 1832 : 261 décès ; 23 juin 1832 :
632 décès ; 30 juin 1832 : 166 décès ; 7 juillet : 94 décès ; 14
juillet 1832 : 61 décès ; 21 juillet 1832 : 70 décès ; 28 juillet
1832 : 131 décès ; 4 août 1832 : 136 décès ; 11 août 1832 :
101 décès ; 18 août 1832 : 79 décès ; 25 août 1832 : 68
décès : 1er septembre 1832 : 54 décès ; 8 septembre 1832 :
54 décès ; 15 septembre 1832 : 13 décès ; 30 septembre
1832 : 6 décès.

7. Montréal, Librairie Beauchemin, 1924. Cf. p. 65.

Au total : 1926, avec une population totale pour la ville de Montréal de quelque trente mille âmes.

Parmi les épidémies qui ravagèrent la ville durant le dix-neuvième siècle, il y eut également le typhus. Joseph Masson et Augustin Cuvillier en moururent. Et les pauvres gens transportés à fond de cale en furent terriblement atteints. Berthelot mentionne ces quelques détails qui font frémir :

> D'après un rapport de l'émigration de la Grande-Bretagne, publié le 4 août 1847, soixante-dix mille émigrants étaient arrivés au Canada. Sur dix vaisseaux partis d'Angleterre et d'Irlande, quatre de Cork Liverpool, dans le mois de juillet, il y avait quelques milliers de passagers. Sur ce nombre, 804 moururent pendant la traversée et 847 débarquèrent malades, semant l'épidémie au milieu de nos compatriotes[8].

*

En 1832, Denis-Benjamin Viger avait cinquante-huit ans ; il en a soixante-treize en 1847 et quatre-vingts, en 1854. Malgré son âge, il passe à travers tout cela sans être atteint par l'une ou l'autre des terribles maladies. Nous le trouverons ayant bon pied, bon œil jusqu'en 1859. À ce moment-là, ses notaires vinrent chez lui pour recueillir ses dernières volontés. Ils le trouvèrent, crurent-ils bon de noter, en assez mauvaise santé. Il avait, il est vrai, quatre-vingt-six ans. Mais n'anticipons pas.

*

Dans les notes qu'il a prises avant de commencer l'éloge de son maître, Joseph Royal a écrit à propos de Marie Viger : « Il a (de sa sœur) des lettres remarquables par leur esprit et leur enjouement ». Il est malheureux qu'elles aient disparu. On aurait aimé les avoir pour mieux comprendre

---

8. En s'inspirant d'un document officiel de l'époque, Jacques Chastenet a écrit de son côté, dans *La Vie quotidienne en Angleterre au début du règne de Victoria* (Hachette, 1961, p. 195) : « Un rapport présenté au Parlement affirme que l'odeur dégagée par les navires d'émigrants se sent à plus d'un mille en mer. »

ces gens qui ont espéré ou craint, qui se sont réjouis ou inquiétés. Malheureusement, dans certaines familles, on a tout détruit ou si bien caché les souvenirs du couple qu'on ne les a pas encore trouvés. Pudeur, sans doute qui se manifestait à une époque où les sentiments devaient être cachés soigneusement et où les peintres ne cherchaient pas à voir leur modèle souriant. Au contraire, ils le représentaient sérieux, sévère, morose. Et cependant, les gens à cette époque étaient gais sans aucun doute, assez heureux, même si la plupart n'étaient pas riches.

L'historien aurait aimé avoir ces lettres échangées entre mari et femme, au cours de ces longues années pendant lesquelles le couple Viger a vécu éloigné l'un de l'autre : en 1828, puis en 1831-35 alors que le mari était à Londres et aussi pendant ces longs mois que durait la session à Québec et, plus tard, à Kingston et à Toronto.

Que pensait la femme des absences de son mari ? S'impatientait-elle certains jours ? Disait-elle à son mari que le temps passait bien lentement, qu'elle s'ennuyait, qu'elle l'aimait ? Ses cousines, Marie-Rosalie Papineau-Dessaulles, puis Julie Bruneau-Papineau, ont laissé derrière elles de très nombreuses lettres. Aussi peut-on les suivre dans leur vie de tous les jours, avec leurs soucis, leurs enthousiasmes, leurs inquiétudes. Pendant dix ans au moins, toutes deux nous ont donné l'impression de vivre à leur côté. Julie Papineau était nerveuse, angoissée, triste souvent, mais dans ses lettres on la voit vivre. On a l'impression d'assister à la vie de sa famille et aux événements qui accompagnent la répression après le soulèvement de 1837. On la voit aussi se mouvoir dans des situations presque inextricables[9].

Tandis que du côté de Marie-Amable Viger, c'est le silence complet. Denis-Benjamin Viger a-t-il détruit toute la correspondance familiale, a-t-il demandé à son cousin et ami, Côme-Séraphin Cherrier, de la mettre à l'abri après sa mort ou de la brûler dans l'âtre comme un témoin trop intime de sa vie familiale ? Seules subsistent de sa correspon-

---

9. R.A.P.Q. 1957-58 et 1958-59.

dance personnelle quelques lettres adressées de Londres à son cousin Jacques, qui les a mises dans sa *Saberdache* comme une pièce-témoin d'une époque.

Quelle pitié de ne pouvoir expliquer par une correspondance même intermittente, ces deux êtres qui se sont aimés, qui se sont sans doute agacés, peut-être détestés à un moment de leur existence. Car Marie-Amable Viger ne pouvait aimer l'éloignement de son mari et le fait qu'il lui eût préféré la politique, cette vieille amie exigeante et traîtresse. Certains jours, exaspérée ou inquiète, peut-être lui a-t-elle dit tout ce qu'elle avait sur le cœur ? Et puis qu'a-t-elle pensé quand son mari a été accusé de haute trahison ? On l'imagine à son départ avec les hommes de Colborne, retenant ses larmes, puis inquiète du sort ou de la santé de son mari au cours d'un si long internement, ne disant rien, essayant de voir le prisonnier mis au secret, quand on voulait bien y consentir. Et puis à la sortie, le voyant repris par la politique, ce virus ? Qu'a-t-elle pensé, qu'a-t-elle dit, qu'a-t-elle écrit, quand elle le voyait suivre un parlement ambulant, incapable de se défendre contre un attrait plus fort que sa volonté ? On ne sait pas car, encore une fois, ses lettres, comme les feuilles mortes à l'automne, ont été emportées par le vent de l'oubli.

Quelle désolation pour celui qui voudrait savoir, qui voudrait comprendre !

5

L'homme et sa carrière : 1799-1840

Il est temps, croyons-nous, de donner un peu plus de détails sur notre personnage, son orientation intellectuelle et le déroulement de sa carrière.

Un document, dont l'original est aux Archives publiques du Canada à Ottawa, nous permet de dresser ce que l'on appelle maintenant la fiche signalétique. La voici :

> Denis-Benjamin Viger : taille 5 pieds 8 pouces (anglais), cheveux mêlés, âge 53 ans, sourcils châtains, nez : grand, menton rond, visage ovale, teint ordinaire. Sujet anglais.

À un moment donné, Viger a voulu faire un voyage en France, lors de son premier séjour à Londres. Il a demandé un passeport à l'ambassade de France. C'est ainsi qu'on l'y décrit[1]. Le passeport est aux armes du roi Louis-Philippe, successeur de Charles X sur le trône de France. À cause de la qualité du personnage, le document est délivré gratuitement « par autorisation de l'Ambassadeur de France », note-t-on. À ce moment-là, M. de Talleyrand n'est pas encore à l'ambassade de Londres, sans quoi on aurait pu trouver quelques détails sur Viger dans ses mémoires ou tout au moins dans ses dépêches au Quai d'Orsay. Tout en ne voulant pas se mêler de choses qui ne le regardaient pas, à une

---

1. Délivré à Londres le 31 juillet 1828, le passeport permet au porteur d'entrer en France par Calais ou Dieppe.

époque où l'on procédait à un rapprochement entre les deux pays, Talleyrand, prince de Bénévent, aurait sans doute eu la curiosité de recevoir ce bonhomme devenu sujet anglais, mais resté francophone, qui venait présenter au roi les griefs de ses compatriotes.

Un deuxième document nous fait voir Viger à l'époque où il se rend en Angleterre pour la deuxième fois. Il s'agit d'une lithographie faite à Londres par un graveur du nom de C. Hamburger, en 1832, et que vendait à Montréal Édouard-Raymond Fabre, le grand ami de Denis-Benjamin Viger. À ce moment-là, notre personnage a cinquante-huit ans. L'artiste le présente comme il le voit : l'air énergique, ayant assez belle allure, la main gauche appuyée sur un livre volumineux, destiné sans doute à montrer les préoccupations de l'intellectuel[2].

Certains historiens ont nié l'authenticité de l'œuvre, tant elle diffère du portrait que certains artistes comme Hamel nous ont laissé de lui. En prenant une attitude aussi catégorique à propos d'un homme qu'ils n'avaient pas connu, ils n'avaient pas, nous semble-t-il, regardé la gravure d'assez près. Si on la compare à une peinture faite plus tard et conservée à l'Archevêché de Montréal, on trouve le même nez long, très long, caractéristique du personnage, la même figure ovale, le menton rond, les mêmes grandes oreilles et, détail qui a son importance, la même manière de nouer sa cravate. L'homme a vieilli ; le temps a fait son œuvre, mais même si le rapprochement est un peu difficile, les traits essentiels demeurent.

_____

2. La gravure provient de la collection Gagnon à la Bibliothèque municipale de Montréal. Elle est suivie d'un texte qui apparaît à la partie inférieure : « L'honorable D.B. Viger, membre du Conseil législatif du Bas-Canada, deux fois député en Angleterre en 1828 et 1831, par le peuple pour présenter auprès des Ministres ses griefs contre l'Administration coloniale. Londres. Publié par A. Bourne, Graveur. À vendre chez E.R. Fabre & Cie, Libraires, Montréal et chez A. Bourne, Graveur. Lithographie de C. Halmandel. C. Hamburger, lithog. d'après Nature. » Une autre gravure faite à Montréal, cette fois, a été utilisée pour un mouchoir où l'effigie de Viger a été reproduite. On en a gardé un échantillon au Musée McCord à Montréal. C'est un autre exemple du prestige dont Denis-Benjamin Viger jouit à l'époque.

Un autre document confirme l'authenticité de la lithographie de 1832. Sur un billet de la Banque du Peuple, fondée en 1835[3], on la reproduit. À cette époque, Louis-Michel Viger — cousin de Denis-Benjamin Viger — est le président de la Banque. Destinée aux habitants français de la colonie et de la région de Montréal, la Banque a tenu à faire paraître sur sa monnaie de papier, non l'effigie de la Reine ou de quelque gouverneur délégué par elle au Canada, mais bien ce portrait de Viger fait à Londres quelques années plus tôt. Il s'agit d'un billet de *dix piastres*, daté du 2 mars 1836. Si Viger eut mis en doute l'authenticité du portrait, il se serait opposé sans aucun doute à ce qu'on l'utilisât. Un autre billet de *cinq piastres* reproduit une peinture de la même époque, qui représente Louis-Joseph Papineau, autre cousin de Louis-Michel Viger [4]. À ce moment-là, Papineau et Viger sont les personnages les plus en vue dans la région de Montréal. Aussi, n'est-il pas étonnant qu'on ait voulu utiliser leur prestige pour donner confiance en ces billets qui circulent librement, même si la Banque n'a pas encore une existence officielle.

Enfin, un dessin du notaire Joseph Girouard, fait dans la prison de Montréal en 1838, nous fait voir un homme alourdi par l'âge, mais encore vigoureux, au masque ferme, sinon volontaire, obstiné dans son refus. Pensionnaire de l'État, il a soixante-quatre ans. Pour recouvrer sa liberté, il attend qu'on rétablisse l'*habeas corpus*.

*

Jusqu'ici, nous avons présenté Denis-Benjamin Viger dans la cinquantaine. Revenons en arrière pour le suivre dans le déroulement de sa carrière. Jeune, il est avocat, comme presque tous ses cousins. Sa clientèle est nombreu-

---

3. Ce qui n'est pas tout à fait exact. Juridiquement, la Banque du Peuple date de 1845. En 1835, l'établissement bancaire est une société en nom collectif au nom de Viger et De Witt & Co. dont les billets portent le nom de Banque du Peuple. Celle-ci n'existera juridiquement qu'au moment où une charte en reconnaîtra l'existence.

4. Collection de la Banque du Canada.

se, car l'on sait qu'il prépare bien ses dossiers[5] et qu'il est convaincant. Il est devenu député[6] en 1808, année où il a épousé Marie-Amable Foretier, comme on l'a vu. Son étude lui rapporte gros à une époque où le tribut à César se limite à quelques droits de douane qui augmentent bien peu le coût de la vie. En effet, l'Angleterre a gardé un souvenir amer d'un certain impôt sur le thé qui lui a coûté bien cher. Si elle cherche à convaincre les coloniaux de prendre une plus grande part des frais de leur administration, elle le fait avec une certaine prudence.

Denis-Benjamin Viger est aussi un riche propriétaire foncier. Il a hérité de son père au décès de sa mère en 1825. De son côté, sa femme est une des héritières à qui son père a accordé la portion congrue, mais malgré tout substantielle, par un testament dont elle a contesté la validité en invoquant qu'il ne pouvait disposer des biens de la communauté revenant à ses enfants. Un procès s'est engagé vers 1816 ; il durera jusqu'en 1842 : ce qui exigera de Viger qu'il passe la moitié de son temps, certains jours, à préparer la procédure et les factums. Le jeu en vaut la chandelle car, après l'arrêt de la Cour d'appel, Madame Viger sera seigneuresse de l'île Bizard et d'une partie du fief Lambert-Closse, dont son père était le titulaire.

---

5. Ses dossiers professionnels, conservés aux Archives publiques du Canada, sont à ce sujet bien intéressants. Dans plusieurs d'entre eux on constate comme, en esprit logique, il part de faits précis pour établir son raisonnement comme l'exigera ce qu'au siècle suivant on appellera l'esprit cartésien. On consultera avec profit à ce sujet les documents réunis sous la rubrique des cahiers professionnels dans le dossier des Archives à Ottawa (A.P.C. 3608, MG.24.B.6, vol. 7).

6. Ils le sont à peu près tous dans cette famille qui voit tout à travers le prisme déformant du droit et de la politique : Louis-Michel, Denis-Benjamin, Bonaventure, Louis-Joseph Papineau, Louis Labrèche-Viger. Pendant un temps, Côme-Séraphin Cherrier sera lui-même député, mais après 1838 il s'en tiendra strictement à sa fonction d'avocat. Avant eux, il y avait eu les pères : Denis Viger, Joseph Papineau, que le virus de la politique avait marqués. On nous reprochera peut-être les mots « prisme déformant », mais c'est vers les affaires que cette génération aurait dû se tourner, comme Étienne Parent le dira et le répétera sur tous les tons. Ceux qui réussissaient dans ce domaine venaient presque tous de la terre : ruraux arrivant au succès à force de bras, d'intelligence et d'économie. Louis-Michel, tout en ayant une carrière politique, fut une exception sur laquelle nous reviendrons.

Après la mort de sa mère et de sa femme, Denis-Benjamin Viger sera ainsi un des grands propriétaires fonciers de Montréal. Avec sa femme, il sera aussi un des bienfaiteurs insignes du diocèse que dirige avec efficacité, mais aussi avec des problèmes multiples, son cousin Mgr Jean-Jacques Lartigue. Bientôt, sous la houlette de son successeur, Mgr Bourget, le diocèse se peuplera de nonnes, de nonnettes, de prêtres, de moines et de moinillons à qui il faudra venir en aide ; ce que ne manqueront pas de faire les Viger — mari et femme — laissés terriblement seuls par le décès de leur fille.

*

Viger est courtois, aimable, sérieux. Tout dans la vie est devoir pour lui, comme il l'écrira un jour, en notant que rien de positif ne se fait sans effort et sans travail. Il a la politesse des gens d'autrefois, dira François-Xavier Garneau, un jour de 1831 qu'il lui rend visite au London Coffee House à Londres[7]. C'est un peu plus tard que celui-ci lui demandera de le seconder dans les travaux qu'exige sa plaidoirie contre James Stuart. Viger obtiendra son renvoi par les autorités, après un long plaidoyer au cours duquel il devra réfuter un à un les arguments de l'intéressé qui ne veut rien admettre[8]. Ce qui complique et rend le travail bien lourd, c'est qu'il rédige ses textes en français, que traduit en anglais un avocat de Londres du nom de Rose.

---

7. L.-O. David dira de lui un peu plus tard : « Il a une physionomie empreinte de bonté et de calme. » Et Joseph-Guillaume Barthe dans ses *Souvenirs d'un demi-siècle* (page 402) (Cf. F.J. Chapleau, 1885) : « (Il avait) une distinction de manières et un reflet de dignité qui imposaient la considération et le respect. » De son côté, François-Xavier Garneau, en le quittant à Londres, note ceci : « J'entrai chez M. Viger que je ne connaissais encore pour ainsi dire que de réputation. Il me reçut avec cette affable politesse qui distingue les hommes de l'ancienne société française, et qui s'efface tous les jours de nos mœurs sous le frottement du républicanisme et de l'anglification. » Nous avons voulu retenir ces témoignages ici, tant ils se complètent.

8. James Stuart se défend du bec et des ongles. Pour mieux convaincre, il se rend lui-même à Londres et remet au ministre un très long mémoire que Viger devra réfuter point par point. Stuart n'est pas le premier venu. Né à New York en 1780, il est avocat en 1801, puis député, *solicitor general* dans le Bas-Canada en

Excellent avocat, Viger était devenu un spécialiste du droit constitutionnel, et c'est cela qui lui permit, à Londres, de faire valoir les doléances de ses concitoyens devant des gens qui appréciaient la qualité de son esprit.

Viger est aussi un homme cultivé. Il est sorti du collège, non avec la satisfaction du diplômé béat, fier de son parchemin, mais avec une grande curiosité, un désir de savoir. Ses livres lui apportent ce qu'il désire apprendre. Il les lit, les annote. Il subit surtout l'influence de quelques-uns de ses auteurs favoris : Montesquieu, Rousseau, Helvétius, par exemple, puis l'abbé de Firmon[9], confesseur de Son Altesse royale Madame Elisabeth. Il se pénètre aussi de la justesse des maximes de La Rochefoucauld, et il prête une oreille attentive à l'abbé Félicité-Robert de Lamennais. Les idées du prédicateur ont pénétré en tempête dans un milieu qui s'ouvre à la notion de liberté, que fait valoir un peu imprudemment le fougueux orateur. Mgr Lartigue l'admire et voudrait faire connaître sa pensée au Canada[10]. Au séminaire de Saint-Hyacinthe, on l'accueille avec faveur, sous l'influence d'un jeune prêtre — beau-frère d'Augustin-Norbert Morin et grand ami de Viger. Enthousiaste, l'abbé Raymond crie son admiration envers le prêtre jusqu'au moment où une partie de son œuvre est mise à l'index par Rome. Alors tout s'écroule ; le silence s'établit à Maska, où on fait disparaître ses œuvres. On ne les retrouvera pas non plus dans ces livres que Denis-Benjamin Viger léguera au

---

1805, député de Montréal de 1820 à 1828, et de Sorel de 1825 à 1827. En 1825, il devient *attorney general*. En 1831, il est suspendu de ses fonctions par Lord Aylmer et destitué par le gouvernement anglais après le voyage de D.-B. Viger à Londres, ce qui ne l'empêchera pas d'être nommé juge en chef de la Cour du banc de la reine par Lord Durham en 1838, et président du Conseil spécial du Bas-Canada, en 1839. En 1841, il sera juge en chef du Bas-Canada.
En 1841, il avait été fait *baronet* par la Reine. (*The MacMillan Dictionary of Canadian Biography*). C'est sa tête qu'avait obtenue Denis-Benjamin Viger, à une époque où être destitué pouvait être la première étape d'une brillante carrière quand on avait des amis. Cette fois c'est nous qui nous exprimons ainsi.

9. Jacques Viger fera paraître à Montréal une édition bilingue du livre où l'abbé de Firmont raconte la mort de Louis XVI, qui devait avoir un si grand retentissement à l'étranger.

10. Assez curieusement, il le cite dans un des ses mandements où il fustige ceux qui sont tentés de se révolter contre l'autorité royale.

Séminaire et que Côme-Séraphin Cherrier — son cousin et héritier — y fera parvenir après sa mort. Et cependant, Voltaire et les encyclopédistes y seront.

Fait à noter, à l'encontre de beaucoup de ses contemporains, Viger se refuse à l'influence de Voltaire. Alors que celui-ci a profondément marqué la société canadienne à la fin du XVIIIe et durant le XIXe siècle[11], Viger dit pis que pendre du grand ami de Madame de Pompadour et des encyclopédistes. Chose inattendue également, jeune il a eu aussi la dent dure contre Rome et les Jésuites, si l'on en juge par un article paru dans *Le Canadien*, sous la signature du « Penseur », pseudonyme que Jacques Viger lui attribue[12].

Il est assez curieux de lire ce que le professeur Marcel Trudel a écrit sur l'influence de Voltaire dans cette société qui, pourtant, est restée très près de l'Église et de ses prêtres même si, à certains moments, elle cherche à se débarrasser de leur influence, tout au moins au point de vue intellectuel :

> Pendant soixante-dix ans, nous avons vu couler devant nous un flot continu de voltairianisme, non pas un flot qui s'épanche avec calme à travers une « riante prairie », comme on le disait du temps de Voltaire, mais un flot soudainement grossi et dévastateur. Les années qui suivent 1760 forment l'époque la plus pénible de notre histoire aux points de vue religieux, national et économique : le recrutement sacerdotal est un problème quasi insoluble ; l'élément anglais veut ruiner la civilisation catholique et française ; l'éducation universitaire, qui fournirait au pays une élite de salut, est absolument nulle : c'est en France qu'il faut aller étudier, c'est de France qu'il faut importer les nourritures spirituelles et culturelles ; or, les communications avec la mère-patrie sont trop compliquées pour qu'elles deviennent fréquentes. Les Canadiens-Français sont livrés à eux-mêmes pour le combat suprême. Et ils sont pauvres.

---

11. Voir à ce sujet les travaux extrêmement intéressants du professeur Marcel Trudel et en particulier *L'influence de Voltaire au Canada*, Fides, 1945, vol. I. p. 122.
12. Selon le professeur Trudel.

Ils se créent donc des moyens de résistance : une élite, une presse, un commerce de librairie, une littérature. Mais cette élite est infectée de voltairianisme et se dresse trop souvent contre l'Église quand il aurait fallu revenir à la foi ardente de Ville-Marie : les évêques se plaignent longuement et les Anglais se réjouissent sans doute de ce que certains milieux canadiens-français facilitent la propagande anti-papiste. Des patriotes, comme Denis-Benjamin Viger[13] et Duvernay, attaquent Rome et les Jésuites au lieu de les défendre[14].

Sous le titre d'*Inondation Voltairienne*, Trudel ajoute :

Nos pères ont une presse, mais elle reste vaine très souvent : *la Gazette de Québec*, plutôt que de grouper derrière elle les forces nationales et religieuses, condamne le dogme, se moque des Saints, blâme le droit d'excommunication, insulte le clergé : *Le Canadien*, qui devait se consacrer à la défense de nos droits, poursuit le travail de Voltaire contre l'apostolat et les jésuites : il tombera pour s'être acharné contre la religion, la base même de notre vie nationale./ *Le Constitutionnel* protège peut-être la constitution, mais il donne aussi comme nourriture aux Trifluviens, à leur insu, les articles les plus hypocrites du dictionnaire philosophique. *La Gazette du commerce et littéraire*, en tâchant de rester neutre dans le conflit voltairien, propage cependant le voltairianisme : n'oublions pas toutefois que tout article qui défendait les idées philosophiques de Voltaire y recevaient sans tarder sa réfutation.

Contradictions ? Oui, peut-être, mais Viger rentre dans le rang, face à Mgr Lartigue. Ce qui ne l'empêche pas de faire valoir des idées de liberté, en politique tout au moins, comme on le verra.

*

Si Viger déteste Voltaire, il entretient une même répugnance pour le roman. Un jour, il affirmera n'en avoir lu

---

13. Eh, oui ! Alors qu'au moment de sa mort, on vantera sa fidélité à la foi et à l'Église.

14. Marcel Trudel, *op. cit.*, vol. I, p. 123.

aucun. Et c'est dommage car s'il avait fréquenté les romanciers, il aurait appris que l'intérêt d'un texte n'est pas dans
le seul raisonnement. Il est dans sa valeur intrinsèque, aussi
bien que dans la manière dont le sujet est traité. Si la pensée de Viger est valable, la forme qu'il lui donne est souvent lourde, un peu obscure, comme ces textes que chaque
jour il lit pour les besoins de son métier. Chose curieuse, à
cette époque, le roman est dans le Bas-Canada la bête noire
de la plupart des intellectuels. Plus tard dans le siècle, Thomas Chapais (excellent historien et homme intelligent
pourtant) traite d'empoisonneurs publics : Balzac, les Dumas, George Sand et — ce qui est étonnant à distance —
Octave Feuillet, Georges Ohnet, Jules Claretie et les Gon-
court « réalistes à outrance qui n'ont reculé devant aucune
putridité ». Et Chapais ajoute : « ... il est presque impossible, à moins de circonstances très spéciales, que la fondation d'une bibliothèque publique — civique ou autre — n'ait
pas pour résultat d'établir un foyer d'infection intellectuelle ...»

Denis-Benjamin Viger est un des exemples qui illustrent
l'attitude du siècle envers les romanciers, ces « criminels de
l'âme[15] ». À côté de cela, Viger montre l'éclectisme de ses
goûts, comme nous l'avons déjà noté, par la variété de sa
bibliothèque, qui va des œuvres de Voltaire à celles des
encyclopédistes, des œuvres des économistes comme Adam
Smith, à celles des philosophes de l'antiquité. Nous revenons sur cette idée pour que l'on comprenne mieux notre
personnage noyé dans les brumes du XIXe siècle : le stupi-
de XIXe siècle, a affirmé Léon Daudet un siècle plus tard.
Mais l'était-il vraiment ? N'y avait-il pas là une simple boutade d'un écrivain qui les affectionnait !

*

---

15. Dans le remerciement du duc de Castries, à l'Académie Française lors de
la réception de M. Edgar Faure, voici ce que le parrain dira à propos du nouvel
académicien : « Votre goût pour l'histoire peut naturellement s'expliquer par l'atti-
rance du fait romanesque, de la suite des péripéties. Dans votre jeune âge, vous
vous êtes certainement davantage intéressé par le côté roman que par l'étude des
institutions. » C'est le goût du roman qu'il aurait fallu à Viger pour alléger sa pensée et sa prose.

Avocat en 1799, Denis-Benjamin Viger s'est mis immédiatement à la pratique du droit ; mais comme les voisins du sud sont menaçants, il entre dans la milice. En 1803, il est nommé lieutenant des milices de la ville de Montréal par le lieutenant-gouverneur du Bas-Canada. Sir Robert Shore Milnes cherche en effet à attirer ces jeunes gens instruits qui seront les chefs de demain. On a aux Archives Publiques du Canada le diplôme que le représentant du Roi lui remet en 1803. Le document commence ainsi : « Représentant la confiance dans votre loyauté, courage et bonne conduite », etc. C'est une idée de sir Robert d'attirer vers l'armée et la défense civile ces jeunes gens qu'il sent fébriles et très attirés par les États du sud. Il sait Viger prêt à toutes les protestations, ou contestations comme on dira au siècle suivant. Sous son successeur, sir James Craig, ne sera-t-il pas bien près d'être mis aux arrêts, comme ceux que le gouverneur fera mettre sous les verrous[16] ? Craig est impitoyable, comme le sont les hommes de guerre qui n'acceptent pas les demi-mesures, les restrictions ou les opinions exprimées avec trop de vivacité si elles sont contraires à la politique de leur pays.

Dans la carrière militaire de Viger, il y a une faille, semble-t-il, que signale Maximilien Bibaud sans rien préciser d'autre que ceci :

> Durant la dernière guerre la jalousie le fit accuser, ce dont il n'eut pas de peine à se laver.

Sans doute car, en 1812, Viger prend part à la guerre contre l'envahisseur américain et, plus tard, il est nommé major, fonction qu'il exercera jusqu'à sa démission, en 1824. La menace des gens du Sud s'est atténuée, et il a d'autres chats à fouetter que faire parader des recrues que d'autres feront défiler ou formeront tout aussi bien, sinon mieux que lui. Il n'a pas le goût ou l'instinct du comman-

---

16. Il les juge de bien mauvais esprits, *bad subject* comme on dira du père de Philippe Aubert de Gaspé, qui avait osé prétendre que Napoléon serait vainqueur à Austerlitz. Il faut dire que c'était chez le gouverneur, au château Saint-Louis où il fréquentait.

dement, lui qui se nourrit de maximes, de pensées et d'idées et qui réagit mal aux commandements, aux ordres militaires, à la force et surtout à la violence.

Sa carrière politique lui demande une attention de plus en plus grande. Député depuis 1808 du comté de Montréal-Ouest, il est le représentant du comté de Leinster (L'Assomption) à l'Assemblée législative depuis avril 1810. En 1816, il représentera la circonscription de Kent (Chambly), siège qu'il occupera jusqu'au 6 avril 1830. À ce moment-là, sir James Kempt l'invite à faire partie du Conseil législatif, après son retour de Londres, avec ses collègues John Neilson et Austin Cuvillier. Il accepte le poste et le titre, même s'il réprouve que l'on nomme les membres du Conseil, au lieu de les faire élire, ce qui correspondrait davantage à l'esprit démocratique qu'il prône.

Dans son esprit, le Conseil législatif doit être électif. Il l'a dit, comme son collègue Jean Dessaulles, au moment d'y entrer. Il le pensera avec les auteurs des Quatre-vingt-douze Résolutions. Au moment où celles-ci seront votées en Chambre, puis rejetées majoritairement par le Conseil, il ne se portera pas absent, comme l'ont fait certains de ses collègues, tel Jean Dessaulles. À Londres, il accepte de présenter les résolutions aux autorités britanniques, avec l'appui de son ami Augustin-Norbert Morin, venu tout exprès pour prendre contact avec les parlementaires les plus ouverts aux doléances des Canadiens du Bas-Canada.

Le succès sera nul comme l'on sait ; car, en haut lieu, on commence à être agacé par ces protestataires invétérés que sont devenus les nouveaux sujets d'Amérique. Et cependant, dès ce moment-là, on aurait pu se douter, dans les milieux officiels, que les choses pouvaient bien mal tourner. Si on accepte de blâmer et de casser James Stuart, à la suite du plaidoyer de Denis-Benjamin Viger, cela ne nuira en aucune manière à l'avancement de Stuart, puisqu'un jour on le verra devenir sir James Stuart, juge en chef du Bas-Canada : exemple assez curieux d'une fortune faite dans la colonie, où certains abus d'autorité et certaines pratiques, peu acceptables par ses pairs, ne nuisent en aucune manière à l'avancement ou au déroulement normal d'une carrière. Cela seul n'aurait-il pas justifié ces terriens du Bas-Canada de se révolter? Il y a là un exemple parmi plusieurs de ceux qu'indiquent les Quatre-vingt-douze Résolutions. Voilà également une autre histoire sur laquelle nous reviendrons.

*

De retour au Canada, au début de 1835, après son deuxième voyage à Londres, Viger occupe à nouveau son siège au Conseil législatif. Il y sera jusqu'au 27 mars 1838, moment où l'envoyé spécial et grand inquisiteur, lord Durham, supprimera tous les postes officiels et mettra en place un Conseil spécial chargé de diriger la colonie, en attendant qu'on apporte à la constitution de 1791 et à la situation politique les correctifs nécessaires.

Dans l'intervalle, redevenu libre de ses mouvements, Viger reprend ses lectures et ses travaux. Cette poursuite intentée contre Toussaint Pothier, au nom de sa femme, notamment lui donne quelque souci.

Et puis, de temps à autre, il va à la librairie Fabre dont l'établissement est près de sa maison de la rue Notre-Dame. Il y voit notamment Édouard-Raymond Fabre, Augustin-Norbert Morin, Côme-Séraphin Cherrier, Hippolyte La Fontaine et que d'autres, qui, à Montréal, sont des amateurs de livres et de palabres, comme à Québec, plus tard, se réunissait chez Octave Crémazie, l'intelligentsia québécoise. C'est dans l'arrière-boutique de la librairie que se rencontraient les beaux esprits de la ville, attirés par l'homme aimable et généreux qu'était le poète-libraire Crémazie. Un jour, celui-ci devra quitter la ville en hâte pour se réfugier à Paris d'abord, puis au Havre, chez les Bossange, à la suite d'opérations commerciales peu orthodoxes.

Plus prudent que son collègue, Fabre tiendra le coup malgré la dureté des temps. Il n'aura pas à recourir aux procédés douteux que Crémazie employa malencontreusement, sous certaines influences contre lesquelles il se défend mal ; probablement aussi poussé par un goût immodéré des livres qu'un milieu restreint ne peut satisfaire.

À la librairie Fabre, on parle des événements du jour. Si l'on feuillette quelques livres, dont Viger fera l'achat tout à l'heure et qu'il emportera comme en se sauvant, les commensaux du lieu sont inquiets. Les combats de novembre 1837 ont eu lieu. Ils ont laissé des morts, entraîné la destruction de biens précieux et soulevé l'ire de celui qu'on appelle le vieux brûlot, sir John Colborne. L'arrivée de lord Durham en 1838 a calmé les esprits momentanément, mais l'inquiétude subsiste. Viger dit à son ami Fabre qu'il attend à déjeuner deux collaborateurs de Durham, dont Charles Buller, qui agit comme secrétaire du gouverneur. Il se propose de leur expliquer la situation. Se laisseront-ils convaincre que, si une partie de la population a pris les armes, elle avait de sérieuses raisons pour faire ce coup de tête ? Abus répétés, détournements de fonds, blocage systématique de certaines législations, usage des fonds sans autorisation de la Chambre, etc. Devant l'inutilité des protestations, n'avait-on pas eu l'impression que les abus d'autorité, les prévarications n'étaient qu'un échelon dans la course au succès et que toutes les protestations ne menaient à rien ?

Enchantés de leur repas — car chez Viger la table est plantureuse et les vins de qualité — les invités de Viger repartiront à moitié ou pas du tout convaincus. Ils le montreront par la suite dans leurs écrits ; Buller notamment qui, à tort ou à raison, passe pour la principale source d'inspiration de lord Durham, comme le poète Alfred de Vigny le constatera un jour qu'on l'invite à Londres chez lady Blessington.

Nous en reparlerons plus loin en étudiant le séjour de Louis-Joseph Papineau à Paris. Pour l'instant, voyons une autre étape de la carrière de notre personnage : Denis-Benjamin Viger, prisonnier politique.

*

Viger, prisonnier politique

Un matin d'octobre 1838, Denis-Benjamin Viger et son cousin Louis-Michel Viger sont appréhendés pour haute trahison. On leur permet de se rendre à la prison en voiture[17], où déjà Côme-Séraphin Cherrier et Bonaventure Viger les ont précédés et où se trouve le notaire Jean-Joseph Girouard de Saint-Benoît : rebelle et tabellion, mais aussi excellent dessinateur qui, pour le plaisir de nos yeux, croquera tous ses amis qu'on a réunis sans les consulter dans cette geôle inconfortable[18]. Après quelques semaines, il est vrai, on permettra aux parents ou aux domestiques des prévenus d'améliorer l'ordinaire qui n'a jamais été varié dans un établissement de ce genre, dans quelque pays que ce soit. Denis-Benjamin Viger en sortira à peu près dix-neuf mois plus tard. Plus chanceux que son ami Étienne Parent, que le séjour en la prison de Québec a rendu très sourd, Viger s'en tirera, malgré son âge, avec quelques incommodités qu'il ne précise pas davantage dans une lettre adressée au général Colborne le 28 janvier 1840. Il a soixante-six ans, mais Colborne est sans pitié, secondé, il est vrai, par le directeur de la prison qui s'appelle de Saint-Ours et par le surintendant de la police qui a nom Leclerc. Les deux remplissent leur fonction avec zèle. Qu'on en juge par ces quelques détails que nous empruntons à l'intéressé, dans ses « Mémoires relatifs à l'emprisonnement de l'honorable D.B. Viger », paru chez F.-X. Cinq-Mars en 1840. Celui-ci a son atelier dans cette maison dite de Viger, rue Saint-Amable à Montréal. Elle a appartenu à Denis Viger et son fils en a hérité sans y habiter cependant, comme on le croit. Il y avait sans doute des liens entre Cinq-Mars et Viger, car c'est là que paraissent les écrits de celui-ci, à un certain moment. Des gens se disant bien informés affirment que si Cinq-Mars est le loca-

---

17. En annexe, on trouvera l'ordre d'amener que reçoit M. de Saint-Ours.

18. À un moment donné, les prisonniers sont soixante dans neuf pièces ; ce qui n'a pas du tout été prévu pour cela. Dans une lettre à son mari, Mme Louis-Joseph Papineau décrit ainsi la cellule qu'occupe M. Viger : « Il est dans une petite chambre grillée de dix pieds de long sur sept de profondeur où ils ont été longtemps trois ; par conséquent, il ne peut prendre que peu ou point d'exercice . . . » (R.A.Q. 1957-58, p. 106).

taire de l'imprimerie, Denis-Benjamin Viger en est le véritable propriétaire. On lui en tiendra rigueur sans le dire ouvertement. Pendant son séjour en prison, on se saisira tout simplement du matériel d'imprimerie, en coupant court à toutes les initiatives de l'imprimeur.

Voici ce qu'écrit Denis-Benjamin Viger au sujet de son incarcération et de ce qui s'ensuivit :

1. Le 4 novembre 1838, je suis arrêté chez moi « sans aucune formalité », écrit-il à sir John Colborne en janvier 1839, quand on lui permet d'avoir des plumes, de l'encre et du papier. Il ajoute : « Je fus mené de même au corps de garde, on m'en a fait sortir après quelques heures pour me faire conduire avec nombre de citoyens, pris suivant toute apparence de la même manière, par une escorte militaire, à la prison de Montréal. »

2. Comme les autres prisonniers, on le met au secret. « Renfermé depuis cette époque, sans communication avec personne du dehors, excepté la visite d'un de mes parents (Côme-Séraphin Cherrier), le 8 décembre, par permission de votre Excellence. » Je suis resté, ajoute-t-il, « dans une ignorance absolue des causes de ma détention, n'en pouvant conjecturer les prétextes bien sûr néanmoins qu'ils ne pourraient être qu'illusoires. »

3. Après son départ, on a enlevé ses papiers, sans en faire l'inventaire, dit-il, et sans même en donner la liste à sa femme, qui assiste impuissante à la scène. Il proteste une première fois dans une lettre du 4 janvier 1839. Il revient plus longuement sur le sujet le 28 janvier 1840, dans une missive adressée à sir John Colborne à titre d'administrateur de la province du Bas-Canada :

J'ignore ce qu'ils peuvent avoir pris de papiers dans ma bibliothèque dans laquelle ils sont entrés comme dans mon bureau.

Il est parmi les manuscrits dont l'enlèvement m'est connu plusieurs ouvrages sur des sujets d'une véritable importance, plusieurs recueils d'observation, de pensées, d'extraits d'écrivains, pour moi d'un grand prix, les uns sous enveloppes, mais sur des feuilles détachées, les autres mises en cahiers, le tout fruit de longues années d'études, de recherches pénibles, de veilles laborieuses ; une foule de morceaux dont un grand nombre, comme des notes prises journellement ne sont qu'ébauchées, sans compter des lettres, et jusqu'à la correspondance relative à des observations que j'avais officiellement été prié de donner sur un projet d'ordonnance quelques semaines auparavant. Je ne parle pas de journaux, tels que des coupons de *Gazette*, détachés comme préparés pour se retrouver facilement au besoin, que l'on s'est également permis d'enlever.

C'est-à-dire qu'à mon égard on a dans cette occasion fait beaucoup plus que perdre de vue le droit de propriété dans ce qu'il a de plus sacré. J'ignore encore ce que sont devenus, comme entre les mains de qui peuvent se trouver ces papiers, pris, comme emportés sans aucune formalité, sans inventaire d'aucune espèce, sans la moindre précaution, même sans témoin capable d'en constater l'existence[19], c'est entre autre trait la manière dont on a pu se conduire envers un sujet de Sa Majesté, non dans un pays qui soit en dehors de ses domaines ou de la civilisation, mais dans une province de l'Empire, et à quelques pas de la maison qu'occupe actuellement votre Excellence dans Montréal. Je laisse à votre Excellence de qualifier des démarches de cette nature.

4. On va plus loin. Au début, on lui refuse du papier et de quoi écrire. On l'empêche de faire venir son flageolet qui lui permettrait de rendre moins longues les journées qu'il passe entre quatre murs, sans livres, sans journaux, dont on ne permet pas la lecture aux prisonniers. On lui défend même pendant un certain temps de se promener dans la cour intérieure, ce qui lui permettrait de prendre un peu l'air et de diminuer « les incommodités » dont il se plaint[20].

5. Il demande surtout qu'on lui dise pourquoi on l'a arrêté. Il ne peut pas invoquer l'*habeas corpus* suspendu par le Conseil spécial nommé par lord Durham. Un moment,

---

19. Il apprendra plus tard que la saisie a été faite sous une surveillance officieuse.

20. Mémoires relatifs... *op. cit.*

l'ordonnance vient au renouvellement. Son cousin Louis-Michel l'invoque, mais aussitôt on la renouvelle. Ce dernier sort de prison, cependant, en fournissant caution. Ce à quoi Denis-Benjamin Viger ne veut pas consentir, car il aurait l'air d'admettre sa culpabilité. Il refuse avec hauteur d'acquiescer à ceux qui lui disent : « Versez la caution ; prenez l'engagement de bonne conduite qu'on vous demande et vous serez libre. » Son cousin Côme-Séraphin Cherrier a accepté mais, malade, il est aux arrêts chez lui. Par la suite, il ne manquera pas de venir jusqu'à la prison tous les jours, en accompagnant le domestique chargé d'apporter le repas du vieil homme. Côme-Séraphin Cherrier veut être certain que son parent recevra les mets qui amélioreront l'ordinaire ni varié, ni abondant qu'est celui de la prison.

Denis-Benjamin Viger exprime son point de vue dans une autre lettre, datée cette fois du 23 février 1840. Elle est longue, mais nous n'hésitons pas à la citer, tant elle résume la pensée du prisonnier exaspéré qu'on ne veuille pas lui accorder un procès qui lui permettrait d'être jugé et traité suivant une procédure chère à cet homme de loi pour qui la forme compte autant que le fond.

Voici la lettre :

A Son Excellence, Sir John Colborne, Gouverneur du Bas-Canada, &c. &c. &c.

Monsieur,

Le huit de ce mois j'ai reçu de Mr. le Secrétaire Civil une lettre du six qui m'intime les nouvelles suggestions faites à Votre Excellence. Elles ne pouvaient manquer de me jetter dans un profond étonnement, comme d'ouvrir une ample carrière à mes réflections. Je ne dois pas à moi seul ; mais à Votre Excellence elle même de mettre sous ses yeux quelques unes de celles qui naissent de ce sujet fécond. Je l'aurais fait déjà sans la difficulté du choix pour en rétrécir le cadre, et celle du travail avec les incommodités que je souffre par suite de ma détention joint au défaut d'un copiste.

Je conçois que l'erreur, ou la malveillance ait pu profiter d'un moment d'agitation pour me signaler comme un objet de défiance, du soupçon d'être engagé dans quelques correspondance équivoque, même criminelle. Au premier moment de calme, la réflection devait en faire justice.

Après plus de trois mois durant les quels en dépit de mes réclamations je suis resté dans l'ignorance des causes de mon emprisonnement ; on m'informe enfin qu'on m'impute d'avoir encouragé d'une manière active la dissemination de publications d'une influence décisive sur les derniers mouvements insurrectionels. Du moins cette imputation ne saurait être invoquée comme motif d'avoir le quatre de novembre fouillé mes appartements, de s'emparer, d'enlever de mes papiers, des ouvrages de toute espèce en manuscrits, comme inédits, pendant qu'on me jettait dans une prison.

Le fait supposé de mon *activité* relativement à des *publications* ne pourrait avoir, avec celui de la recherche et de l'enlèvement de ces papiers, rien de commun, puisqu'ils répugnent. Aussi la suggestion d'en faire le prétexte de ce traitement, de celui qu'on prétend continuer de me faire subir pourrait-elle dans quelque autre circonstance, avoir l'air d'une mauvaise plaisanterie.

Pourtant il était venu jusqu'à moi que, depuis mon emprisonnement, l'on était entré dans une maison, qu'on avait forcé la porte d'une imprimerie, l'une et l'autre louées de moi depuis longtemps, chose à laquelle je ne dois pas ici m'arrêter[21], mais on ajoutait que des publications sorties de cette boutique employée depuis plus de vingt ans comme une imprimerie par de mes locataires, était la cause de mon incarcération. J'aurais cru prêter le flanc au ridicule de faire de ce bruit l'objet d'une remarque dans mes communications précédentes.

Si je puis maintenant croire que cette rumeur et l'imputation dont il est question ne soient pas l'une à l'autre absolument étrangères, je dois demander si dans Montréal, où ce qui me concerne, jusqu'à ma vie privée, n'est guères moins connu que ma conduite publique, que mes écrits qui le sont dans toute la province, je devais m'imaginer qu'on pût, par exemple, m'attribuer le langage de l'injure quand dans le

---

21. C'est à peu près de la même manière qu'on s'est emparé, dans l'espace d'environ 18 mois, des presses et des caractères de sept imprimeries, dont l'une à Québec et les autres à Montréal. Celles de Montréal paraissent avoir été déposées sous les voûtes du Palais de Justice.

cours d'une carrière déjà longue, on n'a jamais pu me la reprocher dans mes discours ni dans mes écrits, même contre ceux dont je pouvais me plaindre le plus grièvement.

Votre Excellence peut savoir par expérience quel fond on peut faire par fois sur des renseignements tirés de documens comme ceux dont il peut être question dans la lettre de Mr. le Secrétaire Civil qui ne peut avoir perdu le souvenir de la visite domiciliaire, faite chez moi dans le mois de janvier de l'année dernière. Je pourrais citer bien d'autres faits de cette nature sans même en indiquer d'autres que de ceux qui me regardent[22].

Quant à la presse, j'ai toujours, quand je l'ai pu faire, employé les moyens de persuasion, ou les avis, soit pour arrêter, soit pour prévenir la publication de tout ce qui pouvait être blamable. C'était au ministère public qu'il appartenait d'en faire d'avantage ; il peut avoir eu ses raisons quand il a gardé le silence, ou pour rester dans l'inaction quand des publications différentes fesaient retentir la province, entre autres, de menaces de violence à main armée, pour renverser l'ordre établi, si l'on ne référait pas à des vœux que je n'ai pas besoin de qualifier même encore récemment de menaces analogues, d'insultes à Votre Excellence, enfin de cris de victoire au sujet de mesures qu'on y glorifiait d'en avoir arrachées par ces vociférations.

Que dire maintenant de la dernière suggestion d'un expédient comme celui d'excepter, des papiers qui doivent m'être restitués, ceux qui, suivant les termes rendus dans la lettre du Secrétaire Civil, auraient été trouvés d'une tendance sé-

22. Cette remarque se rapportait à un trait connu du Secrétaire Civil. « On avait fait chez Mr. Viger, dans le mois de novembre 1837, une visite domiciliaire d'une exactitude scrupuleuse à la recherche de Mr. Papineau. À l'appui d'une démarche semblable, qui fut renouvelée vers la fin de janvier suivant, on mit en usage le nom du Secrétaire Civil, sur quoi Mr. Viger lui fit quelques observations, surtout à raison de la manière irrégulière dont on procédait. Il apprit qu'elle était la conséquence de dépositions formelles attestant dans la maison de Mr. Viger la présence de Mr. Papineau, sorti pourtant de la province au plus tard au commencement de décembre. On n'avait cessé pendant ce temps de faire et de renouveler, dans le même but des visites, trop souvent de nuit, dans la ville de Montréal, dans des paroisses de campagne et jusque dans Québec ! On les avait, à maintes reprises, renouvelées dans St. Hyacinthe, chez Mme. Dessaulles. Si c'était sur des dépositions, comme cela devait être, on peut juger de la valeur de certains documents de cette espèce à cette époque. »

ditieuse. Avant tout je me dois de déclarer que je n'ai jamais rien écrit de relatif à la politique, sans prendre pour guides les jurisconsultes et les publicises les plus respectables, surtout ceux d'Angleterre, connus pour faire autorité, même dans ceux de mes ouvrages en ce genre qui sont inédits, si quelque chose paraissait digne de censure dans ceux-ci, ce ne pourrait être que dans ces ébauches qui n'auraient jamais paru dans cet état devant le public.

Quant à des tendances dangeureuses ou criminelles, le préjugé peut les voir dans l'exposition des principes de l'ordre et de la morale, même de la religion.

Mais pour établir contre un écrivain la présomption d'un délit qui ne peut résulter que de la *publication*, pour le trouver coupable, par dessus tout pour le punir, il est au moins nécessaire d'avoir recours à quelques unes des formalités que les lois prescrivent ; je laisse à penser si ces règles ont à mon égard été, sont encore actuellement respectées.

Qui donc aurait maintenant le droit de faire un choix de mes papiers, pour me priver de celle de toutes les propriétés la plus inviolable ? Des productions qui ne sont jamais sorties de mes mains, jusqu'à ce qu'on les ait enlevées, comme on l'a fait, de ma maison, pourraient-elles devenir un objet de recherche, un motif de me punir en déferant à ces suggestions ? Quel gouvernement pourrait prétendre jurisdiction sur des objets de cette nature ? C'est à Dieu seul que j'en devrais compte comme de mes pensées. Quels moyens que ceux dont on s'est servi le quatre de novembre, que ceux dont on peut avoir depuis fait usage pour les sonder dans ce qu'elles pourraient avoir de plus secret, même les dévoiler, pour y chercher des motifs de justifier des violences !

Quoique Votre Excellence puisse n'avoir pas fait du droit des études spéciales, elle ne peut être étrangère à la jurisprudence de l'Angleterre, aux institutions publiques de son pays natal au point de pouvoir se persuader que la manière dont on m'a traité, que celle dont on suggère à votre Excellence de se conduire encore à mon égard, soit d'accord avec les règles voulues par les loix, même avec celles de la plus commune justice, conforme aux usages universellement reçus dans des circonstances analogues, plus qu'aux principes et dans les intérêts du gouvernement que Votre Excellence se trouve chargée d'administrer.

Si je ne savais pas ce que peuvent dans l'occassion les
préjugés pour fausser les idées, j'aurais vu dans ces suggestions le désir chez leurs auteurs de se venger de leurs propres torts, ou tout au moins de se dispenser de faire l'aveu
d'une erreur en la couvrant du voile d'une autorité supérieure.

Je dois croire que ce n'est encore qu'une erreur ; elle en-
traîne une injustice trop frappante pour que Votre Excellence puisse consentir à s'en faire l'instrument.

Mes réclamations n'ont pas seulement les lois pour appui.
Quand bien même le pouvoir dont Votre Excellence se trouve revêtue la mettrait au dessus des règles positives, elle ne
se croirait pas sans doute dispensée de l'obligation de se guider d'après celles de l'analogie. D'ailleurs sans parler des
droits de l'humanité, ma cause est celle de l'honneur. Pour-
rais-je me persuader que j'en aurais vainement appellé à celui qui se rattache à la profession de Votre Excellence ?

J'ai l'honneur d'être
De Votre Excellence
le très humble et
obéissant
Serviteur,

(Signé)

D. B. VIGER.

Puis, comme sir John Colborne est remplacé par le très
honorable Charles Poulett-Thomson, avec le titre de gouverneur général, Denis-Benjamin Viger lui écrit et reçoit la
lettre suivante du secrétaire du gouverneur[23] :

Monsieur,

J'ai reçu de Son Excellence, le Gouverneur Général, l'ordre
de vous informer que le gouverneur a donné son attentive
considération au mémorial que vous m'avez fait parvenir
pour le lui remettre le 24 du mois dernier.

Après avoir enquis de toutes les circonstances qui sont relatives à cette affaire et après avoir consulté le procureur général, Son Excellence est forcé de déclarer comme son opi-

_____

23. Mémoires relatifs . . ., p. 17.

nion qu'il ne serait pas justifiable de dévier de la décision adoptée par son prédécesseur.

Signé : T.C. Murdoch,
   secrétaire en chef.

Il ne restait plus à Denis-Benjamin Viger qu'à attendre la remise en vigueur de l'*habeas corpus*, le premier juin 1840. Dès qu'il le peut, il réclame son élargissement. Il l'obtient, après un peu plus de dix-huit mois de détention, sans en avoir su exactement la justification : ragots d'une domestique[24], lettre de L.-H. La Fontaine dans laquelle on se référait à l'engagement qu'il aurait pris de financer des troupes rebelles ou participation financière et collaboration à des journaux déclarés subversifs par les autorités. Il sort de prison et tourne la page. Il rentre dans la vie courante plus combatif que jamais et sans perdre de vue le procès intenté au nom de sa femme contre Toussaint Pothier[25], l'exécuteur testamentaire de son beau-père, Pierre Foretier.

*

Chez lui, on a rapporté ses livres et ses papiers en vrac, comme des choses sans valeur. Au siècle suivant, les curieux du XXe siècle retrouveront, dans les archives de la

---

24. Il faut lire la déposition d'Angélique Labadie, qui a été quinze jours au service des Viger dans leur maison de la rue Notre-Dame. Elle fait dire à son maître des choses un peu étonnantes, comme ce conseil qu'il donne à trois visiteurs venus de la campagne : « Il faut vous procurer des armes, acheter de la poudre et des balles et marcher contre le gouvernement. » Et puis, elle rapporte qu'il parla des rues ensanglantées de ceux qui n'étaient pas de leur politique et qui, dit-il, « n'étaient que des réprouvés ». Ragots, sans doute, qu'on lui fait signer sous serment le 9 décembre 1837, et que l'on verse au dossier de Louis-Joseph Papineau car la servante affirme avoir vu chez lui « environ soixante fusils et un baril que l'on m'a dit contenir de la poudre à tirer et un sac rempli de pistolets » (Archives nationales de Québec, Dossier n° 843).

25. Toussaint Pothier est devenu président du Conseil spécial chargé par sir John Colborne d'administrer la Colonie, en 1838. N'aurait-il pu aider Denis-Benjamin Viger à sortir de prison, comme celui-ci le demandait ? L'aurait-il voulu après ce long procès qui a duré si longtemps et qui a opposé les deux hommes au cours du litige qui ne s'est terminé qu'en 1842, vingt-sept ans après la mort du *de cujus* ? Par ailleurs, lord Durham supprima le Conseil spécial et le remplaça par un Conseil exécutif qui comprenait ses amis et collaborateurs immédiats dont Charles Buller et Thomas Turton, comme le signale Thomas Chapais dans son *Histoire du Canada* (vol. 4, p. 246), Librairie Garneau, 1934.

vieille dame de Wellington Street à Ottawa, que l'on connaît sous le sigle de A.P.C., ces documents auxquels Denis-Benjamin Viger attachait tant d'importance[26].

*

Tout irait bien dans le meilleur des mondes si les nouvelles de Londres n'étaient aussi troublantes. Au parlement britannique, on se prépare à voter l'Acte d'Union qui va fondre Bas et Haut-Canada en un seul pays. Les hommes politiques canadiens sont inquiets. Étienne Parent, par exemple, a l'impression que c'est la fin pour les parlants français d'Amérique. Il le dit et il l'écrit dans son journal, *Le Canadien* :

Voici qu'on nous annonce que bien loin de nous aider à conserver notre nationalité, on va travailler ouvertement à l'extirper de ce pays. Situés comme le sont les Canadiens-français, il ne leur reste d'autre alternative que celle de se résigner avec la meilleure grâce possible.

Parent réagira par la suite. Pour le moment, il paraît prêt à renoncer à la lutte. Viger, lui, s'y prépare tout en protestant.

Mais voyons ce qui s'est passé dans le Bas-Canada pendant le séjour de Denis-Benjamin Viger en prison et au cours du voyage de Louis-Joseph Papineau en France.

Venu en grand apparat et porteur de bien des espoirs, lord Durham a poursuivi son enquête. Il a été appelé à punir les rebelles dont regorgent les prisons. Il en a expatrié huit aux Bermudes. Après son départ, on en a pendu douze et exilé cinquante-huit en Australie et maintenu en prison certains meneurs comme Denis-Benjamin Viger[27]. Puis, on

---

26. Si la plus grande partie se trouve aux Archives publiques à Ottawa, il y a des lettres et des documents intéressants, notamment au Séminaire de Québec, à l'Université de Montréal, dans la Collection Baby, à la Collection Gagnon de la Bibliothèque municipale de Montréal, aux Archives de Québec et dans les Archives de l'Archevêché de Montréal.

27. Père Louis Le Jeune, *Dictionnaire Général du Canada*, Éd. de l'Université d'Ottawa, 1931, p. 510-511.

a accordé une amnistie aux autres, sauf Louis-Joseph Papineau qui s'est mis à l'abri en France, comme on l'a vu. Si l'attitude de lord Durham a satisfait les fidèles sujets indigènes, elle a déplu en Angleterre. À la Chambre des Communes, on l'a vertement critiqué, blâmé même, puis on a annulé l'ordonnance décrétée par le gouverneur.

Ulcéré, lord Duham est reparti avec ses meubles et son équipe, en laissant derrière lui le souvenir d'un grand seigneur, d'un homme cultivé et intelligent, mais d'un observateur un peu superficiel, venu et reparti trop vite. De retour chez lui, il a préparé son rapport qui conclut à la nécessité de l'union des deux Colonies. Quand il en aura connaissance, Viger reprochera à son auteur d'avoir fait une étude bien superficielle du problème canadien, en passant d'un endroit à un autre par la voie d'eau, celle qui lui permettait de connaître le moins possible les besoins et les doléances des gens. De son côté, Papineau à Paris reproche à lord Durham de n'avoir écouté que les propos des pires adversaires des francophones et notamment, son vieil ennemi, Adam Thom, le directeur du *Herald* à Montréal, celui qui, un jour, avait écrit à peu près ceci : On doit faire disparaître cette racaille de la surface de la terre[28]. Or, cette racaille, c'étaient ces gens qui ne pensaient pas comme lui. C'est à lui sans doute que songeait Denis-Benjamin Viger quand il écrivait à sir John Colborne : « Vous êtes extrêmement sévère pour nous, mais bien peu pour ceux qui, de l'autre côté de la barrière, nous lancent des injures. »

Nous reparlerons de tout cela un peu plus loin, car l'union des deux Canadas a été une des étapes constitutionnelles les plus importantes. Pour l'instant, nous sommes devant un vieillard de soixante-six ans, qui sort de prison. Pour l'époque, hâtons-nous de le noter, c'était un âge avancé. Il n'a pas du tout l'intention de se retirer sous sa tente. Les élections auront lieu bientôt. Viger se présente dans le comté de

---

28. Voici exactement ce que Adam Thom avait écrit : « Pour avoir la tranquillité, il faut que nous fassions la solitude. Balayons les Canadiens de la face de la terre ! » Traduction de Thomas Chapais, vol. IV du *Cours d'histoire du Canada*, Librairie Garneau, 1934, p. 142.

Richelieu. Il y est élu facilement, car son prestige n'a jamais été aussi grand. Dans l'intervalle, il s'est reposé dans sa maison, en se préoccupant de ses affaires personnelles et, surtout, de ce procès qui va bientôt avoir une conclusion favorable.

Au parlement, où il siège, il se trouve face à face avec le gouverneur Poulett-Thomson, devenu lord Sydenham. Avec respect, on l'appellera Milord, alors que Napoléon Aubin, lui, risquera un bien mauvais jeu de mots sur le gouverneur général ; ce qui lui vaudra, avec quelques autres peccadilles, de faire de la prison non seulement pour des propos séditieux, mais pour ses attaques très drôles et pas du tout respectueuses. Du gouverneur Poulett-Thomson, il avait écrit, par exemple : « Après tout, je commence à croire à la métempsycose : le cheval de lord Durham nous est peut-être revenu sous la forme d'un poulet[29] ? »

Fantasque, comme son journal, mais amusant et audacieux, Aubin fut un des critiques les plus amusants du régime. Malgré la pénurie d'argent, il tiendra le coup assez longtemps. Il fondera deux journaux, *Le Fantasque*, puis *Le Castor*. Tous deux sombreront l'un après l'autre, en vertu de la règle de tous les temps : *qui attaque s'expose*. Or, Aubin attaquait tour à tour ceux dont il n'aimait pas les idées et ceux qui avaient cessé de lui plaire.

Pour Viger, il n'a pour le moment que des éloges. Avant longtemps, il s'en moquera et l'injuriera même quand Viger, audacieusement, et sans trop se justifier ou, tout au moins, en s'expliquant assez maladroitement, appuiera sir Charles Metcalfe.

Ce sera la deuxième partie de la carrière politique de notre personnage. En sortant du rang, il occupera un poste élevé et il exercera une influence nouvelle qui lui vaudra bien des sarcasmes, bien des injures, comme on le verra. Cette période sera celle où Viger quittant le domaine des idées entrera dans l'action politique. Ces années, nous les

---

29. J.-P. Tremblay, *À la recherche de Napoléon Aubin*, Les Presses de l'Université Laval, 1969, p. 79.

appellerons les années pénibles. Pour en mieux comprendre l'origine et les conséquences, nous passerons à un autre chapitre intitulé le Rapport Durham et son influence sur la carrière de Denis-Benjamin Viger.

Pour l'instant, voyons ce que fut Viger journaliste à la pige, protecteur insigne de journaux et de certains journalistes.

Denis-Benjamin Viger, les journaux et les journalistes

On a dit que Denis-Benjamin Viger avait été le père du journalisme au Canada. Il y a là une de ces affirmations gé- nérales dont il faut se méfier, tout en admettant qu'il a eu beaucoup à faire avec la naissance de certains journaux, qu'il a été mêlé à bien des campagnes de presse et qu'il a appuyé ou orienté certains journalistes au cours de leur car- rière. Et c'est par là qu'on peut rappeler son influence dans le journalisme de la première partie du XIXᵉ siècle. Mais, bien des renseignements nous manquent pour étayer une affirmation même prudente : il ne signait pas ses articles et il parlait peu de ses interventions. C'est surtout par des re- coupements ou par des rapprochements qu'on peut imagi- ner son action.

Viger a été aux débuts du *Canadien*, avec son cousin Jacques qui en sera le rédacteur pendant quelques mois. Il le rabrouera au besoin, car le *Canadien* est avant tout une feuille d'idées et d'opinions. Il est admis, dans le groupe, que si l'on a quelques directives maîtresses, on peut différer d'opinion sur les moyens à prendre. L'objet du *Canadien*, c'est principalement de battre en brèche les affirmations de certains adversaires, mais surtout de lutter sur le plan cons- titutionnel contre ceux qui veulent empêcher que joue plei- nement la Constitution de 1791. Si l'on en apprécie l'avan- tage parmi les Canadiens les plus évolués, on veut empê- cher que certains n'utilisent le régime à leur avantage per- sonnel. Avec les deux Viger, en 1806, il y a certains de ceux qui mènent la lutte sur le plan politique : Pierre Bédard, François Blanchet, Jean-Antoine Panet, L. Chartrand, E.-G. Plante, A. et J. Quesnel, Joseph Levasseur Borgia et, d'au- tres moins connus, comme V. Jutard et O'Sullivan.

Le *Canadien* aura bien des vicissitudes. Il paraîtra et disparaîtra à des époques diverses. Il aura parmi ses rédacteurs des gens remarquables comme Étienne Parent. Plusieurs paieront par la prison, comme Bédard, Blanchet, Taschereau et, plus tard, Parent, les idées qu'ils y auront développées[30].

À Montréal, la *Minerve* aura aussi une vie mouvementée suivant les époques. Fondée en 1827 par Augustin-Norbert Morin — jeune étudiant — elle passera rapidement en d'autres mains. À un moment donné, on y trouvera Denis-Benjamin Viger travaillant dans l'ombre avec son ami Ludger Duvernay qui, lui, frappe à gauche et à droite aux moments les plus difficiles de la politique coloniale. Au point que prudemment, il devra s'exiler à Burlington pour éviter la prison qui le menace[31]. En 1842, il reviendra à Montréal et reprendra le journal avec l'aide occulte de son ami Viger, sorti de prison. Mais tout change rapidement dans ces feuilles plus ou moins éphémères ou dont les orientations évoluent avec les hommes et les crises par lesquelles ils passent. Ainsi, plus tard, le *Canadien* appuie Denis-Benjamin Viger, ministre de la Reine, tandis que la *Minerve* le combat durement, comme le font d'ailleurs bien d'autres périodiques tels le *Charivari*, la *Revue Canadienne*, le *Fantasque* ou le *Castor*, que dirige Napoléon Aubin — ce fantaisiste qui n'en est pas à une boutade près. Il aime ou déteste et il ne s'en cache pas.

La première moitié du XIXe siècle est un moment difficile pour la presse. Les feuilles sont nombreuses, éphémères pour la plupart. Elles voient le jour, vivotent, nourrissent mal leur homme car elles sont la chose d'un homme, d'un groupe ou d'un moment. La plupart du temps, elles disparaissent après quelques mois et parfois reparaissent sous une autre direction. Elles servent les intérêts d'un homme ou d'un groupe, encore une fois ; mais chaque fois elles

---

30. Denis-Benjamin Viger lui-même s'exposera à être incarcéré, à un moment donné.

31. Il est vrai que déjà il y a fait quelques séjours.

sont limitées dans le temps car elles peuvent difficilement compter sur autre chose que l'abonnement. Or, l'abonné est un peu comme la femme dont parla un jour François 1er : bien fol est qui s'y fie. Si, à certains moments, l'abonné est fidèle et se range derrière son journal, souvent il va ailleurs, ne paie pas ou paie irrégulièrement son écot. Et c'est ainsi que les mortalités dans la presse sont aussi fréquentes que les naissances pendant tout le siècle.

À divers moments de sa vie, Viger est plus ou moins directement mêlé au monde des journaux et des journalistes. Il sait la puissance de la parole sur la foule au moment des élections, mais aussi celle de l'écrit sur ceux qui le lisent. Si, dans les campagnes, l'analphabétisme est encore très répandu dans les villes et dans certains villages, il y a des gens instruits que l'on rejoint par le journal. On peut ainsi, par des textes, orienter la pensée de l'électeur et lutter contre ceux qui tentent de diminuer l'influence du groupe dont lui, Viger, exprime les idées ou l'idéal. Aussi est-il prêt à dépenser un peu de sa fortune pour créer des organes nouveaux, pour faire vivre ou vivoter certains journaux existants. À des moments bien différents de sa carrière, on le voit derrière le *Spectateur*, l'*Aurore des Canadas*, l'*Ordre* que, vers la fin de sa vie, dirigera son secrétaire Joseph Royal. On le trouve également à l'*Écho du Cabinet de Lecture* et au *Moniteur Canadien* : feuilles trop souvent souffreteuses, mais où l'on brasse des idées.

Si Denis-Benjamin Viger vient à la rescousse de certains journaux en péril ou de certains journalistes nécessiteux, il écrit aussi dans plusieurs de ces feuilles éphémères. On a des liasses d'articles qui lui sont attribués et qui ont paru dans les journaux suivants, après la fin de son aventure politique avec lord Metcalfe : l'*Aurore des Canadas*, de 1846 à 1848, le *Moniteur Canadien* (1849 à 1852), les *Mélanges Religieux*, le *Pays* (1856)[32].

---

32. Voir à ce sujet le Fonds Papineau, aux Archives de la province de Québec.

Pour juger l'étendue de son œuvre dans ce domaine, il faut être prudent car aucun de ses articles n'est signé. Pas plus d'ailleurs que ne le sont les brochures et les plaquettes qu'on lui attribue[33]. L'usage à l'époque voulait que, dans le journalisme, la signature de l'auteur (journaliste, écrivain ou correspondant) n'apparaisse ni sous le titre, ni à la fin de l'article. C'est ce qui rend si difficile le jugement porté sur une œuvre. Il faut se fier à l'opinion des contemporains, au style, aux idées de l'auteur. Si Étienne Parent a nécessairement laissé son nom aux conférences qu'il a prononcées à l'Institut Canadien, aucun de ses innombrables articles dans *Le Canadien* ne porte sa signature, par exemple. Plus tard, dans *L'Événement* et dans *Paris-Canada*, Hector Fabre ne signera pas non plus. Cela jette un doute sur l'authenticité de l'œuvre. Encore une fois, pour l'attribuer à quelqu'un en particulier, l'historien doit se fier au style, à la fonction, aux traces laissées dans l'histoire de l'époque par l'homme et ses idées. Ce qui porte le chroniqueur à la modestie et au doute. Certains travaux comme ceux d'André Beaulieu et de Jean Hamelin[34], comme aussi ceux de Hare-Wallot[35] et cette thèse d'André Lefort sur les voyages de Viger en Angleterre sont bien utiles à consulter.

Sans crainte de se tromper, on peut dire que Denis-Benjamin Viger a été au point de départ de plusieurs journaux au cours de sa vie, qu'il a contribué à en dépanner plusieurs autres. Journaliste à la pige, comme on dit aujourd'hui, il a collaboré à plusieurs d'entre eux et, enfin, il a fait valoir bien des idées de son groupe dans les milieux où pénétrait la presse écrite. C'est surtout cette collaboration avec des journaux qu'on disait subversifs, qui lui a valu d'être arrêté en 1838 et d'être *tenu à l'ombre* pendant plus de dix-huit mois.

---

33. Par un bien curieux procédé, dans ses écrits il parle de lui comme s'il s'agissait d'un autre. Procédé d'avocat qui veut éviter qu'on le taxe de diffamation, à une époque où elle est facilement punie de prison ? Peut-être !

34. *La Presse québécoise des origines à nos jours,* vol. I, Aux Presses de l'Université Laval, 1975.

35. *Les Imprimés dans le Bas-Canada,* Aux Presses de l'Université de Montréal, 1967.

Viger et les honneurs

En 1834, Ludger Duvernay fonde la Société Saint-Jean-Baptiste à Montréal. Il sent le besoin de réunir les francophones en une société[36] comme celles qui existent en Ontario, avec les Orangistes, ou dans les États de la Nouvelle-Angleterre. Au Canada, la société aura essentiellement une fin patriotique, tout au moins au début. Elle est destinée à devenir un groupement nombreux qui, en quelque sorte, pourrait se faire le porte-parole de l'élément canadien — on ne dit pas encore canadien-français — dans certaines circonstances. Elle n'a pas un caractère essentiellement religieux, non plus que politique. Dans l'esprit de son fondateur, elle tend d'abord au bien-être intellectuel et moral de la population canadienne. Par une lente évolution, on en viendra à imaginer des sociétés financières — d'assurances, par exemple, comme il en existe déjà soit aux États-Unis, soit dans le Haut-Canada — ou de fiducie. Elle aura un grand immeuble où auront lieu toutes sortes de manifestations : théâtre, opérettes, assemblées patriotiques, tant que le quartier le permettra ou que le cadre ne sera pas dépassé.

Duvernay sera son premier président. Les événements de 1837 l'amèneront bien près du démantèlement. Puis, le retour à la normale lui permettra de reprendre le cours de ses initiatives. Au cimetière de la Côte-des-Neiges, à un moment donné, on élèvera un monument rappelant le souvenir de ses présidents. Parmi eux, il y aura beaucoup de ceux qui, chez les Canadiens, ont réussi : Joseph Masson, par exemple, qui a donné l'exemple dans un domaine bien négligé, sinon dédaigné par ses compatriotes et les Viger : Denis-Benjamin dont la carrière a fait un personnage de premier plan dans la politique, porté aux nues, puis vilipendé, mais ayant gardé malgré tout un grand prestige. Et Jacques Viger, si différent, qui a été maire de Montréal et dont la personnalité est attachante.

---

36. Il y en a également à Montréal pour toutes les colonies ou les groupes étrangers.

*

Si, à la Société Saint-Jean-Baptiste, on a reconnu le
prestige de Denis-Benjamin Viger, d'un tout autre milieu
vint la consécration de sa valeur intellectuelle. Aux États-
Unis, les Jésuites ont fondé une université qui a acquis un
grand prestige auprès des Irlandais. Suivant l'usage, elle décerne des diplômes *honoris causa*. En 1855, Fordham University songe à déborder les cadres. Au Canada, il y a un
certain nombre d'intellectuels qui apporteraient du prestige
à l'Université si on reconnaissait leur valeur intellectuelle.
C'est ainsi que cette année-là, Denis-Benjamin Viger se
voit décerner un diplôme de docteur *honoris causa : docto-
ratus* note le parchemin qui le décerne, suivant l'usage, à
nos Dionysium Benjaminum Viger. Heureux de cet hommage, celui-ci va le recevoir en grande cérémonie et, à son retour, il met le diplôme dans ses archives, où le garde à son
tour la vieille dame de la rue Wellington à Ottawa.

Ainsi, les Jésuites de Montréal avaient obtenu que leurs
collègues américains reconnussent le mérite du vieil homme
autour duquel le silence s'était fait à Montréal, mais qui
gardait la réputation d'un grand bonhomme malgré son
court et difficile passage au pouvoir, après lequel il aurait
pu dire comme le poète[37] : « Je suis vaincu du temps, je
cède à ses outrages. »

*

D'autres hommages lui sont rendus de son vivant. On
l'invite à des banquets à Montréal où on fait son éloge. De
son côté, Paul Stevens lui dédie ainsi un recueil de fables
qu'il vient de faire paraître : « Fils adoptif du Canada, je ne
pouvais placer ce volume sous la protection d'un nom qui
exprimât à un plus haut degré tous les sentiments d'honneur, de dévouement et de courageux patriotisme qui hono-
rent sa nouvelle patrie. » Stevens fait paraître ses fables

---

37. Selon le témoignage de Joseph Royal, dans sa biographie de son maître,
parue chez J.H. Plinguet.

chez John Lovell à Montréal[38]. Né en Belgique, Paul Stevens a émigré au Bas-Canada vers 1854. Meilleur versificateur que fabuliste écrit Jacques Blais, il donne ses fables aux journaux de l'époque, comme *Le Pays, L'Ordre, Le National* et *L'Avenir*. Puis il les réunit en un volume qu'il dédie à cet ami de la presse qu'est resté Denis-Benjamin Viger malgré son grand âge. Comme beaucoup de ces étrangers qui ont tenté de vivre de leur plume, Stevens a goûté un peu à tout au cours de son séjour dans le Bas-Canada. Il a été journaliste, puis professeur de français, *principal* du collège de Chambly et professeur de dessin. Enfin, il est venu mourir chez les Saveuse de Beaujeu à Côteau-du-Lac où il est précepteur des enfants de Léry et de Beaujeu.

Denis-Benjamin Viger a prêté une oreille attentive à certaines de ces fables. Stevens lui en est reconnaissant et il met son livre sous son patronage. Celui-ci ne fit pas grand bruit à l'époque, mais il reste comme un hommage au vieil homme. Comme Napoléon Bourassa le fit plus tard dans un long poème, Stevens reconnaît le mérite de celui qui, dans sa maison de la rue Notre-Dame, recevait encore de façon si agréable et prêtait une oreille attentive à ceux qui écrivaient.

---

38. En 1857.

6

Denis-Benjamin Viger, propriétaire foncier et grand voyageur devant l'Éternel

Ses voyages et leur influence sur l'évolution de sa carrière et de sa pensée politique aux États-Unis, en Angleterre pour le compte de l'Assemblée législative et pour celui du clergé

Deux choses ont profondément influencé Denis-Benjamin Viger dans sa vie d'adulte et sa carrière. La première, c'est qu'il a été très tôt propriétaire foncier et, plus tard, grand propriétaire. La seconde : le fait qu'il soit sorti de son pays et qu'il ait pu voir ce qu'on faisait et ce qu'on pensait ailleurs. L'une lui a donné des moyens d'action et l'autre lui a ouvert des horizons.

Viger a d'abord visité les États-Unis en 1819. Il en a rapporté une grande admiration pour leurs habitants et leurs institutions, comme on le verra plus loin quand nous analyserons une étude de M. Fernand Ouellet sur le projet d'annexion du Bas-Canada aux États-Unis et la réaction de Viger. Et puis, il y a eu ces voyages que l'Assemblée législative lui a demandé de faire pour porter les doléances du Bas-Canada aux autorités de Londres. Enfin, un périple sur le continent qui l'a conduit à Anvers et à Paris et dont il a rapporté d'intéressantes réflexions sur l'union imposée à des éléments aussi différents que les Belges et les Hollandais. Il en tirera un parallèle avec la situation qui existe à ce moment-là dans son pays.

On dit que les voyages forment la jeunesse. Viger n'est plus jeune quand il va aux États-Unis et en Angleterre, mais son esprit est ouvert à bien des influences. Comme George-Étienne Cartier, un demi-siècle plus tard, il sera frappé par le milieu britannique[1] et par ces parlementaires qu'il a fréquentés ou qu'il a coudoyés. Même si on ne le reçoit pas avec les mêmes égards que l'on aura pour George-Étienne Cartier, il est fortement impressionné par ces gens qu'il rencontre, avec qui il discute et par la solidité de leurs institutions. À deux reprises, il a vécu dans la ville qui, après la chute de Napoléon, a pris un regain d'activité, en attendant que le pays devienne la grande puissance du monde, à l'occasion de la révolution industrielle. Et puis, il a fréquenté un milieu d'intellectuels et d'homme politiques, assez remarquable dans l'ensemble. Comme François-Xavier Garneau, il a constaté le respect qu'on avait pour eux dans un milieu où la bourgeoisie commençait à jouer un rôle là où, à peu près seule, l'aristocratie avait compté jusque-là.

Quand on songe à l'époque, il n'est pas étonnant qu'on ait tenu Viger un peu à l'écart, en Angleterre car, comme Cartier, il n'a pas contribué à garder le Canada dans l'empire. On ne l'a pas décoré comme on le fera pour l'autre, au cours d'une fournée annuelle qui permet de reconnaître la valeur des fidèles serviteurs de la Couronne. Au contraire, on n'est pas sûr de lui. On se demande ce qu'il pense, ce qu'il veut et ce que pensent et veulent ces sujets canadiens qui créent un grand tumulte dans la Colonie, alors qu'on a en Angleterre bien d'autres problèmes que l'on juge plus importants ou plus urgents. Ce qu'il veulent, n'est-ce pas la scission ou encore l'annexion avec les États du Sud ? Viger

---

1. Comme aussi le sera François-Xavier Garneau vers le même moment.

du Bas-Canada et Mackenzie du Haut-Canada sont-ils sincères quand ils disent qu'ils luttent contre des hommes et
non contre un régime, même s'ils veulent qu'on en change
les institutions ? On n'est pas sans connaître les discours enflammés de Papineau et les liens qui unissent ce dernier à
Viger. Ce milieu du Bas-Canada est-il vraiment sûr ? N'est-
il pas en pleine évolution ? On a tenté jusqu'ici de noyer les
francophones dans l'immigration, mais grâce à leur prodigieuse natalité, ils ont assez bien résisté à toute influence de
l'extérieur. Revanche des berceaux, dira un des leurs au siècle suivant. Pour l'heure, malgré la saignée de l'émigration
vers les États-Unis, il gardent la majorité dans le Bas-Canada, même si on les tient solidement en main. Il est vrai que
l'émigration et l'immigration n'ont pas encore atteint l'importance qu'elles auront durant la deuxième partie du siècle.

Plus tard, pour consolider l'influence britannique, on
distribuera aux classes dirigeantes des décorations et des titres. Ainsi, on assurera de solides appuis à l'influence britannique. On le fera jusqu'au moment où, au siècle suivant,
interviendra un des descendants de cette mauvaise tête de
Mackenzie qui, en 1832, est à côté de Viger à Londres et
réclame à pleine voix contre le *family compact* du Haut-Canada. D'une adresse consommée, machiavélique diront certains, ce descendant s'appellera William Lyon Mackenzie
King. Il obtiendra qu'on défende toute décoration étrangère, qu'il trouve une forme un peu asservissante de l'influence extérieure au Canada et, en particulier, celles qu'accorde
l'Angleterre un peu trop libéralement.

*

Mais revenons au sujet qui nous intéresse, tout en nous
excusant auprès du lecteur de cette digression.

Denis-Benjamin Viger est propriétaire foncier. En quoi
cela l'a-t-il marqué ou plus simplement influencé sa carrière ? C'est ce que nous allons voir.

Son père, Denis, était propriétaire d'une terre située à peu près entre l'actuelle rue Saint-Antoine et la rue Sherbrooke, avons-nous noté déjà[2]. Denis-Benjamin en hérita à la mort de sa mère en 1823 ou tout au moins ce qu'il en restait. Sur un plan qui date de 1817, son cousin Jacques Viger nous l'indique. Arpenteur-géomètre, il travaille avec Joseph Bouchette qui, pour son livre paru en 1815, sans façon ni gêne affirme Jacques Viger, a utilisé certains de ses travaux sans la moindre allusion à son auteur : celui-ci étant son subordonné dans la région de Montréal, il est vrai. Le plan du quartier que dresse Jacques Viger nous fait voir ce qui appartient à la « veuve Cherrier » comme il le dit, à l'est de la rue Saint-Denis.

Un autre travail de Jacques Viger apporte quelques précisions supplémentaires sur la fortune foncière de son cousin, en 1825, c'est-à-dire à une époque où sa femme a également hérité de son père, Pierre Foretier. À cette époque, Viger était, semble-t-il, le deuxième grand propriétaire foncier à Montréal, comme l'indique la note suivante dans la *Revue d'histoire de l'Amérique française* de Paul-André Linteau et Jean-Claude Robert :

> Douze personnes ou institutions figurent au palmarès de la très grande propriété foncière montréalaise ; il s'agit des propriétaires dont le revenu annuel est évalué entre £ 600 et £ 1,000 et plus :
>
> Pierre Berthelet (£ 2,129), D. B. Viger (£ 1,334), Sa Majesté (£ 1,187), Austin Cuvillier (£ 907), J. Molson, père (£ 910), Le Séminaire (£ 912), David Ross (£ 880), Veuve Platt (£ 717), M. Lunn (£ 754), Succession David (£ 638), Bte Castonguay, père (£ 682), Félix Souligny (£ 680)[3].

Et les deux auteurs ajoutent :

> La situation de Denis-Benjamin Viger ressemble à celle de Pierre Berthelet. Deuxième plus gros propriétaire à Montréal, (il) loue également des locaux commerciaux et, c'est là peut-être l'indice d'une future spéculation. Il possède une

---

2. Elle mesurait quelque quarante-sept arpents.
3. Paul-André Linteau et Jean-Claude Robert, R.H.A.F., juin 1974, p. 61.

terre avec un grand jardin et verger dans le faubourg Saint-Louis[4].

En quoi le fait d'être le deuxième propriétaire de Montréal marque-t-il Denis-Benjamin Viger ? Celui-ci est relativement riche pour l'époque. A-t-il voulu spéculer comme Pierre Berthelet qui, commerçant en immeubles, accumule les propriétés pour en tirer un revenu et augmenter sa fortune tout en cumulant les à-côtés ? Jacques Viger nous révèle que Berthelet a, par exemple, trois cents poêles qu'il loue avec ses maisons. Nous ne croyons pas que Viger ait eu les mêmes motifs. Même s'il a de nombreux locataires, il n'est pas un commerçant. S'il l'était, pourquoi sa femme et lui auraient-ils fait tous ces dons de terrains dont il a été question précédemment ? Il sait que la valeur de la propriété foncière augmentera forcément avec l'essor de la ville. Il en profitera quand la ville gagnera vers l'est. Pour l'instant, la propriété foncière lui apporte la sécurité nécessaire à son train de vie et aussi le moyen de s'intéresser à ce qui lui plaît : la politique à laquelle il se donne corps et âme et ces journaux qui façonnent l'opinion. On l'a vu au *Canadien* et puis à *La Minerve* que dirige son ami Duvernay, et surtout à *L'Aurore des Canadas* après 1840. Il y a également cette imprimerie de la Place Jacques Cartier et celles de *La Minerve* dont les presses seront saisies et démantelées après les événements de novembre 1837. Les premières reprendront leur travail sous un autre nom, en 1840, pour composer, entre autres choses, la protestation calme et vigoureuse de Viger contre les injustices qu'il a subies en prison[5].

Avec sa fortune, Viger a donc la sécurité du lendemain. C'est un premier résultat. Il a pu ainsi aider les causes aux-

---

4. Parmi les immeubles qu'il possède, citons, à titre d'indication seulement, les endroits suivants, que note le cadastre de Montréal de 1860 : 5 Notre-Dame, 69 Notre-Dame, 72 Saint-Louis, 16 Square Jacques Cartier, 1 à 19 Saint-Amable, 3 à 9 rue Saint-Vincent, 23 à 34 rue Saint-Paul, 272-74 rue Notre-Dame et rue Saint-Denis : 1, 3, 31, 35, 43, 55, 59, 95, 115, 131, 137, 141, 215. Nous remercions M. Gérin-Lajoie, archiviste de Montréal, qui nous y a donné accès.

5. *Mémoires relatifs à l'emprisonnement de l'honorable D.B. Viger*, Chez F. Cinq-Mars, 1840. On trouve également dans les dossiers des Archives publiques du Canada un texte qui en dit long sur le traitement qu'il a subi à la prison de

quelles il s'intéressait, tout en dépannant certains journaux au moment d'échéances difficiles et, même, quelques journalistes impécunieux. Après en avoir dit bien du mal, Napoléon Aubin, par exemple, n'hésitera pas à lui demander son aide pour lancer *Le Castor*, après avoir perdu *Le Fantasque*, entraîné dans l'oubli après avoir fait bien des étincelles dans un milieu où le journal est l'aventure.

Avec sa femme, Denis-Benjamin Viger a aussi fait quelques dons à des œuvres, comme on l'a vu. Sa fortune l'a marqué, en lui donnant une grande liberté d'action et d'esprit. Nous avons déjà noté un don fait par sa femme au monastère du Bon-Pasteur. Il y en a d'autres à son acquis et, parmi ceux-là, l'aide accordée à son cousin l'évêque Lartigue. Malgré les Sulpiciens ou à cause d'eux, celui-ci veut construire une cathédrale. On lui a retiré son siège épiscopal dans l'église Notre-Dame. On lui fait toutes les difficultés possibles parce que, tout-puissants jusque-là dans la région, même si juridiquement on ne reconnaît pas leur droit à leurs propriétés, les Sulpiciens ne veulent pas accepter qu'on intervienne dans leurs affaires. Ils ont la Paroisse ; ils ne veulent pas admettre l'intervention de cet intrus, Jean-Jacques Lartigue, évêque de Telmesse, même s'il est un des leurs. Devant l'opposition plus ou moins avouée de ses confrères et amis, le prélat a dû se réfugier dans la très jolie chapelle des Sœurs Grises. Même s'il y est reçu à bras ouverts, il lui faut une cathédrale pour affirmer son prestige d'évêque. On la construira face à l'actuelle rue Sainte-Catherine près de la rue Saint-Denis[6]. Il y a un bien intéressant échange de correspondance entre les deux cousins à ce sujet. Denis-Benjamin Viger donne un premier terrain à l'évêque, comme sa mère en avait pris l'engagement, mais celui-ci revient à la charge. Il lui en faudrait davantage. Ils

---

Montréal. Si modéré jusque-là, Viger s'exprime ainsi : « Soixante-dix-sept ans de domination anglaise au Canada avaient été soixante-dix-sept ans d'oppression. La peur seule avait quelquefois arraché quelques concessions aux tyrans, avec d'amples promesses d'un meilleur gouvernement pour l'avenir » (*Quelques notes sur les événements politiques de 1837 au Canada*. Notes prises à la Prison de Montréal, A.P.C., MG24, B6, vol. 6).

6. James Duncan nous en a laissé un souvenir bien agréable.

sont très amis tous les deux ; la Rébellion ne les ayant pas encore rangés dans deux camps opposés. À peu près du même âge, ils ont étudié le droit auprès des mêmes maîtres, Foucher et Bédard. Puis, ils se sont séparés, l'un allant vers la prêtrise et devenant un des plus brillants sujets canadiens de la Compagnie Saint-Sulpice. Écoutons l'évêque dans son nouvel appel à la générosité de son parent[7] :

Mon cher Cousin,

Avant de désigner la place de l'Église, j'ai visité avec plusieurs Membres du Comité, le terrain où je l'ai fixée depuis, et nous trouvâmes en l'examinant, que la partie de terre qui avoisine le plus la rue Mignonne était le lieu le plus élevé, et celui où l'Église se voit le mieux située, s'il nous appartenait. J'ai cru en conséquence pouvoir me charger de vous demander, au nom du Comité, de joindre au terrain que vous nous avez déjà promis pour cet établissement le reste de celui qui va jusqu'à la rue Mignonne, vu surtout que vous ne m'avez paru attacher d'importance à garder pour vous ce morceau, que parce que ma pauvre tante, votre défunte mère, désirait s'y établir pour y finir ses jours. Vous pourriez cependant, si vous le jugiez à propos, reprendre du côté de la rue Sainte-Catherine la même quantité de terrain que vous me céderiez ; mais ce dernier lopin vous serait de peu d'utilité ; et l'on trouve ici qu'il serait grandement avantageux pour mon établissement que le terrain en question s'étendît d'une rue à l'autre sur le front, ce qui lui donnerait dans la suite quatre rues pour bornes, et le débarrasserait des inconvénients d'un voisinage quelquefois incommode et toujours désagréable, surtout si par la suite il s'y fait des études de Théologie ou autres. Vous me direz, s'il vous plaît, ce que vous en pensez ; et nous nous en rapportons à votre prudence et à votre générosité sur cet objet.

Signé : J. J. Ev. de Telmesse.

Jean-Jacques Lartigue signe évêque de Telmesse. Ses amis sulpiciens tolèrent qu'on l'appelle évêque à Montréal,

---

7. Lettre du 18 février 1823, R.L.L.T.2, Archives de la Chancellerie de Montréal. Avec sa conscience professionnelle ordinaire, le professeur André Lefort a fait une étude intéressante de la correspondance échangée entre l'évêque et son cousin Denis-Benjamin Viger, de 1820 à 1836, dans *Le Laïc et l'Église*. Il en a recherché les textes aux archives de la Chancellerie de l'archevêché de Montréal et aux Archives du Canada dans les papiers Viger.

mais c'est tout. Si, à Rome, on ne s'embarrasse pas d'une pareille nuance, Mgr de Québec doit être très prudent car le diocèse de Montréal n'est pas encore reconnu par Londres, pas plus d'ailleurs que, juridiquement, les Sulpiciens ne sont les seigneurs de Montréal. Malgré le Traité de Paris, leur statut est resté un peu flou et, périodiquement, ils se demandent ce qu'il adviendra de leurs domaines[8]. Comme on le verra plus loin, Mgr Lartigue chargera son cousin d'intervenir auprès du Colonial Office à Londres en 1828, pour qu'on reconnaisse enfin l'existence de son diocèse. Ce n'est qu'en 1836 qu'on le fera, effrayé sans doute de ce qu'annoncent les Quatre-vingt-douze Résolutions. On se rend compte en haut lieu qu'on aurait avantage à se ménager de solides appuis parmi ce clergé qui n'aime pas les aventures, mais que pourraient bien entraîner les grands ténors de la politique du moment, si l'on n'y veillait.

Viger consent à accorder cet autre terrain que lui demande son cousin. Celui-ci est un peu la gloire de la famille à une époque où l'Église jouit d'un grand prestige et d'une non moins grande autorité morale.

Mais ce n'est pas la seule œuvre à laquelle s'intéressent Viger et sa femme, comme on l'a vu. Il y a aussi la municipalité à laquelle leur cousin Jacques Viger sera bientôt lié. Pourquoi ne pas lui donner une partie de ce terrain qui a causé quelque souci à son père et qui, longtemps, dans sa partie la plus basse, a été sinon un marécage, du moins une terre difficile à égoutter. On se rappelle la poursuite intentée contre Pierre Foretier et les autres riverains pour l'assainir. Donnons-en une partie à la municipalité, se dit Denis-Benjamin Viger, elle l'assainira. On y installera un marché d'abord, puis on en fera un espace vert, comme on dira plus tard quand le béton et le bitume auront envahi la ville. L'endroit deviendra la place Viger, puis le square Viger où l'on construira la gare et l'hôtel du même nom, à la fin du siècle quand on y installera le terminus du Pacifique-Cana-

---

8. Dans une de ses letttres à son cousin Jacques Viger, Denis-Benjamin rapporte qu'à Montréal on est très inquiet devant les bruits qui commencent à circuler à l'effet que le gouvernement se proposerait de s'en emparer.

dien pour le réseau de l'est de la province : voie prestigieuse au siècle suivant pour son train de cinq heures qui, le
lundi et le vendredi soirs, transportera les ministres de la
région et leurs thuriféraires. Aux étages supérieurs de l'immeuble, il y aura un hôtel bien tenu, accueillant et donnant
sur le square aux ormes splendides. Avenu Viger s'élèveront aussi de belles demeures bourgeoises. Plus tard, avec la
dépréciation du quartier, le square accueillera les *robineux*,
ces clochards venus respirer l'air du Bon Dieu dans un des
rares endroits où on est prêt à les accueillir.

Square Viger, avenue Viger, rue Saint-Denis, rue Saint-
Amable rappellent le souvenir de ces êtres généreux qui ont
voulu laisser leur marque et leur nom à Montréal.

*

Voyage aux États-Unis

Une certaine indépendance de fortune permet à Denis-
Benjamin Viger de voyager et de délaisser la clientèle à laquelle il tient moins qu'à sa carrière d'homme politique.
Nous l'avons dit déjà. Revenons sur le sujet avec quelques
détails. En 1819, il va aux États-Unis. Il revient enthousias-
mé par ce qu'il a vu. Il ne s'est pas contenté de constater un
certain nombre de choses. Il a posé des questions, demandé
des précisions et, en observateur intelligent, comme le signale Fernand Ouellet dans son texte sur Viger et le problème de l'annexion, il en est venu à quelques conclusions extrêmement favorables au pays voisin qui, libéré de ses liens
avec l'Angleterre, a pris un grand essor. Ce qui le frappe
d'abord, c'est la qualité de l'instruction qu'on y donne. Il en
a constaté le programme à tous les niveaux : primaire, secondaire et universitaire, et les résultats. Il a vu la démocratie à l'œuvre, le sentiment d'appartenance à un pays libre,
la part prise par le peuple aux institutions : bref la démocratie dans ce qu'elle a de plus constructif. Comme on est
loin de ce qu'il connaît dans le Bas-Canada !

Dans les états de l'Est, il a vu des bibliothèques nombreuses et très fréquentées, des paysans qui sortent de l'or-

nière et veulent savoir, des villes actives, une industrie naissante, des journaux répandus partout et qu'on lit avec avidité :

> Il n'est pas rare, écrit-il, de voir une petite ville ou un village qui a ses deux imprimeurs. Chez tous, les journaux apportent ces connaissances pratiques qui assurent le progrès. Au peuple des campagnes, ils enseignent la politique et l'économie rurale ; ils lui donnent un exposé des derniers progrès de la science, des extraits des meilleurs volumes et une foule de recettes domestiques. Ainsi, les journaux remplissent leur rôle qui consiste à « faire ramifier ces connaissances dans toutes les parties du pays, à les rendre communes à toutes les classes de la société ».

On comprend son sentiment, lui qui, sachant la puissance de l'imprimé, cherche à le faire pénétrer dans son milieu, tout en se heurtant à l'analphabétisme que le régime combat mal et avec des moyens bien limités.

Il admire, compare avec ce qui existe dans le Bas-Canada. Il est confus de ce qu'il voit. S'il est enthousiaste, il ne souhaite pas cependant que la Colonie s'oriente vers l'annexion, comme l'autorise la Constitution américaine de 1783[9]. Ce qui permet à Fernand Ouellet d'écrire :

> Il a trouvé là l'application concrète de ses idées politiques : les États-Unis sont le modèle à suivre pour le Canada. Sous chacune de ses allusions à la perfection de l'état américain, on sent le regret de ne pas voir les Canadiens arrivés à un tel degré d'éducation politique. À la suite de ses voyages aux États-Unis, le journaliste va essayer par tous les moyens d'obtenir pour le pays des institutions semblables à celles qu'il y a observées.

*

De retour des États-Unis, Viger est fort intéressé par ce qu'il a vu ou cru voir, car on se demande si le pays voisin méritait le bien qu'il en pense ou qu'il en dit. Il est vrai que tout est relatif et que si la comparaison se fait avec ce qui

---

9. Fernand Ouellet, « Denis-Benjamin Viger et le problème de l'annexion », B.R.H. 1951, pp. 195 et ss.

existe dans le Bas-Canada, l'enthousiasme est permis. Aux États-Unis, les oppositions de langues n'agissent pas. Si on y entre, on doit accepter l'idiome, les lois et les coutumes, même si forcément des ghettos se forment ici et là, chacun cherchant à retrouver ce qu'il a laissé chez lui : les Juifs et les Chinois ont leur quartier, comme aussi les Italiens et les Irlandais. Les Canadiens, eux, se groupent surtout dans les États de la Nouvelle-Angleterre où ils forment le fond de la population attachée à l'industrie textile. Si les grandes décisions pour l'orientation de la nation ne se prennent pas dans ces ghettos, elles ne viennent pas d'un pays situé à trois mille milles de là. La guerre de l'Indépendance a fait disparaître les interventions à distance de gens qui ont bien d'autres préoccupations et d'autres intérêts, même si les Colonies avaient joui auparavant d'une assez grande liberté. Dans le pays nouveau, les dirigeants ne sont pas nommés par des interventions de famille, de classe ou de clan ; ils sont élus. Si certaines influences jouent, elles s'exercent par des gens qui, tout en ne perdant pas de vue leur intérêt, connaissent et comprennent les besoins du pays. S'ils se trompent ou déplaisent, les électeurs les écartent aux élections suivantes. Ils font en sorte que les gens s'instruisent en fonction de leurs critères et de leurs besoins. Et surtout, les guerres et les problèmes de l'Europe ne les concernent pas. Il faudra longtemps encore — un demi-siècle peut-être — pour que les gens du Canada commencent à raisonner et à agir ainsi, sans avoir à passer par des fonctionnaires interposés entre eux et le Colonial Office.

Viger avait raison de souhaiter que les choses se passassent ainsi dans son pays. Il connaissait les problèmes. Il voyait la solution qui, dans son esprit, n'était pas de supprimer le régime, mais d'obtenir qu'il évoluât.

*

Voyages en Angleterre

En 1828, Denis-Benjamin Viger part pour l'Angleterre, un jour de mai. Avec Austin Cuvillier et John Neilson, mais sous la direction de ce dernier, il est chargé de présenter les doléances de ses compatriotes et, surtout, de protester contre les agissements de lord Dalhousie, gouverneur du Canada qui, de l'avis de tous, outrepasse les droits conférés par le Colonial Office. Viger prouve que le gouverneur se livre ou permet à ses collaborateurs ou à ses amis de se livrer à des abus que l'Assemblée législative juge intolérables. Elle ne peut rien contre le gouverneur — sauf protester, car Londres confie à son représentant au Canada le soin de tout diriger suivant, sinon son bon plaisir, du moins à l'intérieur d'un cadre tracé par le Colonial Office. Si, dans la constitution de 1791, on a prévu une chambre élective, ses pouvoirs peuvent être contrecarrés par le gouverneur ou par le Conseil législatif, dont les membres sont nommés à la suggestion du gouverneur, comme nous l'avons vu précédemment. Dans ces conditions, il était normal qu'il y eût des heurts, des oppositions sourdes ou fracassantes selon les moments et les hommes. Ces oppositions prenaient des formes diverses : refus de voter les subsides, d'entériner la liste civile arrêtée en Angleterre ou sur place, de confirmer certaines nominations, d'endosser certains projets de l'une ou de l'autre Chambre, de décréter le renvoi des députés dans leur foyer, l'ordre de nouvelles élections, etc. Ce fut l'ordinaire du milieu politique au Canada, tant qu'à Londres on n'eût accepté le principe de la responsabilité ministérielle et l'indépendance relative des colonies d'Amérique. Et c'est ainsi que, pendant tout le XIXe siècle, jusqu'au moment de la Confédération tout au moins, il y eut mésentente chronique entre les divers éléments formant le gouvernement. Et cela pour une excellente raison : élus les députés sont en majorité francophones, nommés les membres du Conseil législatif sont en majorité anglophones. Au Conseil, il y a bien quelques francophones. On les laisse parler, protester, suggérer, grommeler, contester, mais il est rare qu'on leur donne raison[10].

---

10. L'opposition de la Chambre haute donnait lieu parfois à des votes inattendus. Dans son livre sur *Les Rouges*, paru aux Presses de l'Université du Québec, le professeur Jean-Paul Bernard rapporte le cas d'un projet de loi qui, voté par l'Assemblée, fut bloqué par le Conseil législatif à l'instigation du juge Jonathan

À tel point que, sous lord Aylmer, par exemple, parce que le Conseil n'a pas entériné la nomination de Denis-Benjamin Viger au poste d'agent de la province à Londres pour faire valoir les griefs du Bas-Canada, le gouverneur refuse de donner à Viger une lettre d'accréditation auprès du Colonial Office. Inutile de dire qu'on lésinera également sur ses frais. Modeste dans ses besoins, Viger se logera au London Coffee House, où François-Xavier Garneau ira lui rendre visite pour la première fois en 1831.

En 1823, Papineau et Neilson avaient été délégués à Londres pour s'opposer à un projet d'union du Haut et du Bas-Canada. Cette fois, en 1828, les trois délégués sont chargés de protester contre l'administration de lord Dalhousie à qui l'on reproche surtout des abus d'autorité, comme on l'a vu.

Trop souvent, on nomme comme administrateurs, lieutenants-gouverneurs ou gouverneurs du Haut ou du Bas-Canada des hommes qui ont rendu service durant leur carrière, mais qu'il a fallu déplacer pour une raison ou pour une autre. Parce qu'ils ont fait du service ailleurs ou par un privilège de naissance, on considère qu'ils ont droit à un poste. On les y nomme. Parfois, certains sont devenus embarrassants dans la métropole ; on profite d'un besoin à un endroit particulier pour les éloigner momentanément. Quand les réclamations contre eux sont trop fortes, on les envoie ailleurs. C'est le cas de lord Dalhousie, dont le Bas-Canada veut se débarrasser : Denis-Benjamin Viger et ses compagnons étant à Londres pour obtenir qu'il soit rappelé.

Sewell, venu à la rescousse du clergé catholique. Une majorité de trente voix contre dix-neuf, formée de députés francophones et catholiques, voulait enlever « au curé et à quelques laïques choisis par lui, l'administration temporelle des paroisses ». Piqué au vif, l'évêque de Québec exprima au juge Sewell son inquiétude. Entre gens d'églises, même séparées, on s'était entendu. D'autant plus facilement que le juge Sewell, très influent au Conseil, n'était pas mécontent de s'opposer à ses vieux adversaires, Louis-Joseph Papineau et Louis Bourdages. C'est ainsi que, pour une fois, the High Church of England vint à la rescousse de cette Église catholique que l'on reconnaissait tout juste pour des fins politiques, même si, en Angleterre depuis 1829, on permettait aux Irlandais catholiques d'être élus députés et de siéger à la Chambre basse de Westminster Abbey. Cette fois, c'est nous qui nous exprimons ainsi et non le professeur Bernard.

*

Il est intéressant, croyons-nous, de parler ici de ces représentants officiels que l'Angleterre envoyait dans la Colonie pour en administrer les affaires, à une époque où, comme sous le régime français, on donnait des pouvoirs très
étendus au représentant du Roi.

Gouverneurs, lieutenants-gouverneurs ou administrateurs se succédaient parfois à une cadence accélérée, suivant les hommes, leurs défauts, leur état de santé ou les ré-
criminations des indigènes. Pour qu'on en juge, voici la liste
de ceux qui se remplacent de 1835 à 1847 :

	Date de nomination
Earl of Gosford	1835
Sir John Colborne (lord Seaton)	1838
Earl of Durham	1838
Right Hon. C.P. Thompson (lord Sydenham)	1839
General sir R. Jackson	1841
Sir Charles Bagot	1842
Sir Charles Metcalfe	1843
Earl Cathcart	1845
Earl of Elgin	1847

Parmi ces hauts fonctionnaires, il y a des malades ou
des hommes à qui ne convenaient ni le climat ou la fonction, ni la tension nerveuse qu'elle entraînait. Ainsi, lord
Sydenham meurt à Kingston deux ans après son arrivée, sir
Charles Bagot ne reste que deux ans en poste et lord
Charles Metcalfe, atteint du cancer, doit quitter son poste
en 1845 et revenir en Angleterre où il meurt peu de temps
après. Longtemps auparavant, sir James Craig avait quitté
la colonie en laissant un souvenir détestable. Quant à lord
Dalhousie, il fut nommé aux Indes, après avoir soulevé
contre lui la Chambre canadienne presque tout entière[11].

---

11. Il y a une bien curieuse lettre de Mgr Lartigue, qui montre l'acharnement
du Gouverneur et qui explique l'opposition née de ses abus d'autorité. En s'adres-
sant à son cousin à Londres, le prélat écrit : « ... lord Dalhousie continue à chas-
ser les Canadiens de tous les postes de lucre et de confiance. Je crois que s'il reste
encore trois mois, il leur restera même pas une place de connétable » (Archives de
la Chancellerie de Montréal, R.L.L. 4).

En 1827, par exemple, il avait refusé de reconnaître Louis-Joseph Papineau comme président de l'Assemblée législative et il avait prorogé « la session après son ouverture ». Sur le refus de l'Assemblée de se choisir un autre président, en 1828, il avait fait émettre des mandats d'arrestation pour *libelle* contre les propriétaires ou rédacteurs de journaux qui avaient eu le courage de protester contre sa conduite arbitraire : Duvernay de Montréal ; Neilson de Québec et Mondelet de Trois-Rivières. Il avait abrogé par un ordre général les règlements de milice qui autorisaient la formation de bataillons canadiens. Devant une pareille rigueur, on comprend la réaction de l'Assemblée législative, qui envoie à Londres ces trois délégués chargés d'exposer l'arbitraire non du régime, mais de l'homme[12]. Dans *Canada and its Provinces*, Duncan McArthur a exprimé une opinion bien différente sur l'administration de lord Dalhousie ; mais sans doute ne s'est-il pas placé au même point de vue ! Il a dit qu'il était pris entre des instructions extrêmement restrictives du Colonial Office de Londres et le nationalisme canadien-français. Voici comment il s'exprime :

> Few governors displayed a more intelligent interest in the welfare of the province, and few left more fitting monuments to a zele for peace and prosperity. During no period in its history has the province made such mark material progress. His interest in the intellectual life of the province was manifested by his patronage of the Québec litterary and historical society, and his zele for the reconciliation of the French and English ... found a greatful expression in his activity in securing funds for the erection of a monument to Wolfe and Montcalm[13]

Par ce témoignage, on a une idée du fossé creusé entre les deux éléments de la population. On le retrouve même chez certains historiens qui, de bonne foi sans doute, essaient de juger en toute sérénité des points de vue opposés :

---

12. Georges Bellerive, dans *Délégués canadiens en Angleterre de 1763 à 1887* (Librairie Garneau), donne l'énumération et les interventions de ceux qui, entre ces deux dates, furent délégués à Londres pour faire valoir le point de vue des coloniaux.

13. Ce qui est assez mince, on l'avouera. *Canada and its provinces*, vol. 3, pp. 307-308, Edimburg University Press, 1913.

ce qui rend si difficile l'existence d'une histoire acceptable par tous les groupes intéressés. Les délégués du Bas-Canada obtinrent que lord Dalhousie fût rappelé. Il occupait le poste depuis cinq ans. C'était plus que la plupart de ceux qui l'avaient précédé, mais il y avait cette levée de boucliers contre lui à la Chambre. Il fallait en tenir compte car les arguments du groupe canadien, venu à Londres, étaient convaincants. Journaliste et député, John Neilson était fort bien vu. Il était sérieux, raisonnable, comme aussi Austin Cuvillier qui, pour les questions de finances, était un interlocuteur valable. De son côté, Denis-Benjamin Viger connaissait ses dossiers et son droit constitutionnel. Ses arguments réunis patiemment, son raisonnement logique — on ne disait pas encore cartésien à l'époque — étaient difficile à mettre de côté. Aussi avant le retour des trois délégués au Canada, leur fait-on savoir que la décision est prise : lord Dalhousie sera rappelé. Ce qui ne l'empêchera pas d'être nommé aux Indes, car il a des amis et, à cette époque, le Colonial Office n'oublie pas ceux qui ont été en poste à l'étranger, même s'ils ont semé la dissension parmi leurs administrés.

*

Si Denis-Benjamin Viger est heureux des résultats obtenus dans le milieu politique, il l'est moins dans un autre domaine. La réaction n'a pas été aussi favorable, dans le cas des problèmes que Mgr Lartigue lui avait demandé de discuter avec le gouvernement anglais au cours de son séjour. Il nous paraît intéressant de les passer en revue ici, car s'ils ont un intérêt local — le diocèse de Montréal — ils permettent de comprendre comme le présent et l'avenir du clergé et de la religion sont liés au bon vouloir du gouvernement de la métropole. En Angleterre, comme au Canada, la religion catholique n'est encore que tolérée. Elle a un certain caractère officieux, mais elle n'est pas acceptée officiellement et elle n'a pas les privilèges accordés à la High Church of England, en particulier. À Québec, on a bien reconnu l'évêque catholique. En 1817, par exemple, on l'a fait entrer au Conseil législatif, malgré l'opposition du Bishop

Mountain[14]. Mais on ne veut pas lui accorder le droit de nommer des suffragants, même si on accepte de traiter avec l'évêque de Kingston qui, lui, représente les catholiques du Haut-Canada.

Dans la hiérarchie reconnue par Rome, mais non par Londres, Mgr Lartigue est un suffragant de l'évêque de Québec. Son autorité à Montréal a été longtemps assez mince à cause de l'opposition des Sulpiciens, en particulier. Il se bat avec vigueur pour faire admettre ses prérogatives religieuses et civiles. Or, c'est par Londres que pourront être précisés les intérêts matériels de son diocèse non reconnu juridiquement. Il charge Denis-Benjamin Viger de faire valoir ses arguments auprès du gouvernement anglais. Le mémoire qu'il lui remet est long ; mais à notre avis, il montre si bien les problèmes et la force de raisonnement du prélat que nous croyons bon d'en citer ici de copieux extraits. Ils indiquent notamment la dépendance du clergé envers ce gouvernement qui, de Londres, veut tout décider. Il n'intervient pas dans la pratique de la religion, mais c'est de lui que dépend l'existence juridique des institutions religieuses. Assez curieusement, dans ce mémoire les problèmes religieux avoisinent les considérations politiques dont certaines, il est vrai, peuvent avoir des conséquences immédiates ou lointaines. Ainsi le projet d'union constitutionnelle qui, en 1822, tend à donner au gouvernement le droit de nommer les curés, veut aussi ramener les frontières du Haut-Canada au niveau de Verchères pour lui assurer un port de mer. Écoutons Mgr Lartigue dans ses instructions à Denis-Benjamin Viger avant son départ, en 1828 :

> 1. Outre l'opposition que nos Agents auront à faire, s'il en est question, à l'Union des provinces du Haut et du Bas-Canada, laquelle serait aussi préjudiciable à la Religion qu'à

---

14. Le Dr Mountain avait protesté vigoureusement quelques années plus tôt quand le gouverneur, sir George Prevost, avait autorisé Mgr Plessis à changer son titre de surintendant de l'église romaine en celui d'évêque catholique de Québec, en 1813. Auparavant, il avait reproché à Mgr Plessis de se faire appeler « Monseigneur Sa Grandeur le révérendissime et illustrissime ». La lutte était engagée. Petit à petit, la question religieuse et les préséances cesseront d'intéresser le pouvoir qui ne veut pas intervenir dans des querelles qu'il juge stériles.

nos droits civils en ce pays, ils doivent s'objecter avec autant
de force au nouveau projet des Bureaucrates, qui serait de
distraire du Bas-Canada une partie considérable du District
de Montréal, par exemple, toute la partie qui est au-dessus
de Varennes et de Repentigny, pour l'annexion au Haut-Canada, sous prétexte de donner un port de mer à cette dernière province ; comme s'il n'était pas possible, par le
moyen de canaux sur le Saint-Laurent ou de l'Ottawa, de
faire parvenir des vaisseaux dans un port du Haut-Canada
tel qu'il est à présent, sans y ajouter une partie de notre province aussi considérable que tout le reste de cette même
province : car dans le retour officiel du dernier *census* du
Bas-Canada, la population du seul district de Montréal excédait de 60,000 âmes celle des quatre autres districts de St-
François, de Trois-Rivières, de Québec et de Gaspé ensemble ; or, il n'est pas probable que la population depuis Repentigny jusqu'à Berthier, et depuis Varennes jusqu'à Sorel,
s'élève à 60,000 âmes. Et ce changement s'effectuerait dans
la partie la plus dense de la population canadienne, à laquelle on ôterait tout à coup sa langue et ses lois, qu'on lui
a garanties par l'Acte de 1774, et par le Bill Constitutionnel
de 1791, qui autorise la division des deux Provinces. Il est
évident d'ailleurs qu'on perdrait par là toute espérance d'un
Évêque canadien à Montréal : car le Siège Épiscopal de
Kingston, qui probablement serait alors transféré à Montréal, sera toujours occupé par un Prélat étranger à nos
mœurs et à notre langage : l'Évêque suffragant y serait regardé comme inutile ; et s'il n'était obligé de se retirer, il serait du moins le dernier qui y résiderait en cette qualité.

2. Le District de Montréal seul surpassant, comme il est dit
ci-dessus, en population tout le reste de la province ensemble, mérite bien mieux d'avoir, conformément au désir de
l'Évêque de Québec actuel ainsi que de son prédécesseur (!),
un Évêque en titre, que la province du Haut-Canada, qui
n'a pas la moitié de la population catholique du District de
Montréal, signe qu'au moins le gouvernement a jugé digne
d'en avoir un. Toutes les autorités catholiques de notre Église sont d'accord sur la nécessité d'un pareil établissement ;
la généralité des habitants et du clergé du district le désire ;
les troubles religieux, qui s'étaient élevés au sujet du suffragant, sont éteints : le gouvernement anglais ferait donc une
chose agréable aux Canadiens, que de reconnaître le suffra-

gant actuel pour *Évêque Catholique de Montréal*. Mais si la personne, qui gouverne maintenant ce District comme Évêque suffragant, était désagréable ou suspect au gouvernement de Sa Majesté, elle se retirerait volontiers pour faire place à un autre plus agréable au gouvernement, qui le reconnaîtrait comme Évêque Catholique de Montréal, pourvu que celui-ci fût nommé par l'Évêque de Québec, et canoniquement élu. — Il ne faudrait parler de cet article au Ministre, qu'autant que le Dr Bramstone, V. G., trouverait le temps opportun : si le dit article était accordé, il ne faudrait pas demander au gouvernement des revenus pour cet Évêque de Montréal, mais seulement qu'on lui donnât, en le reconnaissant dans sa qualité, des lettres patentes qui lui permissent d'acquérir, pour lui et ses successeurs, des fonds du revenu de £ 2, ou £ 3, ou £ 1,000, qu'il se procurerait ensuite comme il pourrait. Si le Ministre objectait qu'il ne voudrait avoir affaire, et correspondre directement pour les matières ecclésiastiques du Canada, qu'avec un seul Évêque en ce pays, on lui répondrait d'abord qu'on ne suit pas cette règle pour l'Évêque de Kingston, qui traite directement comme celui de Québec avec le gouvernement : et ensuite qu'il n'y a aucune difficulté à ce que le futur Évêque de Montréal reste dans la *dépendance* de l'Évêque de Québec, soit que le gouvernement reconnût celui-ci comme Archevêque de Québec (ce qu'il serait bon de tâcher aussi d'obtenir par les mêmes raisons politiques de la satisfaction qu'en ressentiraient les Canadiens), soit qu'en gardant le simple titre d'Évêque de Québec, il fût reconnu comme Métropolitain du siège de Montréal (ce que le Saint-Siège accorderait facilement, comme il y en a plusieurs autres exemples dans l'Église) ; en sorte que le gouvernement pourrait ne correspondre qu'avec l'Évêque de Québec, à qui celui de Montréal ferait rapport dans les choses qui concerneraient le service de Sa Majesté.

3. Si, au contraire, on ne pouvait obtenir du gouvernement cette érection d'un nouvel Évêché à Montréal, il faudrait du moins presser le Ministre Britannique de signifier officiellement à l'Administration Provinciale la dépêche de lord Bathurst à qui Mgr l'Évêque de Québec, en date du 15 septembre 1819 (3.) que cet Ex-Ministre avait promis dans le temps de faire connaître au gouverneur, et dont cependant il ne lui a jamais donné connaissance : cette dépêche, reçue

par le gouvernement provincial, suffirait au suffragant de
Montréal pour gouverner ce District en ladite qualité, sans
inconvénients civils. Mais, soit que le gouvernement reconnaisse l'Évêque résidant à Montréal comme diocésain, ou
simplement comme chef spirituel du District, il serait toujours nécessaire que le gouvernement incorporât lui et ses
successeurs, comme supérieurs ou surintendants ecclésiastiques de ce District, avec permission d'acquérir des biens-
fonds amortis jusqu'à la valeur de 2, ou 3, ou 4,000 livres
sterling de rente.

Denis-Benjamin Viger connaît aussi l'état précaire de
certaines communautés. Ainsi, les biens des Jésuites ont été
repris par le gouvernement britannique après la mort du
dernier des Jésuites au Canada. Il a refusé jusqu'ici de les
remettre au clergé catholique pour les fins de l'enseignement. En 1827, Viger a écrit à son cousin Jacques au sujet
des tractations engagées à Montréal pour mettre la main sur
les biens des Sulpiciens. En avril 1828, dans une autre lettre
à son cousin, il explique que l'opinion semble évoluer en
Angleterre, dans les milieux politiques. Il croit que, petit à
petit, le monde officiel cherche à comprendre ce qui se passe dans la Colonie. Il faut changer d'attitude, pense-t-on.
Voilà l'idée qu'il exprime dans une lettre où il explique
longuement l'évolution du milieu :

> Je dois pourtant maintenant ajouter qu'il y a aujourd'hui,
> autant que je puis voir, un plus grand nombre de personnes
> qui voient le Canada tel qu'il est et commencent à sentir
> que la saine politique exige que le gouvernement anglais ne
> nous harcèle pas par des actes d'autorité arbitraire ; que le
> respect pour les établissements que nous chérissons est le
> seul véritable moyen de renforcer les liens qui nous atta-
> chent à la mère-patrie ; enfin, que sans cela, on ne peut pas
> raisonnablement s'attendre à voir la Grande-Bretagne con-
> server son influence dans un pays, où les voisins peuvent ac-
> quérir un ascendant marqué sur une population qui ne se-
> rait pas comme la nôtre, étrangère aux Américains par les
> lois et la religion, la langue et les usages, aussi par tout ce
> qui peut mettre de la différence entre un peuple et un autre.
> Je souhaite que ces importantes considérations puissent se

faire jour auprès de ceux qui peuvent quelque chose dans la balance relativement aux affaires du Canada[15].

Par ce qui précède, on voit l'autorité exercée par la métropole sur les affaires religieuses de la Colonie[16]. Déjà, l'administration intervenait dans tout sous le Régime français. L'Angleterre avait accordé bien des choses que jamais la Nouvelle-France n'aurait obtenues avec le régime colonial précédent. Par ailleurs, au point de vue constitutionnel, si l'Angleterre avait consenti à une assez extraordinaire évolution en 1791, le contrôle par Londres restait très serré. Si, en 1828, Viger a fait valoir le point de vue du clergé, il a peu gagné. Il faudra attendre 1836, puis la venue de lord Durham pour que la métropole accepte une évolution rendue nécessaire.

*

Denis-Benjamin Viger revient de Londres. Deux ans plus tard, il entre au Conseil législatif où le nomme sir James Kempt. Il n'y siège pas longtemps, car l'Assemblée législative le renvoie à Londres en 1831 pour demander la tête de James Stuart, procureur général à qui on reproche des actes abusifs, que le gouverneur général se refuse à corriger ou à condamner. Cette fois, Denis-Benjamin Viger se rend seul en Angleterre. Il logera à nouveau au London Coffee House, où François-Xavier Garneau lui rendra visite, comme on l'a vu. Il retrouvera ses habitudes et la ville qu'il a aimée au cours de son premier séjour en 1828. Qu'on en juge par cet extrait d'une lettre qu'il envoie à son

---

15. Lettre adressée par Denis-Benjamin Viger à son cousin Jacques Viger le 14 avril 1828. Archives du Séminaire de Québec, *Saberdache*, vol. VIII.

16. À l'appui de la situation exposée par Mgr Lartigue, dans son mémoire remis à Denis-Benjamin Viger avant son départ pour Londres, voici l'opinion exprimée par James Stuart, procureur général de la Colonie : En vertu du statut I, Élisabeth, chapitre I « le gouvernement ne peut approuver la nomination d'un évêque, nommé par le pape . . . » Cité par le professeur André Lefort, dans sa thèse de doctorat intitulée *Les deux missions de Denis-Benjamin Viger en Angleterre.* Rare Books Department, Université McGill, à Montréal. Notons immédiatement que la thèse de M. Lefort est fort intéressante. Encore une fois, nous lui devons beaucoup de précieux détails.

cousin Jacques Viger, en avril 1831. Il n'a pas changé d'avis, même si son travail l'empêche de jouir de son séjour à Londres, comme il le souhaiterait :

> Tu voudrais sans doute que je te dise quelque chose de Londres et de l'Angleterre aussi ; que veux-tu que je t'en dise ! C'est un monde, ou plutôt c'est le centre où le commerce du monde vient se fixer. C'est une activité sans égale, un luxe qui ne l'est pas moins et une opulence extrême. Ce sont des campagnes qui sont partout cultivées avec le même soin que des jardins, et des jardins qui répondent à la beauté des campagnes, et à l'art avec lequel elles sont cultivées. Partout des maisons, ou d'une grande beauté ou au moins presque toujours d'une extrême propreté au dehors comme au dedans. Ce sont des chemins superbes, partout empierrés à la McAdam. On a creusé les collines pour adoucir les montées, exhaussé les vallées pour rendre les descentes moins raides, ou mettre les routes de niveau. Tout le long de ces chemins règnent des sentiers pour les gens de pieds, dans lesquels ils peuvent marcher de trois à quatre de front. En parlant des maisons — c'est de celles de la campagne ; quant à celles de Londres, on ne peut pas dire que celles-ci soient généralement très belles. Les anciennes, surtout dans les vieux quartiers, sont en brique, noircies par le charbon de terre Quant aux édifices publics, il y en a de très beaux mais la fumée de charbon de terre les noircit en peu d'années. Pourtant, il y a un quartier, celui qui avoisine le parc du Prince Régent (comme on l'appelle), bâti depuis peu d'années et tellement augmenté que M. Neilson avait de la peine à s'y reconnaître — qui est extrêmement brillant par la beauté de l'architecture, l'éclat de la nouveauté et de la couleur des édifices, qui sont tous revêtus d'un ciment d'une couleur d'un blanc jaunâtre qui les fait paraître avec avantage.

Il faut dire qu'il a vu la ville au printemps, moment du renouveau.

Le mandat donné par l'Assemblée législative de Québec est précis. Le voici résumé. D'abord, voir où en est la loi qui a trait aux revenus de la province ; puis faire valoir les critiques de la Chambre basse contre James Stuart, procureur général de la province du Bas-Canada qu'on accuse :

a) de partialité dans l'exécution de ses fonctions et même d'actes de persécution envers certains citoyens ou fonctionnaires, et même de diffamation. Il a commis, dit-on, le crime de *libelle* dans l'exécution de sa charge, lui qui est censé aider à le réprimer.

b) de menaces et d'actes de violence commis contre certains électeurs à la suite d'élections comme celles de Sorel.

c) de l'assermentation de citoyens n'ayant pas droit de vote.

d) de déshonorer l'administration de la justice. «*He has been guilty of high crimes and misdemeanours and is unworthy of His Majesty's government*», affirme-t-on.

L'accusation est grave. Comme le procureur général garde la confiance du gouverneur même s'il a dû le suspendre, l'Assemblée a décidé d'envoyer Viger porter à nouveau ses doléances au Roi, par le truchement de son ministre des Colonies, lord Goderich. Et c'est ainsi que, vers le fin de mars 1831, Viger est arrivé à Londres, sans aucune lettre d'accréditation de lord Aylmer, car celui-ci a refusé d'entériner une décision de l'Assemblée que, de son côté, le Conseil n'avait pas voulu confirmer[17]. Aussi, le travail de Viger n'en sera-t-il pas facilité. Il est mandaté par une Chambre, mais non par les deux qui représenteraient l'autorité, si le gouverneur n'était pas le pouvoir suprême dans la Colonie. L'effort de Viger sera d'autant plus pénible que, se sentant menacé, James Stuart est sur place. Venu avec un long mémoire, il l'a déposé auprès du ministère des Colonies et il a fait agir ses amis qui attendent Viger de pied ferme. Celui-ci est seul. S'il parle l'anglais, comme on l'a vu, il écrit en français et son texte doit être traduit[18]. Même si on l'estime,

---

17. F. Ouellet et André Lefort dans le *Dictionnaire biographique du Canada*, vol. IX, 1977. « Notice sur Denis-Benjamin Viger. » Nous profitons de l'occasion pour noter comme la notice de Messieurs Ouellet et Lefort nous a été utile. Rapidement, elle nous a permis de mieux comprendre notre personnage, même si nous ne partageons pas toutes leurs opinions.

18. À nouveau, nous rappelons que Viger écrivait à lord Goderich en français. Obstination ou reconnaissance du fait français déjà ? Le secrétaire du ministre des Colonies lui répond en anglais, mais le fait existe que Viger écrit en français à un ministre britannique au nom de son gouvernement.

il n'a pas auprès des autorités le prestige de certains de ses collègues qui connaissent bien le milieu. Aussi Louis-Joseph Papineau aurait-il préféré déléguer John Neilson. Comme celui-ci n'avait pas voulu accepter la mission en invoquant ses occupations, il avait confié à Denis-Benjamin Viger le soin de faire valoir les griefs de la Chambre qu'il présidait.

Débordé par la nécessité de réfuter les dénégations du procureur général, homme de talent et de valeur, mais porté à abuser de sa fonction, Denis-Benjamin Viger se fait adjoindre ce jeune Québécois, François-Xavier Garneau, venu le voir un jour à son hôtel à la suite d'un voyage sur le continent. Pendant plus de deux ans, Garneau agira comme son secrétaire ; ils ne seront pas trop de deux pour préparer les textes soumis aux autorités.

Trois années passent ainsi, pendant lesquelles Viger présente mémoire sur mémoire. Puis il gagne son point. À son tour, James Stuart sera destitué. Sur les entrefaites, Augustin-Norbert Morin arrive à Londres avec les Quatre-vingt-douze Résolutions qu'il est censé présenter au ministre des Colonies et à la Chambre des Communes, par le truchement de quelques députés favorables à la cause canadienne. Mais rien ne va plus. Au lieu de prêter une oreille attentive aux doléances du Bas-Canada, la Chambre des Communes nomme une commission d'enquête formée de trois membres et présidée par lord Gosford[19].

Denis-Benjamin Viger se rend compte qu'on a sinon dépassé la mesure, du moins qu'on a atteint le point de saturation. Il revient au Canada et dans son rapport à l'Assemblée, il suggère qu'au lieu d'envoyer un agent à Lon-

---

19. Lord Gosford est un Irlandais protestant, intelligent et conciliant, qui ne satisfait ni les Canadiens, ni les bureaucrates. Il est nommé, en 1835, gouverneur général des Colonies britanniques de l'Amérique du Nord et président d'une commission d'enquête chargée de constater les faits et de calmer les esprits. Il n'atteint ni l'un ni l'autre de ces résultats. Aussi démissionne-t-il en novembre 1837 quel- ques jours avant que n'éclatent les troubles. Assez curieusement en 1840, il s'opposera à l'Acte d'Union dont il voyait l'injustice et l'odieux de certaines des mesures prises (*The MacMillan Dictionary of Canadian Biography*).

dres, on nomme sur place un député chargé de faire valoir le point de vue du Bas-Canada à la Chambre des Communes. Il suggère John Roebuck[20], qui accepte. Battu, en 1836, celui-ci sera remplacé par un de ses collègues qui, à son tour, se chargera de faire entendre la voix des Canadiens à la Chambre des Communes.

Mais que sont ces « Quatre-vingt-douze Résolutions » votées par l'Assemblée législative, par cinquante-six voix contre vingt-quatre, en 1834, et repoussées par le Conseil législatif, par un bien curieux absentéisme de la minorité francophone ? Il vaut la peine de s'y arrêter si l'on veut comprendre la suite des événements. Certaines doléances sont sérieuses, d'autres semblent là pour allonger une liste déjà longue. Nous nous limiterons aux plus importantes qui nous permettront de saisir la gravité de la situation.

Les griefs de la Chambre portent d'abord sur le fait que les membres du Conseil législatif sont nommés par le gouverneur alors que, dans l'esprit de la majorité, ils devraient être élus pour représenter véritablement le peuple. Or, pas plus en Angleterre que dans le Bas-Canada, les autorités sont disposées à accepter la suggestion. Il faut comprendre qu'à l'époque, elle aurait donné à la majorité francophone un pouvoir que, dans leur esprit, celle-ci ne devait pas avoir.

Conciliant, Denis-Benjamin Viger se serait contenté, semble-t-il, d'un recrutement différent, mais les Quatre-vingt-douze Résolutions étaient précises à ce sujet : le Conseil legislatif devait être électif. Chose assez curieuse, qui s'explique dans le contexte britannique, il ne le sera jamais,

---

20. John Arthur Roebuck, Anglais qui a fait une partie de ses études au Canada et qui le connaît bien. Au XIXe siècle, les contestataires canadiens trouvent en lui un défenseur qui fait valoir leurs doléances dans le milieu politique anglais où il est très bien vu. Il sera même l'agent officieux (*parliamentary agent*) de l'Assemblée législative à la Chambre des Communes, après le départ de Denis-Benjamin Viger en 1835. Battu aux élections suivantes, il sera remplacé par un autre député britannique, qui accepte de faire valoir auprès de ses collègues les doléances des députés du Bas-Canada. Assez curieusement, Roebuck donnera l'impression de *virer capot* quand, plus tard, il écrira des choses assez dures contre le groupe qu'il avait appuyé jusque-là.

pas plus que le Sénat créé par la Constitution de 1867. Comme pour le Sénat, les Conseils législatifs des provinces seront le refuge des amis du pouvoir, tant que certaines provinces ne les auront pas abolis. Au Québec, la chose se produira quand l'Assemblée législative en aura décidé la suppression, confirmée par le représentant de la Couronne, devenu un simple factotum qui signe ce qu'on lui demande d'entériner au nom du Souverain.

À l'époque où Augustin-Norbert Morin soumet les Quatre-vingt-douze Résolutions au Colonial Office, en collaboration avec Denis-Benjamin Viger, il n'est pas du tout question en Angleterre de modifier le mode de recrutement du Conseil puisque, dans l'esprit du Pouvoir, celui-ci est censé tenir le rôle modérateur de la Chambre des Lords.

Puis, vient l'énumération des abus commis par le régime. Nous citons ici les principaux qui expriment mieux que des commentaires la longue plainte de ceux qui les constatent sans obtenir qu'on les corrige. On en trouve la nomenclature notamment dans la résolution 84 que voici ; elle est tirée du texte officiel de la Chambre d'assemblée du vendredi, 21 février 1834 :

84. *Résolu*, Qu'en outre des Griefs et Abus exposés ci-dessus, il en existe dans la Province un grand nombre d'autres, dont une partie existait avant le commencement de l'administration actuelle, qui les a maintenus, et dont une partie est son ouvrage, dont cette Chambre se réserve le droit de porter plainte et de demander réparation, et dont l'énumération serait trop longue, que cette Chambre indique ici seulement, entr'autres :

1°. La Composition vicieuse et irresponsable du Conseil Exécutif, dont les Membres sont en mêmes temps Juges de la Cour d'Appel, et le secret dans lequel on a tenu envers cette Chambre, lorsqu'elle a travaillé à en acquérir, non seulement les attributions du dit corps, mais même les noms de ceux qui en forment partie.

2°. Les Honoraires exorbitans illégalement exigés dans divers Bureaux publics de l'administration et du département judiciaire, d'après des réglemens du Conseil Exécutif, des Juges et d'autres Fonctionnaires usurpant les pouvoirs de la Législature.

3°. Les Juges illégalement appelés à donner secrètement leurs opinions sur des questions, qui pouvaient plus tard être discutées publiquement et contradictoirement devant eux ; et de telles opinions données par la plupart des dits Juges, devenus des Partisans politiques, dans un sens contraire aux lois, mais favorables aux administrations.

4°. Le Cumul des places et emplois publics et les efforts d'un nombre de familles liées à l'administration, pour perpétuer en leur faveur cet état de choses et pour dominer à toujours le Peuple et ses Représentans, dans des vues d'intérêt et d'esprit de parti.

5°. L'Immiscement de Conseillers Législatifs dans les Élections des représentants du Peuple, pour les violenter et les maîtriser, et les choix d'Officiers Rapporteurs souvent faits pour les mêmes fins, dans des vues partiales et corrompues ; l'Intervention du Gouverneur-en-Chef actuel lui-même dans les dites Élections ; son Approbation donnée à l'immiscement des dits Conseillers Législatifs dans les mêmes Élections ; la Partialité avec laquelle il s'est interposé dans des procédures judiciaires liées aux dites Élections, pour influer sur ces procédures, dans l'intérêt du pouvoir militaire et contre l'indépendance du pouvoir judiciaire, et les applaudissements par lui donnés, en sa qualité de Commandant des Forces, à l'exécution sanglante du Citoyen par le Soldat.

6°. L'Intervention de la Force Militaire armée aux dites Élections ; par quoi trois Citoyens paisibles, soutiens nécessaires de leurs familles et étrangers à l'agitation de l'Élection, ont été tués et fusillés dans la rue ; les Applaudissements donnés par le Gouverneur-en-Chef et Commandant des Forces, aux Auteurs de cette sanglante exécution militaire, qui n'avaient pas été acquittés par un Petit Jury, sur la fermeté et la discipline qu'ils avaient montrées en cette occasion.

7°. Les divers Systèmes fautifs et partiaux d'après lesquels on a disposé, depuis le commencement de la Constitution, des Terres Vacantes en cette Province, lesquels ont mis la généralité des Habitants du Pays dans l'impossibilité de s'y établir ; l'Accaparement frauduleux et contraire aux Lois et aux Instructions de la Couronne, de grandes étendues de ces Terres par les Gouverneurs, Conseillers Législatifs et

Exécutifs, Juges et employés subordonnés ; le Monopole dont la Province est menacée à l'égard d'une partie étendue des mêmes Terres, de la part de Spéculateurs résidans en Angleterre, et des alarmes répandues sur la participation du Gouvernement de Sa Majesté à ce projet, sans que ce dernier ait daigné rassurer ses fidèles Sujets à cet égard, ni répondre à l'humble Adresse de cette Chambre à Sa Majesté, adoptée durant la dernière Session.

8°. L'Accroissement des Dépenses du Gouvernement, sans l'autorité de la Législature, et la Disproportion des Salaires comparés aux services rendus, aux revenus des biensfonds, et aux profits ordinaires de l'industrie, chez des personnes d'autant et de plus de talens, de travail et d'économie, que les fonctionnaires publics.

9°. Le Manque de Recours dans les Tribunaux, à ceux qui ont des réclamations justes et légales à exercer contre le Gouvernement.

10°. La Réserve trop fréquente des Bills par les Gouverneurs, pour la sanction de Sa Majesté en Angleterre, et la négligence du Bureau Colonial à s'occuper de ces Bills, dont un grand nombre ne sont pas revenus du tout dans la Province, et même dont quelques-uns n'en sont revenus qu'à une époque où il pouvait exister des doutes sur la validité de leur sanction ; ce qui a introduit l'irrégularité et l'incertitude dans la Législation de la Province, et gêné cette Chambre dans son désir de renouveler dans les Sessions postérieures les Bills réservés dans une Session précédente.

11°. La Négligence du Bureau Colonial à répondre à des Adresses, transmises de la part de cette Chambre, sur des sujets importans ; l'Usage des Gouverneurs de ne communiquer que d'une manière incomplète, par extraits et souvent sans date, les Dépêches reçues de tems à autre, sur les sujets dont s'est occupée cette Chambre ; le Recours trop fréquent des Administrations Provinciales à l'opinion des Ministres de Sa Majesté en Angleterre, sur des points dont il est en leur pouvoir et de leur compétence de décider.

12°. La Détention injuste du Collège de Québec, formant partie des biens du ci-devant ordre des Jésuites, ravi à l'éducation pour y loger des soldats ; le bail d'une partie considérable des mêmes biens, renouvelé par l'Exécutif Provincial, à l'un des Conseillers Législatifs, depuis leur remise à la Législature, à l'encontre de la prière de cette Chambre, et du désir connu d'un grand nombre de Sujets de Sa Majesté d'y obtenir des concessions pour s'y établir ; le Refus du dit Exécutif, de communiquer à cette Chambre les Baux y relatifs et autres renseignemens à ce sujet.

13°. Les injustes Obstacles opposés par un Exécutif, ami des abus et de l'ignorance, à la Fondation de Collèges dotés par des hommes vertueux et désintéressés, pour répondre aux besoins et aux désirs croissans de la population, de recevoir une éducation soignée.

14°. Le Refus de faire droit sur les accusations portées au nom du Peuple par cette Chambre, contre des Juges, à l'égard de malversations flagrantes, d'ignorance et de violation des Lois ;

15°. Les Refus des Gouverneurs, et surtout du Gouverneur-en-Chef actuel, de communiquer à cette Chambre, un grand nombre de renseignemens demandés, de tems à autre, sur les affaires publiques de la Province et qu'elle a droit d'avoir.

16°. Le Refus du Gouvernement de Sa Majesté, de rembourser à la Province, le montant de la Défalcation du ci-devant Receveur-Général, et sa négligence à exercer les droits de la Province, sur les biens et la personne du ci-devant Receveur-Général[21].

---

21. Le scandale Caldwell est un des exemples d'abus les plus patents. Né à Québec en 1775 — un an après Denis-Benjamin Viger — John Caldwell est reçu avocat en 1798 à Québec. Il est élu député de Dorchester en 1804, puis en 1809. En 1810, il succède à son père comme *Receiver General* du Bas-Canada. En 1823, il est suspendu par le gouverneur Dalhousie après qu'on eût découvert une défalcation de £96 117 dans ses comptes. En 1828, il n'a pas remboursé le Trésor de la Colonie, pas plus qu'en 1834. Dans l'intervalle, il continue de tirer des revenus de ses propriétés « comme s'il les avait acquises honnêtement », note André Lefort, qui ajoute : « Il n'est tenu de payer que le tiers de l'intérêt sur sa dette. » C'est le sens d'une lettre de Denis-Benjamin Viger adressée à lord Stanley le 5 avril 1834. Malgré cela, il reste au Conseil législatif jusqu'à 1838 : moment où lord Durham supprime le double organisme gouvernemental.

Le scandale n'avait d'ailleurs pas empêché Caldwell de succéder à son cousin à la baronnie de Castel-Caldwell en Irlande. Sources : *The MacMillan Dictionary of Canadian Biography* et *Le Dictionnaire général du Canada*. Père Le Jeune et André Lefort, p. 291.

Devant cela, on ne comprend pas la rigueur avec laquelle on a traité Philippe Aubert de Gaspé qui a payé de près de quatre ans de prison une dette de £1114, encourue dans les mêmes circonstances. Alors que de Gaspé purgeait une peine de prison, Caldwell restait libre sous son titre nouveau de sir John Caldwell, baronnet.

*

Il est intéressant de mettre en regard de ces doléances du Bas-Canada, certains discours prononcés à la Chambre des Communes anglaise par des députés de l'opposition et de citer certains articles de journaux où l'on juge le Colonial Office, ses ministres et les hauts-fonctionnaires du ministère. En voici quelques-uns qui viennent étayer la thèse des députés du Bas-Canada et la nécessité des réformes.

Voici d'abord un extrait d'un discours prononcé à la Chambre des Communes le 23 janvier 1838 par sir William Molesworth, d'après le *Hansard*, Third series, XL, du 23 janvier 1838, pages 384-386[22] :

... it was only on extraordinary occasions that the public attention could be directed from matters of nearer interest to colonial concerns : it was rarely that the Colonial Office could be made to feel the weight of public opinion, and to fear censure and exposure. Where, however, responsibility was wanting, the experience of all ages had proved, that abuses would exist, and continue to exist, unredressed, until at last they reached that amount which induced them [the colonists] no longer to trust to prayer and humble petition, but raise the cry of war, and have recourse to arms. Such had been the case of Canada. In that province for the last thirty years acknowledged abuses had existed ; acknowledged by Committees, and by Members of every party in the House of Commons. Great changes had taken place in the Government of this country, yet no changes had taken place in the administration of colonial affairs. The same odious system of colonial misgovernment which was pursued by the Tories had been acted upon by the Whigs. The causes for the continuance of the same colonial system under Ministers of the most adverse principles were easily to be explained. The Colonial Secretary seldom remained long enough in his office to become acquainted with the concerns of the numerous colonies which he governed. In the last ten years there had been no less than eight different Colonial Secretaries. They had seldom, therefore, the time, and still more seldom

---

22. Cité par Peter Burroughs dans son livre intitulé « British Attitudes towards Canada : 1822-1849 », Prentice-Hall, Scarborough, Ontario, p. 40.

the inclination, to make themselves acquainted with the complicated details of their office ; their ignorance rendered them mere tools in the hands of the permanent Under-Secretaries and other clerks. It was in the dark recesses of the Colonial Office — in those dens of peculation and plunder — it was there that the real and irresponsible rulers of the millions of inhabitants of our colonies were to be found. Men utterly unknown to fame, but for whom, he trusted, some time or other, a day of reckoning would come, when they would be dragged before the public, and punished for their evil deeds. These were the men who, shielded by irresponsibility, and hidden from the public gaze, continued the same system of misgovernment under every party which alternately presided over the destinies of the empire. By that misgovernment they drove the colonies to desperation — they connived at every description of abuse, because they profited by abuse — they defended every species of corruption, because they gained by corruption. These men he now denounced as the originators and perpetrators of those grievances in Canada, the evil effects of which this country had already begun to experience. He trusted the experience thus gained would convince the people of the necessity of a sweeping reform in the Colonial Office . . . .

Vues isolées d'un groupe remuant, mais qui n'a pas accès au pouvoir ? Peut-être ! Il faut noter la protestation cependant, puisqu'elle vient à l'appui des contestataires du Canada.

Voici également un jugement très dur exprimé par J.C. Byrne, sous le titre de « The British Colonies, Colonial Office Policy and Colonial Agents », dans la livraison de janvier-avril 1848 de *Simmond's Colonial Magazine*[23] :

. . . But it is not with the legislation of Parliament, or the inefficiency of the Colonial Office, that the misrule and evils of our present Colonial system solely rests ; the executive officers largely aid in promoting them, and will continue to do so as long as matters are managed as at present. The Colonies are made use of as a means of providing for the younger sons and relatives of the aristocracy, and retired officers in the army and navy. Scarce one of our Colonies

23. Peter Burroughs, *op. cit.*, p. 42.

can be pointed out which is not governed by old officers, who, from their profession, may well be supposed to understand little of commerce, by which these possessions exist. A more unsuitable person than a rigid old *martinet*, accustomed to all the formalities and strict discipline of military life, can scarce be pointed out for the government of an enterprising, pushing, industrious body of men, who seek, by Colonisation, to benefit themselves, and extend the dominion of their native land. The minor situations are filled up, either with other retired officers, or young men whose only recommendation is their connection with some aristocratic family, or the influence of their friends ; and these men generally turn out gross incapables, or, by their assumption and prejudices, disgust and annoy the inhabitants. This, certainly, is not as it should be . . .

. . . Diplomacy is not entrusted to mere tyros ; its followers must serve a long apprenticeship, and pass through many graduations of rank, before they are qualified to be entrusted with any mission of importance. But, alas for the Colonies ! any needy scion of a noble race, or eminent old officer whose military services entitle him to reward, is regarded as quite capable of governing a valuable Colony, where thousands of British subjects are located, and millions of British property sunk. All this is wrong, radically, truly bad, and impolitic, and has led to the present deplorable misgovernment and disaffected state of our Colonial Empire . . . .

Il y a là deux témoignages à l'appui des doléances présentées si souvent par le Bas-Canada. Ils confirment le mécontentement des populations d'outre-Atlantique, leurs réclamations, leur insistance. Ils expliquent pourquoi elles se sont révoltées non contre le régime, comme Denis-Benjamin Viger et George-Étienne Cartier le diront à plusieurs reprises, mais contre les hommes délégués en Amérique.

*

Viger a été en Angleterre après être allé aux États-Unis. Il a vu, jugé et exprimé son point de vue. Il est prêt à jouer le rôle que les événements prochains lui préparent. Il n'y a pas à le nier, s'il n'a pas pris les armes lui-même, il a voulu des changements radicaux. Il les a demandés soit directement, soit par le truchement des journaux qu'il a contribué à créer ou qu'il a appuyés. A-t-il voulu la rébellion ? Nous ne le pensons pas, même si certains témoignages comme celui d'une bonne renvoyée ou, plus sérieux, de certains tentent de le démontrer. Sir John Colborne a cru en leur témoignage et il a fait incarcérer le vieil homme. Mais il y a là une histoire sur laquelle nous reviendrons, car elle est un autre moment grave dans la vie de notre personnage.

7

Le Rapport Durham,
ses conséquences et son influence
sur la carrière de
Denis-Benjamin Viger

Le vingt-sept mai 1838, lord Durham arrive à Québec, avec son équipe[1], ses meubles et le désir, sinon la certitude, de régler la situation politique dont, à Londres, on ne voudrait plus entendre parler sauf pour lui donner une solution. La marmite bout non seulement dans le Bas-Canada, mais dans la province du Haut-Canada. À Londres, Augustin-Norbert Morin et Denis-Benjamin Viger ont fait valoir des griefs dont on ne sait trop quoi penser, même si certains *radicals* comme lord Brougham, confirment les excès. Également venu dans la Métropole, W. L. MacKenzie a exposé avec fougue les abus d'une caste qu'il appelle, après bien d'autres, le *family compact*, c'est-à-dire ceux qui, dans le Haut-Canada, ont tout en main et abusent de leur situation privilégiée.

Et puis, les événements de 1837 ont eu lieu ; ils ont troublé bien des gens et, parmi eux, la Reine et ceux qui, à Londres, mènent les destinées de l'Empire. Il faut aller voir

---

1. Parmi les compagnons de lord Durham, il y a Thomas Tutton, l'un des auteurs du Reform Bill de 1832, Gibbon Wakefield, l'un des réformateurs les plus en vue d'Angleterre et Charles Buller qui, de son côté, laissera d'abondantes et fort intéressantes notes de voyage.

ce qui se passe là-bas, pense-t-on, pour apporter une solution à des problèmes qui, de loin, semblent bien confus, difficiles à régler autrement que par la force comme on l'a fait. Avant que les troubles ne se produisent, on avait bien envoyé sur place une commission d'enquête, présidée par lord Gosford, mais sans grand succès puisque les gens s'étaient soulevés dans les deux provinces. Il avait fallu se battre contre eux, même s'ils étaient bien mal armés. Des rebelles avaient été tués. On se préparait à en pendre quelques-uns et à en exiler d'autres.

Si l'on envoie lord Durham au Canada, c'est qu'il est très bien vu. Il est devenu un peu encombrant, peut-être, avec ses idées de liberté, mais on lui reconnaît de grandes qualités[2]. Certains espèrent qu'il démêlera un écheveau emmêlé et d'autres qu'il ne réussira pas, mettant ainsi la dernière main à une carrière politique active, mais un peu gênante et que lord Melbourne critiquera vertement auprès de la Reine, dont il est le conseiller très écouté.

*

Des notes de Charles Buller nous éclairent sur l'esprit qui règne dans la mission Durham :

> We had, I must again say, very little thought of ourselves, and a very absorbing desire so to perform our task as to

---

2. À cette époque, lord Durham est un personnage important à la Chambre des Lords. Dans une lettre à la reine Victoria, à qui il sert de mentor en quelque sorte, lord Melbourne le jugera sévèrement par la suite. Lord Durham, écrira-t-il, a été élevé, « personne ne sait au juste comment, à une situation d'une importance factice par ses opinions extrêmes, par les panégyriques de ceux qui pensaient qu'il leur servirait d'instruments, et par des campagnes de presse habilement menées ; mais toute petite réputation, qu'il a pu acquérir auprès du public a été compromise et détruite par les constantes folies qui ont caractérisé sa conduite comme gouverneur du Canada ». Malgré ce témoignage très dur, Durham est considéré comme un personnage de premier plan puisqu'on pense à lui comme premier ministre pour succéder à lord Melbourne. Ce dernier suggère à la Reine de choisir le duc de Wellington puis, comme celui-ci ne veut pas accepter, sir Robert Peel. Il est tout de même question, malgré tout, que lord Durham puisse être appelé par la Reine à former un ministère, si l'on en juge par l'opinion qu'exprime lord Melbourne dans cette lettre du 7 mai 1839 adressée à la Reine Victoria. Taduction de Jacques Boutroux dans *La Reine Victoria, pages choisies de sa correspondance*, p. 67.

promote the best interests of both Canada and of Great Britain. And I think I may also say that we had very few prejudices to mislead us. I used indeed then to think that lord Durham had too strong feeling against the French Canadians on account of the recent insurrection. I looked on that insurrection as having been provoked by the long injustice, and invited by the deplorable imbecility of our colonial policy ; and I thought that our real sympathies ought to be with a people whose ultimate purposes were aright, though by the misconduct of others they had been drawn into rebellion. But lord Durham from the first took a far sounder view. of the matter : he saw what narrow and mischievous spirit lurked at the bottom of all the acts of the French Canadians ; and while he was prepared to do the individuals full justice, and justice with mercy, he had made up his mind that no quarter should be shown to the absurd pretentions of the race, and that he must throw himself on the support of the British feelings, and aim at making Canada thoroughly British[3].

*

Quelque temps après son arrivée, en s'appuyant sur une loi impériale récente, lord Durham renvoie tous ceux qui ont une fonction officielle, dans les Chambres basse et haute en particulier. Il les remplace par un Conseil spécial qui verra au plus pressé pour calmer les esprits[4]. Car il y a eu une deuxième levée de boucliers que sir John Colborne a matée avec une rudesse bien militaire.

Durham est haut commissaire, mais aussi gouverneur général des colonies de l'Amérique du Nord. En vertu de ses pleins pouvoirs, il décide d'accorder une amnistie, sauf à ceux qu'on envoie aux Bermudes, en Australie ou que l'on pend. Comme, à Londres, on le blâme, il plie bagages en octobre 1838, et revient en Angleterre, sans passer par

---

3. *A source-book of Canadian History*, Longman's Canada Limited, 1959-1964, page 110.
4. Malheureusement, on s'y prend bien mal, en n'y nommant que des militaires et des fonctionnaires presque tous étrangers au pays, notera Pierre-J.-O. Chauveau en jugeant les événements longtemps plus tard.

Washington où on l'avait invité. Voici ce que son collaborateur et ami, Charles Buller, écrit à ce sujet dans des notes de voyage extrêmement intéressantes :

> There was, however, one necessary consequence of the great hurry in which lord Durham was compelled to take his departure when once determined on, that I much regreted. He had originally purposed embarking at New York, after previously visiting Washington. The knowledge of this intention had created the greatest satisfaction in the United States, and the people had made preparations for giving him an enthusiastic welcome. Shortly after, in my passage through the States, I heard that a corporation of the various great cities on his line of way had made arrangements for meeting him at different points, and conveying him from one to the other. In fact, he was everywhere to be received by the local authorities as the public visitor. On our return to England, he was informed by Mr. Stevenson, the American Minister, that at Washington he was to have remained with the President of the White House as a national guest — an honor never before conferred on anyone but La Fayette . . .[5]

Rentré chez lui, lord Durham prépare ce que l'histoire connaîtra sous le nom de *Rapport Durham*. Il servira de base à la troisième étape constitutionnelle de la colonie[6]. Paru en 1839, le rapport est à la fois injuste dans certaines de ses constatations et intéressant dans certaines de ses conclusions. Qu'on en juge par ces extraits dont nous empruntons la traduction aux auteurs de l'*Histoire du Canada par les textes*[7].

Voyons d'abord ce que lord Durham a constaté au Canada.

---

5. Extrait de *A Source-Book of Canadian History*. Si nous citons cet extrait ici, c'est pour montrer le prestige dont jouissait l'envoyé extraordinaire de l'Angleterre.

6. Les remarques du professeur Peter Burroughs sont à ce point de vue bien intéressantes. Voir page 59 dans *British Attitudes towards Canada, 1822-1849*, chez Prentice-Hall, 1971.

7. Guy Frégault, Michel Brunet et Marcel Trudel, Fides, 1952, vol. I.

... Par suite des circonstances spéciales où je me trouvai, j'ai pu faire un examen assez juste pour me convaincre qu'il y avait eu dans la Constitution de la province, dans l'équilibre des pouvoirs politiques, dans l'esprit et dans la pratique administrative de chaque service du Gouvernement, des défauts très suffisants pour expliquer en grande partie la mauvaise administration et le mécontentement. Mais aussi j'ai été convaincu qu'il existait une cause beaucoup plus profonde et plus radicale des dissensions particulières et désastreuses dans la province, une cause qui surgissait du fond des institutions politiques à la surface de l'ordre social, une cause que ne pourraient corriger ni des réformes constitutionnelles ni des lois qui changeraient en rien les éléments de la société. Cette cause, il faut la faire disparaître avant d'attendre le succès de toute autre tentative capable de porter remède aux maux de la malheureuse province. Je m'attendais à trouver un conflit entre un gouvernement et un peuple ; je trouvai deux nations en guerre au sein d'un même état ; je trouvai une lutte, non de principes, mais de races. Je m'en aperçus : il serait vain de vouloir améliorer les lois et les institutions avant que d'avoir réussi à exterminer la haine mortelle qui maintenant divise les habitants du Bas-Canada en deux groupes hostiles : Français et Anglais ...

Les institutions de France durant la colonisation du Canada étaient peut-être plus que celles de n'importe quelle autre nation d'Europe propres à étouffer l'intelligence et la liberté du peuple. Ces institutions traversèrent l'Atlantique avec le colon canadien. Le même despotisme centraliseur, incompétent, stationnaire et répressif s'étendit sur lui. Non seulement on ne lui donna aucune voix dans le Gouvernement de la province ou dans le choix de ses dirigeants, mais il ne lui fut même pas permis de s'associer avec ses voisins pour la régie de ses affaires municipales que l'autorité centrale négligeait sous prétexte de les administrer. Il obtenait sa terre dans une tenure singulièrement avantageuse à un bien-être immédiat, mais dans une condition qui l'empêchait d'améliorer son sort ; il fut placé à l'instant même à la fois dans une vie de travail constant et uniforme, dans une très grande aisance et dans la dépendance seigneuriale. L'autorité ecclésiastique à laquelle il s'était habitué, établit ses institutions autour de lui, et le prêtre continua d'exercer sur lui son influence. On ne prit aucune mesure en faveur de

l'instruction parce que sa nécessité n'était pas appréciée[8] ; le
colon ne fit aucun effort pour réparer cette négligence du
Gouvernement. Nous ne devons donc plus nous étonner.
Voici une race d'hommes habitués aux travaux incessants
d'une agriculture primitive et grossière, habituellement enclins aux réjouissances de la société, unis en communautés
rurales, maîtres des portions d'un sol tout entier disponible
et suffisant pour pourvoir chaque famille de biens matériels
bien au-delà de leurs anciens moyens, à tout le moins au-
delà de leurs désirs. Placés dans de telles circonstances, ils
ne firent aucun autre progrès que le premier progrès que la
largesse de la terre leur prodigua... La conquête n'a pas
changé grand'chose chez eux. Les classes élevées et les cita-
dins ont adopté quelques-unes des coutumes anglaises.
Néanmoins, la négligence continuelle du Gouvernement britannique fut cause que la masse du peuple ne put jamais
jouir des bienfaits d'institutions qui l'eussent élevée à la liberté et à la civilisation. Il les a laissés sans l'instruction et
sans les organismes du gouvernement responsable d'ici ; cela
eût permis d'assimiler leur race et leurs coutumes, très aisément et de la meilleure manière, au profit d'un Empire dont
ils faisaient partie. Ils sont restés une société vieillie et retar-
dataire dans un monde neuf et progressif. En tout et partout, ils sont demeurés Français, mais des Français qui ne
ressemblent pas du tout à ceux de France. Ils ressemblent
plutôt aux Français de l'Ancien Régime...

Puis, sa conclusion :

Il ne faut pas penser à tenter l'expérience de priver le
peuple de son pouvoir constitutionnel. Le rôle des gouver-
nants est de conduire maintenant le Gouvernement dans
l'harmonie et en accord avec ses principes établis. J'ignore
comment il est possible d'assurer cette harmonie d'une autre
manière qu'en administrant le Gouvernement d'après des
principes dont l'efficacité est établie sur l'expérience de la
Grande-Bretagne. Je ne voudrais pas toucher à une seule
prérogative de la Couronne ; au contraire, je crois que l'intérêt du peuple des colonies requiert la protection des prérogatives qui n'ont pas encore été exercées. D'autre part, la

---

8. Le gouvernement anglais n'avait sûrement pas facilité les choses en mettant la main sur les biens des Jésuites et en utilisant leur collège pour loger ses
troupes. Lord Durham n'en souffle mot.

Couronne doit se soumettre aux conséquences nécessaires des institutions représentatives ; et si elle doit faire fonctionner le Gouvernement de concert avec un corps représentatif, il faut qu'elle y consente par l'intermédiaire de ceux en qui ce corps représentatif a confiance...

Le plan par lequel on se proposerait d'assurer la tranquillité du Gouvernement du Bas-Canada doit renfermer les moyens de terminer à l'Assemblée l'agitation des querelles nationales, en établissant pour toujours le caractère national de la province. Je n'entretiens aucun doute sur le caractère national qui doit être donné au Bas-Canada : ce doit être celui de l'Empire britannique, celui de la majorité de la population de l'Amérique britannique, celui de la race supérieure qui doit à une époque prochaine dominer sur tout le continent de l'Amérique du Nord. Sans opérer le changement ni trop vite ni trop rudement pour ne pas froisser les esprits et ne pas sacrifier le bien-être de la génération actuelle, la fin première et ferme du Gouvernement britannique doit à l'avenir consister à établir dans la province une population de lois et de langue anglaises, et de n'en confier le gouvernement qu'à une Assemblée décidément anglaise...[9].

*

Comme il y a là un document de première importance, essayons d'en résumer les principaux aspects, puis de montrer la réaction des milieux politiques en Angleterre et dans le Bas-Canada.

Lord Durham ramène la solution du problème à trois points principaux :

a) La nécessité de l'union des deux Canadas. Déjà, en 1822, on avait voulu régler le problème politique en fusionnant les colonies. Clergé et hommes politiques s'y étaient violemment opposés dans le Bas-Canada. Cette fois, on devra réaliser la mesure si l'on veut faciliter la fusion des deux éléments de la population et noyer le groupe francophone dans un tout où domineront rapi-

---

9. Extrait de *Histoire du Canada par les textes,* vol. II, Fides, 1963.

dement les anglophones du Haut-Canada et, par l'immigration, ceux du Bas-Canada ;

b) Pour assurer le bon fonctionnement du nouveau régime et faire cesser le bouillonnement des esprits, tout en gardant au gouverneur général une fonction prépondérante, il faudrait accorder la responsabilité ministérielle envers la Chambre basse. Ainsi, l'Angleterre donnerait à ses membres ce qu'ils demandent à grands cris. La Chambre serait seul juge de l'emploi des fonds qu'on lui demanderait de voter ;

c) Tout en procédant à une division des pouvoirs. Aux autorités locales reviendraient les questions d'administration interne ; mais le parlement anglais conserverait les problèmes d'ordre constitutionnel, la politique commerciale et l'attribution des terres.

*

En dehors d'un petit groupe de partisans d'une réforme globale, la réaction au Rapport Durham est nettement défavorable en Angleterre. On s'oppose, en particulier, à la responsabilité ministérielle qu'on juge contraire à la conception coloniale du moment[10].

Parmi les Canadiens, la réaction est assez violente. À Paris, Louis-Joseph Papineau proteste vigoureusement, en affirmant que lord Durham s'est inspiré des pires ennemis des Canadiens pour juger la situation. Il écrit un texte que son ami Ludger Duvernay imprimera de l'autre côté de la frontière, à Burlington, et fera distribuer parmi les sympathisants du parti dans le Bas-Canada[11]. De son côté, Denis-Benjamin Viger affirmera que, sans un contact suffisant avec la population, Durham n'avait vraiment pu comprendre la situation.

---

10. Il y a à ce sujet une bien curieuse lettre du prince Albert. Consulté, il s'oppose carrément à la mesure.

11. *Petite histoire de l'insurrection du Canada.* Texte paru d'abord à Paris, puis reproduit à Burlington dans la *Revue canadienne,* publiée momentanément par Duvernay à Burlington, dans l'état du Vermont, où il s'est réfugié.

Longtemps après, Pierre J.-O. Chauveau écrira dans *François-Xavier Garneau, sa vie et ses œuvres* paru chez Beauchemin et Valois en 1883 : « Le comte de Durham, gendre de lord Grey, homme ambitieux et arrogant, qui ne manquait pas de talent, mais qui en toute circonstance s'imposait à son beau-père et à son parti et que ses ennemis plutôt que ses amis aimaient à voir chargé d'une mission aussi difficile, espérant bien qu'il échouerait, comme cela ne manqua point d'arriver. »

Enfin, François-Xavier Garneau, qui avait accueilli lord Durham favorablement à son arrivée au Canada, fut atterré de son attitude et plus encore de la manière dont il juge ses compatriotes. De son côté, à sa sortie de la prison de Québec, Étienne Parent exprimera sa désolation.

Par ce qui précède, on peut juger à la fois la réaction au Bas-Canada et dans certains milieux politiques en Angleterre.

On ne peut nier l'importance du Rapport même si, dès sa publication, il souleva un tollé aussi bien en Angleterre que dans le Bas-Canada. Dans le Haut-Canada, il fut accueilli favorablement car il apportait une solution aux problèmes financiers et politiques de cette partie du pays.

*

Mais revenons à la réaction du milieu politique en Angleterre. En dehors d'un petit groupe de partisans d'une réforme coloniale, l'opinion est nettement défavorable à la responsabilité ministérielle, que l'on juge contraire à la conception coloniale du moment, comme nous l'avons noté.

Le secrétaire aux Colonies, lord John Russell, se fait le porte-parole du gouvernement dans ses instructions au nouveau gouverneur général, C. Poulett-Thomson. Après s'être déclaré défavorable à certaines propositions de lord Durham, il écrit ceci qui nous éclaire sur l'orientation de la politique coloniale britannique au XIXe siècle — tout au moins jusque-là :

While I have thus cautioned you against any declaration from which dangerous consequences might hereafter flow, & instructed you as to the general line of your conduct, it may be said that I have not drawn any specific line, beyond which the power of the Governor on the one hand, & the privileges of the Assembly on the other, ought not to extend. But this must be the case in any mixed Govt. Every political Constitution in which different Bodies share the supreme power is only enabled to exist by the forbearance of those among whom this power is distributed. In this respect the example of England may well be imitated. The Sovereign using the Prerogative of the Crown to the utmost extend, & the House of Commons exerting its power of the Purse to carry all its resolutions into immediate effect, would produce confusion in the Country in less than a twelvemonth. So in a Colony — the Governor thwarting every legitate proposition of the Assembly, & the Assembly continually recurring to its power of refusing Supplies, can but disturb all political relations, embarrass trade, & retard the prosperity of the People. Each must exercise a wise moderation. The Governor must only oppose the wishes of the Assembly, where the Honor of the Crown, or the interests of the Empire are deeply concerned, & the Assembly must be ready to modify some of its measures for the sake of harmony & from a reverent attachment to the authority of Great Britain (Lord John Russell to C.P. Thomson, 14 October 1839, No. 19, Public Record Office, C.O. 43/35, pp. 94-104)[12].

Ce sera suffisant pour guider le gouverneur Poulett-Thomson (devenu par la suite lord Sydenham) dans ses relations avec les sujets canadiens de Sa Majesté. Après 1842, ses successeurs en tiendront compte, même si, devant les pressions que l'on subit, dans les deux Canadas, sir Charles Bagot accepte de prendre certains engagements envers Louis-Hippolyte La Fontaine et Robert Baldwin, à qui tous les espoirs et toutes les exigences semblent permis. À Londres, le *Morning Chronicle*, organe des *radicals* anglais, accuse le coup. C'est un triomphe pour les idées de lord Durham, y

---

12. Cité par le professeur P. Burroughs, pp. 59 à 61. « Lord John Russell to C. P. Thomson », 14 octobre 1839, n° 19, Public Record Office, C.o. 43/35, pp. 94 à 104.

note-t-on[13], quand on apprend les déclarations de sir Charles au sujet du gouvernement responsable. C'est aussi l'occasion d'un blâme sévère exprimé par le *Times* qui critique le gouverneur d'avoir admis d'anciens rebelles dans le ministère :

> A more absurd, a more scandalous and a more suicidal step so far as hither-to appears, has seldom, we think, been taken by a stateman who calls himself Conservative.

Auparavant, le journal avait noté :

> Yet conciliation, and nothing less, has been the absurd pretext upon which sir Charles Bagot has actually promoted to high offices in Lower Canada two open and avowed advocates of separation — two we can scarcely credit it while we write it, to open and notorious traitors. Our policy is, by conciliating the French population through the loyal and well-affected among them, to make them one with us — to make them English. Sir C. Bagot has promoted two men who openly proclaim that their policy, their one single object of desire, is to make not the French English, but the English French — to make, in short, the colony theirs[14].

C'était déjà la crainte de ce qu'on appellera au siècle suivant le *French power*, exprimée de façon assez curieuse qui ne se traduisit jamais entièrement dans les faits, comme l'on sait.

On avait essayé bien des solutions jusque-là. Aucune n'avait donné les résultats espérés. Les culs-terreux du Bas Saint-Laurent avaient tenu le coup. Ils avaient gardé leur langue, leurs lois, leurs coutumes. Ils étaient restés fidèles à la Couronne britannique, sans doute, sauf en 1837 où, exaspérés, certains s'étaient lancés dans une folle aventure. « Nous n'avons pas assez de fusils, c'est vrai », aurait dit un de leurs chefs, le docteur Chénier « mais il restera toujours la possibilité aux survivants de s'emparer des armes de ceux qui seront morts pour la cause. » Mots apocryphes ? Peut-être pas, car ils correspondaient à la vérité dans les faits.

---

13. Texte du *Morning Chronicle* du 15 octobre 1842, Burroughs, *op. cit.*, pp. 63-64.

14. *Ibid.*, p. 64.

On ne pouvait imaginer aventure sanglante aussi mal pré-
parée.

Malgré l'opposition de certains membres[15] des deux
Chambres, on décide à Londres que les deux Canadas seront fusionnés en une seule province, dirigée par un parlement constitué d'une Chambre basse et d'une Chambre
haute, ce qui donnera au pays nouveau un gouvernement
unique, que le gouverneur orientera selon qu'il le jugera à
propos[16]. Car si l'administration des affaires canadiennes
doit revenir aux Canadiens, il n'est pas encore question de
leur accorder cette responsabilité ministérielle qu'ils demandent, quelle que soit la langue qu'ils emploient.

L'article 41 de l'Acte — il y en a soixante-deux en tout
— a une résonance particulière pour les Canadiens francophones : les documents officiels seront en anglais. Ils auront
seuls priorité, même si on accepte qu'ils soient traduits.

En procédant à l'union des deux provinces, on revient à
la situation antérieure à l'Acte de 1791, mais on résout les

_____

15. Lord Brougham est l'un d'eux. Henry Peter Brougham, baron Brougham
and Vaux, est très connu en Angleterre et, plus tard, à Cannes. Après une carrière
politique assez brillante, il vint se réfugier dans le pays cannois, vers la fin de sa
vie. C'est à lui que les Anglais durent de connaître et d'aimer la Côte d'Azur à une
époque où la livre sterling était solide comme un roc, le prestige de la Grande-
Bretagne au zénith et où le bord de mer, à Nice, s'appelait la promenade
des Anglais.
Dans son livre sur *Ces Demeures qui ont fait Cannes,* Jean Bresson rappelle ainsi le
souvenir du noble lord : « Lord Brougham avait la ferme intention de repartir dès
le lendemain matin. Mais ayant apprécié la bouillabaisse des pêcheurs, le vin versé
à partir d'une lourde outre poilue, et dormi comme un bienheureux dans une
chambre confortable, il décida, séduit par la beauté du site et de la gentillesse des
autochtones, de séjourner dans ce pays qui n'avait finalement rien à envier à l'Italie
où il ne pouvait se rendre. Il ne devait plus en partir. »
16. L'Acte d'Union est une loi impériale qui, sanctionnée en Angleterre le 23
juillet 1840, fut proclamée au Canada le 6 février 1841. Voici comment Jean-Jacques Lefebvre en résume la portée :
« L'Acte d'Union établissait un Conseil législatif et une Assemblée législative, où
chacune des deux provinces devait être également représentée ; déclarait que la
langue anglaise serait la seule langue parlementaire, et qu'il faudrait les deux tiers
des voix des membres de la Chambre pour changer la représentation électorale.
Le Conseil était composé de vingt membres inamovibles nommés par la Couronne
et l'Assemblée de quatre-vingt-quatre membres élus par le peuple » (*Le Canada,
l'Amérique : Géographie-Histoire,* Beauchemin, p. 335).

problèmes financiers du Haut-Canada, en les répartissant entre ceux à qui on impose d'en payer une part. Aux normes d'aujourd'hui, la solution est odieuse. Mais, vue de Londres en 1841, elle paraît acceptable pour les raisons suivantes : 1. Elle résout le problème financier d'une colonie qui, suivant Richard Cobden et les autres partisans du libre échange, coûte bien cher ; 2. Elle permet, croit-on, de noyer la population francophone rapidement dans un tout qui deviendra éventuellement anglophone ; 3. Elle oppose à une population devenue dangereusement contestataire les loyalistes et les immigrants qui rétabliront l'équilibre dès qu'ils seront assez nombreux pour faire face à des députés francophones verbeux, mais dont les chefs emploient des arguments qui indiquent chez eux une formation, une intelligence, une connaissance assez étonnante du droit constitutionnel anglais.

*

Resté trop peu de temps dans les Colonies, mal ou insuffisamment renseigné ou conseillé, victime, sans doute, de ces préjugés dont Charles Buller nous a parlé, lord Durham n'avait pas compris ou n'avait pas voulu comprendre les doléances des Canadiens. Et cependant, certains de ses collaborateurs avaient été reçus chez Denis-Benjamin Viger dont l'hospitalité était généreuse, même si elle ne se manifestait pas dans le cadre de l'*upper-middle class* à laquelle Durham, membre de la Chambre haute anglaise, était habitué. Au Canada, il n'avait pas trouvé, en effet, ce luxe, cette abondance, cette culture qui existaient en Angleterre dans son milieu. S'il s'était donné la peine de fréquenter les indigènes, peut-être aurait-il décrit bien différemment la société qu'il a vue de loin ou par des intermédiaires prévenus contre elle[17]. Il écrit :

> Et cette nationalité canadienne-française, devrions-nous la perpétuer pour le seul avantage de ce peuple, même si nous

---

17. Venu dans le Bas-Canada quelques années plus tôt, Alexis de Tocqueville a parlé de la société canadienne avec beaucoup plus de compréhension, même s'il a commis des erreurs de détails parfois un peu fâcheuses.

le pouvions ? Je ne connais pas de distinctions nationales qui marquent et continuent une infériorité plus irrémédiable. La langue, les lois et le caractère du continent nord-américain sont anglais. Toute autre race que la race anglaise (j'applique cela à tous ceux qui parlent l'anglais) y apparaît dans un état d'infériorité. C'est pour les tirer de cette infériorité que je veux donner aux Canadiens notre caractère anglais. Je le désire pour l'avantage des classes instruites que la différence du langage et des usages sépare du vaste Empire auquel elles appartiennent. Le sort le meilleur de l'immigrant instruit et qui désire progresser n'offre pas aujourd'hui beaucoup d'espoir de progrès ; mais le Canadien français recule davantage à cause d'une langue et des habitudes étrangères à celles du Gouvernement impérial. Un esprit d'exclusion a fermé les professions les plus élevées aux classes instruites des Canadiens français, plus peut-être qu'il n'était nécessaire ; mais il était impossible qu'avec une plus grande libéralité le Gouvernement britannique pût donner à ceux qui parlent une langue étrangère une position égale à celle des autres au milieu de la concurrence générale de la population. Je désire plus encore l'assimilation pour l'avantage des classes inférieures. Leur aisance commune se perd vite par suite du surpeuplement des réserves où elles sont renfermées. S'ils essaient d'améliorer leur condition, en rayonnant aux alentours, ces gens se trouveront nécessairement de plus en plus mêlés à une population anglaise ; s'ils préfèrent demeurer sur place, la plupart devront servir d'hommes de peine aux industriels anglais. Dans l'un et l'autre cas, il semblerait que les Canadiens français sont destinés, en quelque sorte, à occuper une position inférieure et à dépendre des Anglais pour se procurer un emploi. La jalousie et la rancune ne pourraient que décupler leur pauvreté et leur dépendance ; elles sépareraient la classe ouvrière des riches employeurs . . .

On ne peut guère concevoir nationalité plus dépourvue de tout ce qui peut vivifier et élever un peuple que les descendants des Français dans le Bas-Canada, du fait qu'ils ont gardé leur langue et leurs coutumes particulières. C'est un peuple sans histoire et sans littérature. La littérature anglaise est d'une langue qui n'est pas la leur ; la seule littérature qui leur est familière est celle d'une nation dont ils ont été séparés par quatre-vingts ans de domination étrangère, da-

vantage par les transformations que la Révolution et ses sui-
tes ont opérées dans tout l'état politique, moral et social de
la France. Toutefois, c'est de cette nation, dont les séparent
l'histoire récente, les mœurs et la mentalité, que les Canadiens français reçoivent toute leur instruction et jouissent
des plaisirs que donnent les livres. C'est de cette littérature
entièrement étrangère, qui traite d'événements, d'idées et de
mœurs tout à fait inintelligibles pour eux, qu'ils doivent dépendre. La plupart de leurs journaux sont écrits par des
Français de France. Ces derniers sont venus chercher fortune au pays ou bien les chefs de parti les y ont attirés pour
suppléer au manque de talents littéraires disponibles dans la
presse politique. De la même manière, leur nationalité joue
contre eux pour les priver des joies et de l'influence civilisa-
trice des arts ...

Dans ce texte, il y a des choses justes et d'autres qui
étonnent chez un homme dont, en Angleterre, on faisait valoir la largeur de vues et les tendances à une bien dangereuse liberté politique. Familièrement, on l'appelait *Radical
Jack*.

*

En quoi le Rapport Durham a-t-il exercé une influence
sur la carrière de Denis-Benjamin Viger, influence indirec-
te, il est vrai, mais réelle ? Voici. Viger sort de prison en
1840. Au lieu de se contenter de protester contre le traitement qu'on lui a fait subir, il se lance dans la bagarre politique ; il se présente aux élections qu'on annonce dès que
l'Acte d'Union est sanctionné par la Reine. Dans sa vie, il y
a là une nouvelle étape qui le mènera à ce document officiel consacrant son accession à la présidence du Conseil
exécutif, dans lequel la Reine reconnaîtra en lui « our trusty
and beloved son ... » Il avait été prisonnier politique mais,
selon l'usage, il convenait de l'appeler ainsi dans un texte
qui reconnaissait son autorité nouvelle. On sourit quand on
se rappelle que seule l'application de l'*habeas corpus* lui
avait permis de sortir de prison. Pour comprendre, il faut se
rappeler que sir Charles Metcalfe avait trouvé en lui une
aide inespérée, comme on le constatera un peu plus loin.

8

Années prestigieuses,
années pénibles : 1843-1846

L'*habeas corpus* étant rétabli en 1840, après la suspension qui a suivi les troubles de 1838, Denis-Benjamin Viger quitte la prison de Montréal, comme on l'a vu[1]. Si, derrière les barreaux, il a écrit beaucoup de lettres aux autorités pour protester ou pour demander le procès qu'on lui refuse, il a pu réfléchir. Il a lu le Rapport Durham ; il a bondi d'indignation comme Papineau à quelques milliers de milles de là. Il a protesté contre certaines de ses conclusions ; il n'a pas goûté, en particulier, la suggestion de fondre Haut et Bas Canadas, afin de faciliter la fusion des deux groupes, en noyant l'un dans l'autre. Et puis, il a appris que, tout en critiquant fort l'homme d'état qu'était Durham, malgré ses opinions que beaucoup jugeaient extrêmes, le gouvernement avait passé l'Acte d'Union qui fusionnait les deux provinces, en faisant porter aux deux les dettes très lourdes (pour l'époque) de l'une. Si l'Acte supprimait l'emploi du français dans les relations officielles, il passait sous silence, cependant, la responsabilité ministérielle, suggérée par lord Durham comme une solution définitive aux problèmes politiques des colonies d'Amérique du Nord.

Viger a réfléchi à tout cela. Comme Hippolyte La Fontaine, Étienne Parent et beaucoup d'autres, il s'est ressaisi.

---

1. Dans l'intervalle, il a tenu le coup malgré l'inconfort du lieu.

Il croit que, malgré tout, il faut collaborer à l'œuvre politique et non laisser aux autres le soin de travailler avec le nouveau régime. Il n'est plus conseiller législatif depuis que le Conseil spécial en a renvoyé les membres. Il se présente dans le comté de Richelieu le 8 avril 1841. Il est élu, comme Parent dans Charlevoix[2], si La Fontaine est battu dans le comté de Terrebonne.

Ici commence pour Viger un des moments les plus prestigieux et les plus difficiles de sa carrière. Chefs de leurs partis, La Fontaine et Baldwin[3] sont au Conseil exécutif qu'ils dirigent. Ils s'y heurtent bientôt à sir Charles Metcalfe qui ne veut pas de la responsabilité ministérielle, à laquelle son prédécesseur, sir Charles Bagot, avait consenti avant sa mort, mais que Londres n'accepte pas[4].

Avec le recul du temps, on peut se demander ce qu'était cette responsabilité ministérielle, dont on parlait tellement des deux côtés de l'Atlantique. Dans l'esprit de La Fontaine et de Baldwin, réformateurs intégraux, c'était la responsabilité de l'exécutif envers la Chambre basse qu'on appelât celui-ci Conseil exécutif ou Cabinet, comme on dira plus tard. C'était surtout le droit d'intervenir dans tout et de nommer les hauts fonctionnaires. Tous deux voulaient que les conseillers du gouverneur relevassent de la majorité des élus du peuple pour toutes les questions qui étaient du ressort de l'Assemblée. Tandis que, dans la conception du Colonial Office, l'autorité du gouverneur général devait seule être reconnue, tout au moins dans certains domaines. Une

---

2. Dans les *Mémoires* de son gendre, Antoine Gérin-Lajoie, on trouve des anecdotes savoureuses sur la campagne faite en commun par les deux candidats opposés dans le comté de Charlevoix.

3. Il y a, au Séminaire de Québec, deux toiles de T. Hamel. L'une représente Baldwin et l'autre La Fontaine. Toutes deux ne sont pas les meilleures du peintre, cependant, mais elles nous rappellent ces deux personnages d'une époque difficile.

4. Au sujet des conseillers du gouverneur, il y a une bien intéressante note laissée par lady Aylmer, dans une lettre adressée à une de ses amies de Londres. On la trouve dans le recueil paru sous le titre de *Recollections from Canada.* De son côté, l'archiviste de Québec a reproduit les lettres de lady Aylmer dans son rapport de 1955. *Les Carnets canadiens* de lady Tweedsmuir en citent une version française intéressante (Éditions du Zodiac, Montréal, 1938).

lettre du prince Albert nous renseigne sur l'état des esprits et de l'opinion en Angleterre. Mari de la Reine, son autorité est grande. Comme on lui demande son avis, il écrit à lord Stanley :

> I don't think the Crown of England could allow the establishment of a responsible government in Canada as that would amount to a declaration of separation from the Mother Country. If the governor general is constitutionally bound to act according to the advice of his responsible government, how is he to obey the instructions which the Queen's government may think it proper to send to him? The Queen thinks sir Charles ought to be strongly backed by the home government in his resistance to the establishment of a responsible government[5].

De Londres, on donne des instructions très précises à sir Charles Metcalfe sur l'exercice du *patronage* en particulier, c'est-à-dire encore une fois, sur le droit du gouverneur de nommer les titulaires de certains postes officiels. Au Colonial Office, on lui a écrit ceci à ce sujet :

> As the head of the government, and as the representative of the Crown, patronage of the Crown rests in youg hands ... as long as you keep it in your hands, and refuse to supply it exclusively to party purposes, it will be felt that you have really substantial power[6].

Le problème n'est pas récent. Déjà, il s'est posé quand lord Aylmer n'a pas voulu admettre l'élection de Louis-Joseph Papineau au poste d'*orateur* de l'assemblée législative du Bas-Canada. Il s'est refusé à reconnaître qu'Etienne Parent en soit le greffier, comme la Chambre basse l'avait décidé. En 1831, il n'a pas voulu également donner une lettre d'accréditation auprès de lord Goderich, secrétaire au *Colonial Office*, à Denis-Benjamin Viger que l'on venait de nommer agent de la province à Londres.

---

5. P.A.C., M.G. 24, 115, A15, Derby Papers, Part One, Prince Albert to Stanley, May 1st 1843.

6. « Stanley to Metcalfe », C.O. 537/541, May 29th 1843, Derby Papers. And « Stanley to Metcalfe » : November 1st 1843. Cité par le Père Jacques Monette, s.j. dans *The Last Cannon Shot* page 140, University of Toronto Press, 1966.

Il y avait là deux conceptions de gouvernement. Londres avait cédé sur la constitution nouvelle du Canada, mais il n'acceptera la responsabilité ministérielle qu'un peu plus tard et à contrecœur. Poussé par le précédent établi par sir Charles Bagot et par la force de l'opinion dans la Colonie, on oubliera les objections antérieures pour ne voir que l'urgence d'une solution ; ce qui est bien dans la stratégie et la conception politiques de l'Angleterre. Ne cède-t-on pas quand la pression politique est assez forte, quelles que soient les attitudes antérieures ? N'y a-t-il pas là cette vieille maxime que l'on connaît bien dans tous les milieux britanniques : « If you can't beat them, join them. »

La Fontaine et Baldwin ont fait de la responsabilité ministérielle la pierre angulaire de leur politique. Devant l'opposition très nette de sir Charles Metcalfe, ils préféreront démissionner, quand celui-ci aura fait certaines nominations sans les consulter. N'y avait-il pas là une simple question de *patronage*, d'une importance secondaire ? Pas du tout. Il s'agissait de savoir qui allait diriger les affaires du Canada-Uni. Or qui, en définitive, va appliquer les politiques du pays, sinon ceux que l'on nomme aux postes de prestige et d'importance. Le prince Albert voyait juste, comme aussi ceux qui voulaient que sir Charles appuyât son autorité sur ses propres décisions. Mais ils ne pouvaient prévoir que l'on céderait peu de temps après pour éviter le pire.

*

Metcalfe a succédé à sir Charles Bagot, mort un peu plus tôt à Kingston. Lui-même est un grand malade ; il souffre du cancer. À son arrivée au Canada, il s'est trouvé devant un panier de crabes, dont il ne sait que faire. Voyons ce qu'il pense en lisant un extrait de la lettre qu'il adresse au Colonial Office le 25 avril 1843 et qu'Antoine Gérin-Lajoie a traduite pour son livre *Dix Ans du Canada, de 1840 à 1850 :*

Dans ma dépêche confidentielle N° 1, je vous ai promis de vous entretenir prochainement de l'état des partis dans ce pays, et c'est ce que je fais aujourd'hui.

Il est impossible, en arrivant dans la Province, de ne pas être frappé de la violence de l'esprit de parti qui y règne, et qui est poussé à un point tel, que je crains bien que l'administration du gouvernement n'y puisse opérer avec succès.

Les partis qui se divisent la Province sont le parti canadien français, le parti réformiste et le parti conservateur. Je me sers des noms sous lesquels on les désigne. Le parti des réformistes est, suivant ses adversaires, composé de républicains et de rebelles, et le parti conservateur, de tories et d'orangistes.

Le parti français est le plus fort, par le fait qu'il est fermement uni et qu'il marche ensemble comme un seul homme. À moins qu'il ne surgisse quelque question grave qui réunirait les deux partis anglais, le parti français doit, par sa cohésion, influencer les votes de l'Assemblée plus qu'aucun autre. Ce parti est extrêmement flatté de son accession récente au pouvoir, de la nomination de deux de ses principaux chefs au Conseil exécutif et à des charges responsables, et de la nomination d'autres personnes sur la recommandation de leur chef, et des conséquences qui, en fait de patronage ou autrement, découlent naturellement de ce nouvel arrangement. Ce changement a produit dans tout le Bas-Canada un vif sentiment de reconnaissance pour Sir Charles Bagot. Il est bien regrettable qu'on n'ait pas trouvé moyen de faire participer plus tôt ce parti au pouvoir. Son exclusion était une injustice et elle aurait été une cause perpétuelle de mécontentement. Son admission, quoiqu'on puisse regretter la manière dont elle s'est faite, et quelques-unes des circonstances qui l'ont accompagnée, paraît avoir produit des effets très avantageux. Le Bas-Canada est tranquille et ne fait rien craindre pour l'avenir ; et comme je me crois tenu de considérer les Français et les Anglais de la même manière, de ne reconnaître aucune différence entre eux, et de les traiter tous comme de fidèles sujets, ayant droit à la même protection et aux mêmes droits et privilèges, je crois pouvoir affirmer qu'ils n'auront de ma part aucun sujet de juste mécontentement, quoiqu'il me soit impossible de répondre des conséquences de prétentions déraisonnables, si

telles prétentions existaient. Ce parti vise sans cesse au
maintien et à l'extension de son pouvoir et aux intérêts des
Canadiens français ...
. . . .
    Le parti français et le parti réformiste s'étant coalisés ont
obtenu une majorité décidée dans l'Assemblée représentative et le Conseil exécutif. Ainsi les partis qui contiennent
tous ceux qui ci-devant étaient désaffectionnés ont acquis
l'ascendant à l'exclusion de ceux qui se sont montrés fidèles
et attachés. Le mécontentement éprouvé par les premiers, à
cause de leur exclusion, est maintenant transporté aux derniers, pour la même raison ; et ceux qui font maintenant allusion à la probabilité d'une séparation sont parmi les conservateurs ; mais j'espère que la loyauté qu'ils ont toujours pro-
fessée est assez solide pour ne pas disparaître tout à fait, par
suite du succès de leurs adversaires, et je suis encore persuadé que les plus fermes adhérents à l'union avec l'Angleterre
se trouvent dans le gros du parti conservateur.

    Sous ces circonstances, et *avec beaucoup plus de sympathie
au fond du cœur pour ceux qui ont été loyaux que pour ceux
qui ont voulu secouer le joug de la mère-patrie,* je me trouve
condamné en quelque sorte à faire fonctionner le gouvernement sans la participation de ceux sur lesquels la mère-patrie devrait se reposer avec le plus de confiance au cas de
besoin. Cette exclusion est contraire à mes goûts, et est, suivant moi, bien regrettable ; mais le triomphe des réformistes[7] a forcé mon prédécesseur à accepter cet ordre de choses,
et je ne vois pas maintenant comment il serait possible d'y
apporter remède, sans violer ouvertement les principes du
gouvernement responsable qui a été introduit dans ce pays
avec beaucoup plus d'extension, je crois, que dans aucune
autre colonie ...
. . . .
    La conduite que je me propose de suivre envers tous les
partis est celle-ci : je veux les traiter tous de la même manière et ne faire aucune distinction entre eux, à moins que je
découvre, ce que je n'ai pas découvert jusqu'à présent, certains principes et certains motifs qui nécessitent une conduite différente. Je puis répéter ici que la nécessité de faire en-

7. Sir Charles Metcalfe fait ici allusion aux élections de mars 1841. Note de
l'auteur.

trer les Français dans le Conseil est universellement reconnue, et que les conservateurs étaient disposés à former une alliance avec eux, avant le changement qui les a fait entrer dans le Conseil en compagnie du parti de la réforme. L'hostilité du parti conservateur est dirigée principalement contre le parti de la réforme dans le Conseil, bien qu'on se plaigne de temps à autre que le gouvernement est au pouvoir des Français[8].

Si j'avais carte blanche je tâcherais de concilier et d'amener ensemble les meilleurs hommes de tous les partis, et de gagner la confiance et la coopération des corps législatifs par des mesures propres à avancer le bien-être général, et demandées par l'opinion publique ; mais lié comme je le suis pas la nécessité d'agir avec un Conseil créé par une coalition de partis, et soutenu par une grande majorité de l'Assemblée représentative, je dois en quelque sorte restreindre mon penchant à cet égard, bien que je puisse encore jouer le rôle de médiateur et m'efforcer d'apaiser l'esprit de parti. Mais cet espoir même doit être de courte durée, car toute mesure qui sera censée renfermer le programme politique de mon Conseil excitera l'animosité de l'opposition contre moi personnellement, de manière à détruire le peu de bien que je pourrais faire par ce moyen.

C'est toutefois un des avantages du système actuel que l'opposition au Conseil ne devra pas être considérée comme une opposition au Gouverneur, tant que le conseil sera virtuellement nommé par l'Assemblée représentative ; et que l'opposition à l'administration locale, même lorsque le gouverneur est un objet d'attaque, ne devra pas être considérée comme une opposition au gouvernement de Sa Majesté.

Même abrégée, la citation est longue, très longue. Elle était nécessaire pour éclairer une situation difficile[9].

Une deuxième lettre, du 12 mai 1843, adressée à nouveau par sir Charles au Colonial Office, apporte quelques précisions sur la responsabilité ministérielle. Elle nous per-

---

8. C'est déjà le *French Power*. Note de l'auteur.
9. Lettre apocryphe, écrira-t-on plus tard. Mais ne la trouve-t-on pas dans le livre d'Antoine Gérin-Lajoie ? Il y a là une source sérieuse, puisque ce dernier a vécu à l'époque. À son caractère et à ses travaux, on peut accorder confiance, à notre avis.

mettra d'aborder la question politique au Canada avec un peu plus de recul et de réalisme. En voici un extrait :

Lord Durham a pu écrire à loisir en faveur du gouvernement responsable, qui ne fut pas en force durant son administration et qu'il traita comme question générale et sans
définir aucun des détails du système. Lord Sydenham mit
l'idée en force sans s'astreindre à la suivre dans la pratique ;
on ne peut pas dire que le gouvernement responsable existât
durant la plus grande partie de son administration, et ce
n'est qu'au moment de sa mort qu'il vint en opération. Sir
Charles Bagot fut bien obligé d'accepter les arrangements de
lord Sydenham ; de là vient qu'on attribue à Sir Charles Bagot la mise en pratique du gouvernement responsable. Mais
quoiqu'il ait obéi jusqu'à appeler certaines personnes dans
son Conseil, il n'eut jamais la moindre intention de leur
abandonner son pouvoir. Sa maladie l'a empêché de régler
définitivement cette question : ce soin est laissé à son successeur. Voici donc que la guerre va commencer, et, suppo-
sant que la soumission absolue soit hors de question, je ne
saurais dire quand cessera la lutte, si les partis déjà mentionnés ont réellement l'intention de l'entreprendre.

Nous ne pouvons résister au désir de citer une troisième lettre, adressée celle-là à lord Stanley, dans laquelle sir Charles Metcalfe décrit ses difficultés avec le Conseil où s'exerce l'influence de La Fontaine et de Baldwin[10] :

J'apprends que mes efforts pour concilier tous les partis
sont criminels aux yeux de mon Conseil, ou au moins de son
membre le plus formidable. On voudrait m'obliger à me
mettre entièrement aux mains de mon Conseil ; on veut que
je me soumette à sa volonté ; que je n'aie pas de jugement à
moi ; que je distribue le patronage du gouvernement aux
seuls amis du ministère ; que je proscrive ses adversaires ; et
que je fasse quelque déclaration publique et non équivoque
de mon adhésion à ces conditions qui ne sont rien moins
que la nullification complète du gouvernement de Sa Majesté, ce que mon Conseil prétend, bien à faux, être la politique de Sir Charles Bagot, quoiqu'il soit bien certain que Sir
Charles Bagot n'a jamais voulu pareille chose. Si je ne me

10. Traduite à nouveau par Antoine Gérin-Lajoie, à qui nous l'empruntons, dans *Dix ans au Canada, 1840 à 1850*.

soumets pas à ces stipulations, je suis menacé de la résignation de M. La Fontaine pour un, et nous connaissons parfaitement, lui et moi, les conséquences sérieuses que pourrait entraîner l'exécution de cette menace, le parti canadien français marchant aveuglément à la suite de son chef . . . Je suis porté à croire qu'un peu de réflexion calmera son ardeur et que le temps viendra à mon aide.

Je n'ai pas besoin de dire que, bien que je sente la nécessité d'être prudent, je n'ai nullement l'intention de déshonorer la commission de Sa Majesté en me soumettant aux conditions prescrites.

Voilà, pour le dire sans déguisement, à quoi se réduit la question : le gouverneur doit-il être simplement un instrument entre les mains du Conseil, ou doit-il exercer son jugement privé dans l'administration du gouvernement ? Cette question n'a pas été discutée ; mais je n'ai aucun doute que le chef du parti français ne soit appuyé dans ses prétentions par d'autres membres du Conseil.

Comme il n'est pas possible que je me soumette à cela, je dois me tenir prêt à subir les conséquences d'une rupture avec le Conseil, ou au moins avec la partie la plus influente de ce corps. Ce serait très imprudent de ma part de hâter cet événement, ou de le laisser éclater dans les circonstances actuelles, s'il est possible de l'éviter ; — mais je dois m'y attendre, car je ne saurais consentir à être l'instrument d'un parti, et à proscrire tous ceux qui, dans un moment de danger, ont défendu le pays contre l'invasion étrangère et la rébellion à l'intérieur. Je consens volontiers à pardonner les offenses passées ; mais je n'aime pas à voir ceux qui demandent une amnistie en faveur de rebelles et de brigands avec lesquels ils sympathisent jusqu'à un certain point, professer une hostilité invétérée contre ceux qui ont été fidèles à leur souverain et à leur pays. L'amnistie devrait au moins être réciproque . . . Le gouvernement par une majorité c'est l'explication du gouvernement responsable donnée par le chef de ce mouvement, et le gouvernement sans une majorité doit être considéré comme impraticable. Mais la question qui se présente, question qui devra se décider sous mon administration, n'est pas de savoir si le gouverneur doit conduire les affaires de manière à satisfaire les désirs et les besoins du pays et à obtenir le suffrage du public en procurant le bien-être général, ni s'il sera responsable pour ces mesures au peuple représenté par ses députés, mais c'est celle de savoir s'il aura ou non voix dans le Conseil, s'il sera libre de traiter avec une égale justice tous les sujets de Sa Majesté, ou s'il sera un instrument passif et sans volonté entre les mains d'un parti pour proscrire les adversaires de ce parti, ces adversaires formant la classe la plus sincèrement attachée à l'empire, et le gouverneur chargé de les proscrire étant un gouverneur anglais. La tendance et l'objet de ce mouvement sont d'exclure complètement la mère-patrie du gouvernement intérieur de la colonie et de maintenir la Province aux dépens de la mère-patrie, c'est-à-dire de jouir de tous les avantages d'une union avec l'empire tant qu'il plaira à la majorité des habitants du Canada qu'il en soit ainsi. Cette politique est très intelligible et très commode pour un canadien qui vise à l'indépendance, mais le rôle que doit jouer dans ce cas le représentant de la mère-patrie est loin d'être attrayant.

Ces lettres sont captivantes. Elles jettent un jour cru sur la situation, croyons-nous, même si elles ne montrent que le point de vue du gouverneur général. D'un autre côté, il est bien de le connaître, en regard des attitudes prises, d'une part, par La Fontaine et Baldwin et, de l'autre, par Denis-Benjamin Viger venu soutenir le gouverneur général contre ses amis de la Chambre.

*

Au cours des premiers mois de leur régime, La Fontaine et Baldwin président conjointement le Conseil. Ils se refusent à reconnaître l'autorité que le gouverneur veut garder à tout prix, comme on l'a vu. Parmi les questions qui les opposent, il y a d'abord celle de la responsabilité ministérielle, puis la liste civile, et l'emploi de la langue française dont La Fontaine veut qu'on admette l'existence officiellement. Il y a enfin la grâce à accorder aux rebelles de 1837-38, exilés en Australie, l'indemnisation aux victimes des deux soulèvements et les biens des Jésuites que La Fontaine voudrait qu'on destine enfin à l'instruction des enfants catholiques du Bas-Canada.

Lord Metcalfe se rebiffe[11]. La Fontaine et Baldwin démissionnent quand il s'obstine à faire des nominations sans

---

11. Dans l'intervalle, la Reine l'a anobli, en lui permettant d'accéder à la Chambre des lords.

les consulter. Chose inadmissible pour Denis-Benjamin Viger toujours très féru de la forme, ils exposent ouvertement les raisons de leur démission. Viger est offusqué. Il proteste en Chambre contre la procédure suivie par les ministres démissionnaires[12]. On voit ici l'avocat-procédurier qui montre l'oreille. Et surtout il accepte d'accorder sa collaboration au gouverneur général, au grand scandale de ses amis, dont certains le couvrent de reproches, sinon d'injures. Dans son nouveau journal, Le Castor[13], Napoléon Aubin ne se gêne pas pour dire du mal du gouverneur général et de son nouveau collaborateur.

Viger accepte même d'entrer au Conseil exécutif dont il deviendra le président un peu plus tard. Il tentera de former un ministère avec W. H. Draper[14], mais il ne parvien-

---

12. Voici à ce sujet l'entrée en matière d'une brochure intitulée. *La crise ministérielle et M. Denis-Benjamin Viger*. D'après Viger, voici la situation en résumé : Les ministres démissionnaires se retirent au milieu d'un grand tumulte. Ils invoquent que seuls « un vote d'approbation de leur conduite d'un côté, de l'autre une adresse au gouverneur à l'appui du principe énoncé dans les Résolutions et l'Assemblée du 3 septembre 1841, peuvent sauver le principe et l'application du gouvernement responsable ». Ils ont tort, affirme Viger. Il n'y a pas dans l'histoire constitutionnelle de l'Angleterre un précédent qui les justifie de trahir ainsi le secret du Cabinet.
À notre avis, Viger commet alors une assez grave erreur de tactique. Alors que les ministres démissionnaires invoquent un abus d'autorité, lui se contente d'apporter un argument de forme. Il est maladroit, mais, à tout considérer, n'est-ce pas, lui qui a raison de vouloir assurer une présence valable auprès d'un gouverneur qui sera bientôt remplacé par un autre plus souple et porteur sans doute d'instructions bien différentes. L'avenir devait confirmer ses vues, mais trop tard pour qu'il pût en profiter personnellement.
13. Napoléon Aubin a eu *Le Fantasque*. Il a maintenant *Le Castor*, jusqu'au moment où la publication des deux sera définitivement suspendue.
14. William Henry Draper (1801-1877). Né près de Londres en mars 1801, il est le fils d'un pasteur anglican. Il vient au Canada en 1820, étudie le droit à Port Hope et à Cobourg, dans le Haut-Canada. Il est avocat en 1828, député de Toronto de 1836 à 1840, membre du Conseil exécutif et solliciteur général en 1836. Pendant la Rébellion, il est aide de camp de sir Francis Bond Head. En 1840, on le nomme *Attorney General* ; il continue de l'être sous lord Sydenham. En 1843, il est nommé au Conseil législatif et au Conseil exécutif par sir Charles Metcalfe qui en fait son principal conseiller. Il dirige le gouvernement avec Dominick Daly et Denis-Benjamin Viger pendant plusieurs mois. Jusqu'en 1847, il est le chef du gouvernement, après le départ de Denis-Benjamin Viger. Il démissionne en 1847 et devient juge. En 1854, la Reine le décore. Il est C.B. « An old-fashioned conservative », dit-on de lui, mais on l'appelle aussi « sweet William », alors qu'on disait de son collège Viger : « Long nose, long speech », comme nous l'avons noté précédemment. Cf. *MacMillan Dictionary of Canadian Biography*.

dra pas à trouver dans la députation du Bas-Canada les ministres qu'il lui faudrait. Même son cousin et ami, Côme-
Séraphin Cherrier se refuse à le suivre. Ce n'est pas tant
que Cherrier ne veuille pas se joindre à Denis-Benjamin
Viger, mais il n'a pas une bonne santé et, surtout, il ne veut
pas orienter sa vie vers la politique. En 1838, il a été incarcéré, puis mis aux arrêts chez lui : cela lui a suffi. Il s'explique avec son cousin qui ne lui en voudra pas puisqu'il en
fera son héritier.

Chose inattendue mais caractéristique du moment, Viger, président du Conseil exécutif, sera défait dans le comté
de Richelieu aux élections suivantes. Ce qui embarrasse
beaucoup lord Metcalfe qui se trouve à avoir sur les bras
un président qui n'est plus député et un autre conseiller,
William H. Draper[15], qui est au Conseil législatif et non à
la Chambre basse.

Viger continue de n'avoir aucun appui de ses amis du
Bas-Canada. Malgré tous ses efforts[16], il ne peut former son
cabinet avec leur aide. Comme nous l'avons vu, Denis-Benjamin Papineau l'appuie, mais celui-ci n'a ni le prestige, ni
l'autorité de son frère qui reste en France, malgré les instances de ceux qui l'invitent à revenir[17]. De plus, il est
sourd — ce qui ne facilite pas son travail en Chambre. Excellent orateur, Draper a une valeur réelle, mais étant au
Conseil législatif, il ne peut venir à la rescousse de Viger,
qui se défend mal, s'explique et s'embourbe chaque jour
davantage.

Mais qu'est-ce qui a bien pu décider Viger à se mettre
dans un pareil pétrin à la fin d'une carrière prestigieuse ?
Sans doute l'ambition d'être un personnage de premier
plan dans la politique du Canada, suggèrent deux historiens, Fernand Ouellet et André Lefort, dans l'excellente

---

15. Au jugement de Julie Papineau, la femme de Louis-Joseph Papineau, il
n'est pas un chef. Elle n'a peut-être pas tort. D'ailleurs son mari partage son avis.

16. Il tiendra le coup trois ans, puis démissionnera.

17. Pour sortir de l'impasse, il semble que le gouverneur lui-même aurait été
consentant au retour de l'exilé volontaire.

biographie qu'ils lui ont consacrée dans le *Dictionnaire biographique du Canada*. Ne peut-on imaginer autre chose ?

Denis-Benjamin Viger n'est pas un fougueux, un emporté ; il réprouve la violence. Comme l'indiquent ses pensées et ses maximes qu'il nous a laissées, pour lui la justice est fille de la liberté, de la vérité. Il a devant lui un homme terriblement isolé, malade, qui partira en hâte avant la fin de son mandat pour aller mourir en Angleterre de ce cancer qui le ronge. Par ailleurs, Viger sait qu'il a les mains liées par ceux qui, dans la Métropole, ne veulent pas de la responsabilité ministérielle. Reconnu comme un spécialiste du droit constitutionnel anglais, Viger est frappé sans doute par les arguments employés de l'autre côté de l'océan pour refuser le « gouvernement responsable ». Peut-il vraiment réfuter ceux qui affirment qu'on ne peut donner au gouverneur général d'une colonie certains pouvoirs que se garde la Reine en Angleterre ? Il ne peut prévoir qu'en politiques réalistes, les autorités anglaises céderont quand la pression de l'opinion sera assez forte dans le Haut et dans le Bas-Canada. Viger, qui a horreur de la force aveugle, juge inutile d'y avoir recours pour obtenir tout ce que ses amis et lui veulent en définitive, ce que lord Durham a prévu et ce à-quoi sir Charles Bagot s'est engagé. Il faut céder momentanément, pour revenir avec plus de force auprès du Colonial Office dont l'opinion peut changer avec l'arrivée au pouvoir de certains hommes politiques qui ont foi en la liberté économique, fille de la liberté politique. La nouvelle loi électorale de 1832, n'ouvre-t-elle pas toute grande la porte de la Chambre des Communes à des éléments nouveaux. Le duc de Wellington en parlera avec dédain[18] ; mais Viger sait que parmi les nouveaux venus, il y a des députés mieux préparés à accepter l'évolution.

Pour l'instant, pense Viger, ne faut-il pas assurer au gouverneur général un interlocuteur francophone valable

---

18. Il aurait dit : « Le pouvoir est désormais passé des mains des *gentlemen* à celles des boutiquiers. »

tant qu'il ne sera pas retourné en Angleterre ? Ce qui ne
saurait tarder. Dans l'intervalle, ne doit-on pas tenir, empêcher les heurts qui peuvent avoir des conséquences graves ?
Fantaisie que cette explication ? Peut-être pas ! À notre
avis, elle a une valeur psychologique certaine. L'autre est
plus facile, mais peut-être est-elle injuste ou incomplète !

En 1843, Viger a soixante-neuf ans. Il est un vieillard
pour l'époque. Sa santé n'est plus très bonne depuis son séjour dans les prisons de Sa Majesté. Pourquoi veut-on que
seule l'ambition l'ait poussé à jouer un rôle dans la politique de son pays ? Sagesse du soir, a écrit Pierre-Henri Ci-
mon au siècle suivant, dans un livre bien agréable. Pourquoi ne pas l'imaginer chez un homme qui n'a jamais été
fougueux comme Papineau ou La Fontaine, qui réfléchit et
qui, durant la dernière partie de sa vie, croit au temps qui
n'arrange pas tout, mais qui trouve des solutions inatten-
dues. Qui a eu raison ? Viger qui attend et *hopes for the
best* ou La Fontaine et Baldwin qui brisent les vitres et reviennent au pouvoir quand le vitrier les a remises en place ? Si on le condamne, pourquoi ne pas être prêt à reconnaître sa bonne foi, tout en admettant qu'elle ne coïncide
pas avec la partie la plus prestigieuse de sa carrière ?

Quelle que soit la dureté des reproches qu'on lui fait,
Viger tient le coup. Mais en 1846, il cède. Il a été élu dans
Trois-Rivières, après sa défaite dans le comté de Richelieu.
Il démissionne du cabinet le 17 juin 1846. Il restera député
de Trois-Rivières jusqu'au 6 décembre 1847. Le 17 février
1848, on le nommera à nouveau membre du Conseil législatif. Il le sera jusqu'en mars 1858, lui qui a si souvent protesté contre le caractère des nominations. Paradoxe, contra-
diction ou simple acquiescement à un fait contre lequel il
ne peut rien ? Faiblesse du vieillard qui, à la fin de sa vie,
se résigne devant ce qu'il ne peut empêcher ? Peut-être !
Nous défendons mal notre personnage, pensera-t-on ? Nous
ne cherchons pas à le défendre, mais simplement à le comprendre.

*

En 1848, Denis-Benjamin Viger a soixante-quatorze ans
et, en 1858, quatre-vingt-quatre. Ce n'est pas à l'âge où l'on
tente de remonter le courant. En suivant ses goûts, on ménage ses forces. C'est ce que
fait Viger, qui cesse à un moment donné d'assister aux
séances du Conseil législatif. Il meurt en 1861, trois ans
plus tard.

Les contemporains de Viger l'ont jugé très durement
durant les dernières années de sa vie[19]. Au lieu de leur
donner raison, il faudrait rappeler ce qu'il a accompli durant la courte durée de son cabinet. C'est ce que fit l'ex-secrétaire de Denis-Benjamin Viger, Joseph Royal, dans son
éloge de son vieux maître, prononcé après sa mort[20]. Pendant l'administration Viger-Draper, il y a eu, note-t-il, le
« rappel des exilés canadiens, la distribution des terres aux
miliciens, la reconnaissance officielle de la langue française
dans les *Procédés de la Législature*[21], l'abrogation de la liste
civile votée par le parlement anglais et, surtout, la mise en
pratique du *gouvernement responsable*.

Quand on connaît les attitudes catégoriques prises sur
ces questions par le gouvernement anglais, la résistance du
gouverneur général Metcalfe à l'évolution politique, l'opposition soulevée en Angleterre et au Canada au graciement
des Canadiens exilés en Australie, les objections faites à la
responsabilité ministérielle, on ne peut que s'incliner devant l'influence exercée par le vieil homme qui, malgré son
âge, n'hésite pas à se jeter dans une bataille politique où il
y avait surtout des coups à recevoir. S'il fut entêté, mala-

---

19. Les critiques, les accusations, les injures s'accumulent. Elles viennent de
toutes parts, même de Duvernay qu'il a soutenu si souvent au cours des sa carrière. Napoléon Aubin dit pis que pendre de Viger. Ce qui ne l'empêchera pas, en
1849, de lui demander son aide pour renflouer ses affaires bien mal en point.
20. *Biographie de l'honorable D.-B. Viger*. Imprimée par J.-A. Plinguet à
Montréal. Collection Gagnon, à la Bibliothèque municipale.
21. Autre exemple de l'anglicisme contre lequel on se défendait bien mal. Il
s'agissait, en effet, de *Proceedings of the legislative Assembly*.

droit parfois dans ses arguments de procédurier, on doit rappeler son souvenir avec respect, même si à ce sentiment s'ajoutent certaines réticences.

Il ne faut pas oublier non plus l'hommage que lui rendit ainsi le père Jacques Monet dans son livre *The Last Cannon Shot ; a study of French Canadian nationalism, 1837-1850*[22] :

> The Governor and the people he had served as interpreter of the one to the other. This was high service indeed. Ten years before, the imperial power and the *Canadiens* had clashed head on in bloody rebellion, among other reasons because of Papineau's intransigent contempt for the proposals of the governors general at the time. Now, when with equal stubbornness La Fontaine's followers refused Metcalfe's, both Governor and people surprisingly retained a good deal of their mutual trust, and in some instances at least their mutual affection. If La Fontaine's veto did not, like Papineau's, lead to an open and armed clash, Viger could justly claim most of the credit. This was, after all, what he had set out to do, and in his own clumsy way, this he had achieved.
>
> But at the time, during the bleak summer of 1846, how could he believe any of this? Instead, he heard only the jeers of his unsparing opponents and looked around to see his shattered following divided, spiteful, disintegrating. He did not even seem to realize that the seed he had himself planted with the double majority idea, and which the Dorchester election had nurtured, was just beginning to bear fruit.

C'est ce que nous-mêmes invoquons à la décharge de l'homme politique : son désir, coûte que coûte, d'opposer un interlocuteur au gouverneur général, de compter avec le temps et, surtout, d'éviter la violence.

---

22. University of Toronto Press, 1969, p. 232.

9

La pensée de
Denis-Benjamin Viger
à travers ses écrits

I. Denis-Benjamin Viger, homme cultivé

On a dit de Denis-Benjamin Viger qu'il était un des esprits les plus cultivés de son temps. La culture ne se mesure pas à l'aune. Aussi peut-on noter tout simplement que Viger était un homme instruit des choses de son métier et cultivé. Il aimait les livres, il avait une bibliothèque importante, variée où l'on trouvait les œuvres les plus différentes que l'on pût imaginer. On s'en rend compte en examinant le catalogue des livres qu'à sa mort, son cousin et héritier, Côme-Séraphin Cherrier remit de sa part au séminaire de Saint-Hyacinthe. Il y a là de tout : des œuvres de Montesquieu à celles d'Adam Smith, des auteurs de l'Antiquité grecque et romaine comme Platon et Cicéron. Ces livres, il les a lus ; il les a annotés. Souvent, dans ses discours, il a cité les philosophes grecs. Il s'en est inspiré, comme de Montesquieu, dans ses pensées et ses maximes. Ses idées sur le culte de la vérité, sur la liberté des peuples s'inspirent des philosophes de la Grèce antique. N'était-ce pas l'usage à l'époque de rappeler les souvenirs de la République athénienne ? Étienne Parent n'y avait pas manqué dans certaines de ses conférences prononcées à l'Institut canadien, au milieu du siècle. Quant aux propos de Viger sur la vertu, ne viennent-ils pas soit de ses lectures des classiques, soit de la révolution française dont, à distance, il a subi l'influence, même s'il a souvent médit de ses thuriféraires.

*

II. L'évolution de sa pensée

1792 est une année sans histoire au Canada, même si on se prépare aux élections prévues par la Constitution de 1791, votée par le Parlement britannique et sanctionnée par le roi George III[1]. Pour empêcher les nouveaux sujets du Bas-Canada de se ranger du côté des anciennes colonies du sud, on leur accorde certains droits politiques. Une deuxième étape vers la libertĕ politique est ainsi franchie, alors qu'en France la Convention s'achemine graduellement vers le vote qui décidera du sort des Capet : ces malheureux souverains devenus tout à coup les ennemis de la Nation ou, tout au moins, les boucs émissaires de ceux qui veulent la république.

1792 dans le Bas-Canada, c'est l'année où l'on vote pour la première fois, mais aussi où Denis-Benjamin Viger fait paraître son premier article : événements d'importance bien différente. Il a dix-huit ans, l'âge où tout semble facile, où écrire pour certains est le moment où l'on tranche de tout. Viger n'hésite pas à donner à Fleury Mesplet un texte qui, espère-t-il, paraîtra dans son journal. Mesplet est un curieux bonhomme. Venu à Montréal à l'instigation de Benjamin Franklin, il a d'abord tenté de convaincre les Canadiens de se ranger du côté de leurs voisins du sud. Il a

---

1. Georges III fut roi d'Angleterre de 1760 à 1820. Il avait une lourde hérédité, contre laquelle il lutta difficilement. Au début de son règne, il s'employa à reprendre l'autorité que ses prédécesseurs avaient laissé aller ; puis il sombra dans la folie.

C'est sous son règne que l'Angleterre subit certaines défaites humiliantes, comme l'indépendance des États-Unis, mais aussi certaines victoires comme la conquête du Canada et la fin de l'époque napoléonienne en France.

On comprend l'humilité des nouveaux sujets du Canada, dès 1760, devant ce monarque orgueilleux et devant qui on a appris à s'incliner respectueusement. Pour saisir ce qu'était la formation d'un souverain à cette époque, il faut se rappeler cette phrase que le précepteur du futur Louis XIV lui faisait copier à l'âge de dix ans : « L'hommage est dû aux Rois. Ils font ce qui leur plaît ... »

imprimé des livres, puis il a lancé *La Gazette du Commerce et Littéraire pour la Ville et District de Montréal.* Plus tard, il en a simplifié le nom, devenu *Gazette Littéraire.* Après le départ des troupes américaines, en 1778, il a subi le même sort que d'autres collaborateurs comme le sieur Du Calvet. On l'a mis en prison. Peu après, il en est sorti, cependant et, en 1785, il a publié à nouveau un journal, bilingue cette fois.

Quand Denis-Benjamin Viger lui a apporté son article, il n'a pas hésité à le faire paraître. Et Viger a lu avec un plaisir inavoué, mais réel, ce premier d'une longue série d'écrits, qu'on réunira un jour dans le dossier Papineau des Archives nationales à Québec. On en compte une trentaine sur tous les sujets[2], parus à travers les années, et surtout après 1846 : date fatidique pour lui. Ces travaux traduisent la pensée de Viger au cours de sa longue carrière.

D'après Joseph Royal, son secrétaire à la fin de sa vie, Denis-Benjamin Viger a fait paraître ce premier article, à l'âge de dix-huit ans. Il est dirigé contre John Richardson[3] qui, à cette époque, se fait l'interprète du milieu anglophone. Une collection incomplète du journal ne nous permet pas de lire cette première œuvre de Viger ; mais on l'imagine prêt à tout affirmer avec l'assurance de la jeunesse qui n'a pas encore appris à douter d'elle. En toute humilité, à un âge un peu plus avancé, l'auteur doit avouer qu'il a passsé par là où rien pour lui n'était à l'abri d'un jugement ex-cathedra, exprimé avec d'autant plus de facilité qu'il ne

---

2. Même si, durant sa carrière, ses articles ne sont pas signés, on les lui attribue, tant ils sont dans sa ligne de pensée. Certains aussi s'accompagnent de corrections de sa main.

3. John Richardson (1755-1861) est un Écossais venu au Bas-Canada en 1787. Après un séjour à Schenectady, il entre au service de la maison Robert Elice and Co. à Montréal. En 1790, il se joint à une autre maison, Forsyth, Richardson and Co., celle-ci s'enrichit en fondant avec d'autres la compagnie XY, qui s'affronte bientôt à la Compagnie du Nord-Ouest. De 1792 à 1796, il est à la Chambre basse puis, en 1804 il entre au Conseil législatif où il est un des principaux adversaires du groupe canadien. C'est à la suite d'un discours que Viger n'aime pas que celui-ci décide de protester dans un article qu'accueille Fleury Maplet à l'affût de collaborateurs. (Source partielle : *The MacMillan Dictionary of Canadian Biography.*)

voyait pas la complexité du sujet traité et qu'il ne voulait pas tenir compte des écueils.

Si nous notons ici l'article, c'est qu'il est la première manifestation d'opinion d'un homme qui, toute sa vie, n'hésitera pas à prendre position sur les grands problèmes qui préoccupent le milieu et ses gens.

*

Après 1792, bien des choses se sont passées, tant au Canada qu'en France et en Angleterre, dont Viger a été le témoin sinon passionné, du moins très intéressé. En France, en 1793, Louis XVI et Marie-Antoinette sont montés sur l'échafaud. Viger en a été horrifié. Comme aussi de tout ce qu'on écrivait de Robespierre, de Marat, de Collot d'Herbois, ces « assoiffés de sang ». Et puis, Bonaparte a pris la France en main ; il a ramené l'ordre, mais il a plongé son pays dans des guerres glorieuses et bien coûteuses en hommes. Il l'a réorganisé aussi après les années où, à la faveur de la révolution, tout avait été nié, changé, chambardé, repensé, tandis qu'on votait dans l'enthousiasme une première version des droits de l'homme. Dans le Bas-Canada, on a appelé l'« ogre corse » le premier consul, puis l'empereur. En homme modéré, pratique, Viger pense : « Nous l'avons échappé belle. » Aussi écrit-il assez curieusement en 1809 : « La conquête du Canada par l'Angleterre nous a épargné une révolution sanglante. Nous nous devons de lui en être reconnaissants mais, par ailleurs, nous devons rappeler que, pendant tout ce temps, nous avons été fidèles à la Monarchie et nous avons lutté contre les gens du sud. Il ne faudrait pas oublier que sans nous, la colonie serait devenue un autre état chez nos voisins. » Il faut lire tout ce qu'il écrit à ce sujet, en témoin qui a les yeux ouverts sur ce qui se passe dans la colonie, sur les abus qu'on y commet et sur cette chasse-gardée de l'influence britannique que sont devenues les colonies du Bas et du Haut-Canada ; car si l'on se plaint vertement de ce qui se passe dans l'une, d'autres protestent contre les abus du *family compact*. Après avoir vu ce que Viger écrit sur tout cela, nous nous demanderons ce que l'on pense de l'autre côté de la barrière et de l'autre côté de l'océan, à propos de cette colonie qui coûte bien cher. Pour ne pas surcharger notre texte, nous nous limiterons à quelques témoignages.

*

En 1809, ceux qui poussent Viger à écrire sont des gens à la dent dure, comme celui qui signe « Scévola ». Au premier abord, on ne saisit pas très bien la relation qui existe entre le jeune Romain venu dans le camp des troupes étrusques pour en tuer le chef et le collaborateur d'une quelconque feuille de la Colonie, qui reproche aux Canadiens d'être ce qu'ils sont et au gouvernement de la Colonie de leur permettre de continuer à l'être, en les laissant s'instruire dans leur langue et en leur permettant de garder leurs us et coutumes. On ne va pas encore jusqu'à suggérer de débarrasser la terre de cette racaille, comme le fera Adam Thom dans le *Herald* quelques années plus tard ; mais on grogne et on annonce le pire, c'est-à-dire la séparation éventuelle du Bas-Canada de l'Empire. Or, chose curieuse, ceux qui, en 1849, suggéreront la scission seront des marchands anglophones de Montréal, notamment.

Sans qu'ils s'en rendent compte, certains font tout ce qu'ils peuvent pour que les indigènes s'arc-boutent à ce qu'ils considèrent des droits acquis. Petit à petit, les précédents se sont accumulés. Pour essayer de contrebalancer l'influence de ces francophones butés, on a donné des terres aux *loyalistes* pour les attirer vers le Bas-Canada et en faire une colonie véritablement anglaise. On les a logés dans les cantons de l'est, à Montréal ou du côté de l'Ottawa, dans les comtés qui forment la frontière entre le Haut et le Bas-Canada. Les résultats ont été maigres. Par ailleurs, quand les Américains sont venus avec leurs troupes, on a été étonné de voir que la population française n'avait pas versé de leur côté. On n'en a rien dit, évidemment ; et petit à petit, le souvenir s'est émoussé.

Denis-Benjamin Viger croit qu'il doit intervenir dans le débat. C'est alors qu'il écrit ses *Considérations sur les effets*

*qu'ont produit en Canada, la conservation des établissements
du pays, les mœurs, l'éducation, etc. de ses habitans ; et les
conséquences qu'entraîneroient leur décadence par rapport
aux intérêts de la Grande-Bretagne.* Le titre est long, très
long et, oh ! horreur, il contient une faute d'accord. Mais il
ne manque pas d'intérêt. Jugeons-en par ce résumé que
nous en avons fait un jour à Nice, en écoutant d'une oreille
distraite la guitare d'Yepes, tout en jetant un coup d'œil ad-
miratif sur les plus belle tulipes qui soient :

1. Viger tire d'abord de l'histoire de l'antiquité certains
exemples de ces peuples qui ont montré leur faiblesse en ne
tenant pas suffisamment à leur langue et à leur civilisation,
sous la botte des tyrans. Ils n'avaient pas compris que c'é-
tait en elles que les peuples tirent leur force et leur valeur
propre. Viger rappelle, en se rapprochant du milieu anglophone, que les Normands, conquérants de l'Angleterre, ont
dû s'incliner devant les Anglo-Saxons quand ils se sont rendu compte que leur résistance était plus forte que les lois
et les coutumes qu'on tentait de leur imposer. Après avoir
fait tout pour modifier le milieu, les successeurs de Guillau-
me de Normandie se sont inclinés. Ils se sont adaptés au
pays et à ses mœurs, puis on les a assimilés. Viger montre
que si les Canadiens ont gardé leur foi, leur langue et aussi
leurs coutumes après la conquête, ils ont été les premiers à
résister aux infiltrations étrangères, quelles qu'elles fussent.
Tout en étant francophones, note-t-il, ils sont restés du côté
du gouvernement anglais. Ils n'ont pas prêté l'oreille aux
voix des sirènes au moment de l'envahissement du territoire. Au contraire, ils l'ont défendu contre ceux qui sont venus
du sud, tel Benjamin Franklin, si convaincant dans sa bonhomie. Installé au Château Ramezay, celui-ci dut plier bagages quand, à Québec, les troupes américaines se furent
heurtées à l'armée anglaise et aux milices canadiennes réunies en hâte et qui comprenaient, à côté d'hommes décidés,
des collégiens mis en congé par le Séminaire pour leur permettre de s'opposer aux envahisseurs, note Viger. Philippe
Aubert de Gaspé n'a-t-il pas rappelé de son côté le cas de
son père se battant à côté des « habits rouges » pour empê-

cher les Américains de conquérir l'établissement du cap Diamant !

2. Il faut laisser aux Canadiens leur langue, leurs lois[4], leurs us et coutumes[5]. Il faut aussi les aider à réussir dans des domaines où ils ont échoué, si l'on veut qu'ils restent fidèles à leur allégeance britannique. Pour cela, on doit comprendre que c'est en les laissant vivre comme ils l'entendent qu'on les attachera à la Couronne.

Dans ce texte de 1809, on trouve aussi des jugements inattendus. Celui-ci, par exemple, au sujet du Régime français en Nouvelle-France :

D'ailleurs, la conduite du gouvernement François dans cette colonie prouve assez qu'il mettoit guères d'importance à sa conservation. Il n'en avoit jamais connu le prix ni les ressources, on n'en connoît même guères encore la valeur. Nous avions été négligés avant la conquête, nous l'avons été malheureusement beaucoup depuis. Un jour viendra, sans doute, et il n'est peut-être pas bien éloigné, où l'administration s'élevant encore davantage au dessus de ces intrigues basses de quelques individus, dont l'orgueil et la bouffissure, le ton tranchant et décisif, font à peu près le principal et peut-être l'unique mérite, et saisissant les rênes d'une main ferme et vigoureuse, mettra, par sa sage conduite, les Canadiens à même de jouer leur véritable rôle et de mettre dans

---

4. Voici ce qu'il écrit : « Les lois du Canada dont la clarté est admirable et dont les étrangers instruits établis dans ce pays, ont souvent admiré la beauté, la sagesse, et la majestueuse simplicité, deviennent un fardeau insupportable à ces hommes inconstans et avides de nouveautés ; il faudrait, pour les satisfaire, introduire ici de nouveaux principes, et nous plonger dans le cahot d'une jurisprudence étrangère, qui, utile ailleurs, parce qu'elle est fondue dans le reste du système et des établissements de la nation, calquée sur ses habitudes, deviendroit pour ce pays une source intarissable de mots, rendroit illusoire le droit commun à tous et particuliers, aussi bien que nos titres de propriétés qu'elle plongeroit dans un cahot impénétrable, dans un abîme d'incertitudes qu'elle finiroit par anéantir. »

5. Et il ajoute : « La plupart de ceux qui décident avec le plus de hardiesse sur ce qui peut intéresser ce pays, ont à peine pénétré dans nos campagnes. Ils n'ont jamais vu de nos villes que l'extérieur des maisons du peuple qui les habite : ils ignorent souvent autant nos principes de morale que notre jurisprudence, nos habitudes, nos usages ; puis ils vont tranchant hardiment sur tous ces objets, comme s'ils les avaient discutés, médités, analysés, approfondis avec la dernière exactitude. » *Considérations, etc.*, p. 25, réédition de 1970.

la balance le contingent d'utilité dont ils sont capables envers la métropole.

Quant à la France, la possession du Canada n'étoit guères pour elle qu'un moyen de harceler les colonies Angloises, de troubler leur établissement et leur commerce avec la métropole. De-là ces guerres ruineuses pour ce pays avec nos voisins, entreprises sans moyens, sans ressources, sans plans, sans prévoyance, dont le prétexte vrai ou faux étoit souvent une ligne de démarcation purement idéale la destruction ou la conservation de quelques misérables huttes situées à plusieurs centaines de lieues dans des déserts ou dans des forêts presqu'impénétrables : de-là le despotisme odieux qui s'introduisit en Canada quelques années avant la conquête, et qui alla toujours en croissant jusqu'à la prise du pays : de-là aussi l'indifférence du gouvernement pour l'encouragement de l'agriculture, de l'industrie et du commerce : de-là enfin les abus grossiers qui se commirent par ses employés et ses agens de toute espèce, sous ce rapport et beaucoup d'autres, pendant les dernières années qui précédèrent la conquête. Le gouvernement devenu purement militaire, comptoit pour rien les droits et la propriété, non plus que la vie des individus qu'il sacrifioit sans ménagement, dans une lutte où les Canadiens furent sur le point de périr de faim et de misère par l'imprévoyance de ceux qui les conduisoient si inutilement à la mort. Ils arrosoient de leur sang une terre qui déjà manquoit de bras pour les nourrir. Devenus le jouet de la tyrannie militaire et d'une rapacité qui étonna le ministère François lui même, lorsque ce mystère d'iniquité se développa aux yeux de la nation indignée, ils ne purent, malgré l'attachement qu'ils avoient eu pour leur Mère patrie devenue leur marâtre, malgré le zèle ardent et presqu'indomptable avec lequel ils avoient disputé le terrain pied à pied, s'empêcher de voir dans la conquête un bienfait du ciel. Les maux presqu'intolérables qu'ils avoient soufferts, les injustices sans nombre dont ils avoient été les victimes pendant les dernières années qui la précédèrent, contribuèrent beaucoup plus que les soins de l'administration qui fut depuis si longtemps négligée, à rendre doux et léger un changement qui sans cela leur auroit paru insupportable. La révolution complette que la France a éprouvée depuis dans tous ses établissements civils et religieux, les maux qu'elle a soufferts sur son propre sol et dans ses colonies, en dépit du rôle brillant qu'elle a joué au dehors, n'ont fait qu'ajouter à ce sentiment.

Et puis, cet autre, à propos de la révolution française :

Quelques-uns des habitans de ce pays, égarés d'abord par les fausses lueurs d'une prospérité trompeuse, éblouis par les charmes de cette théorie enchanteresse de la perfectibilité de l'espèce humaine, qui avoit séduit tant d'hommes de mérite sur le théâtre où se firent depuis ses terribles expériences, purent croire d'abord que le peuple François alloit réellement se rénégérer, comme on l'annonçoit avec tant d'assurance, que l'administration de ce pays, si long-temps négligée, alloit prendre une nouvelle face. L'obscurité qui a succédé à ces premiers rayons de lumière, a dissipé le prestige. La tranquillité dont nous avons joui sans interruption, comparée à l'anarchie et aux horreurs de la guerre, qui ont fait tant de ravages chez toutes les nations qui ont accueilli les principes François, a achevé de détromper les moins clairvoyans. L'établissement d'une constitution libre en ce pays a fait naître des sentimens de reconnaissance plus vifs encore. Ce bienfait fut accordé dans un temps où il pouvoit nourrir des dissentions funestes, cependant les Canadiens en ont fait usage, malgré les mécontentemens passagers, occasionnés de temps en temps par de fausses mesures, pour cimenter leur union avec la Grande Bretagne. Ils ont déjà donné des preuves qu'ils savent apprécier les avantages de leur situation. Il ne faut qu'une main habile, une conduite sage, ferme et juste, pour tirer parti de ces heureuses dispositions.

Si la citation est longue, elle permet de comprendre l'attitude d'une génération de Canadiens envers la France, après la conquête.

Nous sommes très différents des Français, note Viger, mais avant lui, Bougainville ne l'avait-il pas signalé ?

Viger précise sa pensée ainsi[6] :

Sans parler d'une infinité d'autres circonstances, dont les détails nous amèneraient trop loin dans ce moment ; nous sommes par notre situation géographique destinés à former un peuple entièrement différent des François et de nos voi-

---

6. *Op. cit.*, réédition, Québec, 1970, p. 32 et 33.

sins même. La nature de notre sol, la différence prodigieuse de nos besoins et de notre agriculture, doivent nécessairement mettre entre nos mœurs et ceux des autres peuples une différence marquée. Cela est si vrai que, dans le temps même que les François possédoient ce pays qu'ils avoient établi, on voyoit déjà dans le caractère des Canadiens des nuances très sensibles, des teintes très fortes, qui les distinguoient de leurs ancêtres. Quelques années avant la conquête, lorsqu'il entra un plus grand nombre de François à la fois dans le pays, ils formoient déjà deux peuples, et se considéroient réciproquement comme tels. Ces marques de distinction se sont déjà tellement multipliées, que les François et les Canadiens, quoique leur séparation ne date que d'un demi-siècle, pouvoient à peine, la ressemblance de langue exceptée, être reconnues pour avoir la même origine.

Par ailleurs, ajoute-t-il, nous n'aurions pu obtenir des Français ce que les Anglais nous ont accordé depuis la conquête. En écrivant cela, Viger pense à l'acte de 1774 et à la constitution de 1791, sans doute. Il en est reconnaissant à l'Angleterre. Il écrit, par exemple[7], « l'établissement d'une constitution libre en ce pays a fait naître des sentiments de reconnaissance plus vifs encore. Ce bienfait fut accordé dans un temps où il pouvait nourrir des dissensions funestes, cependant les Canadiens en ont fait usage, malgré les mécontentements passagers, occasionnés de temps en temps par de fausses mesures, pour cimenter leur union avec la Grande-Bretagne. Ils ont déjà donné des preuves qu'ils savent apprécier les avantages de leur situation. Il ne faut qu'une main habile, une conduite sage, ferme et juste, pour tirer partie de ces heureuses dispositions. »

Pour comprendre Denis-Benjamin Viger, il faut se rappeler que, sous le régime français, toute autorité venait du Roi. Trop souvent, l'intendant et ses sous-ordres attiraient à eux prestige, faveurs et avantages matériels comme on le constata après la conquête, au cours d'un long procès intenté à Bigot et ses comparses.

Il faut rappeler également que, comme tout le monde au Canada, Viger a été horrifié d'apprendre les abus et l'as-

---

7. *Ibid*, p. 40.

pect sanguinaire de la Révolution. Robespierre, Marat, Collot d'Herbois, ces monstres, écrit-il, « dont la cruauté féroce a fait douter qu'ils appartenoient à l'espèce humaine ». Il n'aime pas non plus Bonaparte — ce tyran. Par contre, il fait l'éloge d'Edmund Burke, philosophe irlandais qui s'est porté à la défense des Canadas. Il cite de lui cette pensée dont il s'inspire :

> ... c'est moins par la terreur que par l'amour et la confiance que les hommes se laissent gouverner (...) la perfection absolue en fait de gouvernement est une chimère, (...) le meilleur est celui qui convient le plus au climat, au caractère, aux mœurs, aux habitudes, aux préjugés mêmes d'une nation[8].

En conclusion, Denis-Benjamin Viger demande qu'on laisse vivre ses gens comme ils l'entendent. Ainsi, dit-il, on les attachera davantage à l'Angleterre que si l'on essaie de les brimer et de leur imposer une manière différente de vivre, de penser, de s'exprimer et de régler leurs différends.

*

Que pense-t-on de l'autre côté de la barrière, dans la Colonie ? Pour le savoir, examinons un texte de Ross Cuthbert qui reprend les idées de Denis-Benjamin Viger, en cherchant à les neutraliser, sinon à les ridiculiser[9].

Ross Cuthbert n'y va pas par quatre chemins. Il fonce sur l'audacieux. Il écrit :

> There is indeed a degree of positive cruelty in the conduct of those who without a manifest cause attempt thus to play upon and abuse the sensibility of their countrymen.

---

8. *Op. cit.*, réédition, Québec, 1970, p. 20.

9. *An Apology for Great Britain, allusion to a pamphlet intituled « Considérations (Écrit par un Canadien, M.P.P. »* Paru chez J. Neilson, à Québec en 1809. Voir *Les Imprimés dans le Bas-Canada : 1801-1810*, par John Hare et Jean-Pierre Wallot, Les Presses de l'Université de Montréal, 1967. Dans la *Saberdache bleue* de Jacques Viger, il y a une bien curieuse lettre d'un cousin des deux Viger ... « Il juge mal écrit, mal conçu, brumeux le texte du « cousin » et non moins sans intérêt celui de Ross Cuthbert. » Esprit chagrin que ce cousin ? Sans doute, mais il n'erre pas complètement quand il juge souvent obscure la prose de Viger.

Et il ajoute :

Courtesy leads to suppose such indiscretion proceed surely
from an ignorance, or misconception of the character of the
British government Constitution and people.

Justice is the basis of British power.

Pour ternir l'éclat de la justice britannique auprès de
Denis-Benjamin Viger, il y a bien des choses : la déporta-
tion des Acadiens, par exemple, survenue quelque cinquante ans plus tôt. Ross Cuthbert ne voulait pas s'en souvenir,
sans doute. Et, plus récemment, les biens des Jésuites destinés à l'instruction et à l'évangélisation que l'on avait confis-
qués, tout en utilisant leur collège pour loger la troupe. Il y
avait le statut imprécis de l'évêque de Québec, à qui sir James Craig avait rappelé brutalement que l'Église catholique
n'était que tolérée dans le Bas-Canada. N'y avait-il pas eu
aussi le Conseil législatif, créé en partie pour battre en brèche les décisions de la Chambre basse ? Cuthbert aurait pu
se rappeler également que, depuis la conquête, les bonnes
places et les hautes fonctions étaient confiées aux amis du
gouverneur[10]. À tel point que l'évêque de Telmesse pouvait
écrire à son cousin, Denis-Benjamin Viger, avant son départ
pour Londres en 1828[11] :

Si lord Dalhousie reste en fonction encore quelque temps,
nous n'aurons plus que le grand Connétable : poste sans
prestige et fonctions bien limitées.

---

10. Voici ce que les *Quatre-vingt-douze Résolutions* notèrent à ce sujet, en
1834 : « Résolu, Que la population du Pays étant d'environ 600,000 habitants, ceux
d'origine Française y sont environ au nombre de 525,000, et ceux d'origine Britannique ou autres de 75,000 ; et que l'établissement du Gouvernement Civil du Bas
Canada pour l'année 1832, d'après les Rapports annuels dressés par l'administration Provinciale, pour l'information du Parlement Britannique, contenait les noms
de 157 Officiers et employés salariés, en apparence d'origine Britannique ou Étrangère, et les noms de 47 des mêmes, en apparence natifs d'origine Française . . . que
dans la dernière Commission de la Paix publiée pour la Province, les Deux Tiers
des Juges de Paix sont en apparence d'origine Britannique ou Étrangère, et le
Tiers seulement d'origine Française. » Cette résolution date de 1834. D'un autre
côté, la situation est à peu près la même à l'époque où Viger écrit, en 1819.

11. Lettre que l'on conserve aux archives de l'Archevêché de Montréal.

Et puis, il y avait les abus, comme ceux qu'avait commis John Caldwell[12]. Si Philippe Aubert de Gaspé devait payer de quatre ans de prison la petite somme que ses comptes laissaient en suspens, sans qu'il puisse les rembourser à l'État, Caldwell, qui avait détourné 96,000 livres, restait en liberté ; on l'avait suspendu de sa fonction, mais sans appliquer les sanctions qu'il méritait.

Tout cela, Ross Cuthbert ne le sait pas ou ne veut pas le savoir. Il est sincère, sans doute. Pour lui *the King can do no wrong*. Le respect de la monarchie est tel qu'il englobe aussi bien le roi que ses ministres et leur entourage. Ceux-ci ne peuvent faire erreur ou s'ils errent, ce ne peut être que momentanément et, à la longue, à l'avantage des indigènes qui ne savent pas où ils vont. Il faut dire que presque tout, en ce dix-neuvième siècle, donne raison à la Métropole. Il y a bien ce glorieux trublion, Bonaparte devenu empereur, qui tient Albion en échec, mais on n'a pas perdu l'espoir de le battre. Il le sera plus tard à Waterloo. Pour l'instant, à l'abri de la Manche, on ne craint rien, même si le camp de Boulogne a soulevé quelque inquiétude. Pour un Anglais bonteint, rien n'est perdu. Il suffit de tenir le coup et de payer pour qu'on ait l'Empereur à l'usure. Fait peu connu, mais amusant, un Anglais souscrira auprès de Lloyd's une police sur la vie ou la capture de Napoléon 1er, entre mars et juin 1813. Il perdra son pari, mais de peu.

Et en Angleterre, que pense-t-on de la colonie du Bas-Canada ? On connaît les abus et les griefs des indigènes car, périodiquement, des Canadiens sont allés porter leurs doléances au roi[13]. Certains ont réagi favorablement mais, dans l'ensemble, on n'a fait que remplacer un gouverneur maladroit ou brutal par un autre, et les abus ont continué. Ce fut la fonction de Denis-Benjamin Viger en 1828 et en 1831 de présenter au roi les griefs de ses sujets du Bas-

---

12. Sans que les autorités sévissent autrement qu'en le suspendant de ses fonctions. Par la suite, il remboursera une partie de sa dette seulement.

13. Depuis la conquête, il y a eu de fréquents voyages à Londres à ce sujet. Voir *Délégués canadiens-français en Angleterre : 1763-1867*, par Georges Bellerive, Librairie Garneau.

168   DENIS-BENJAMIN VIGER

Canada. Dans la métropole, parmi ceux qui réagissent, il y a Edmund Burke, par exemple, dont Viger, plus tard, fera l'éloge. Il y a aussi les *radicals*, comme on les appelle, c'est-à-dire les libéraux opposés aux conservateurs : les whigs face aux tories, mais ce n'est guère qu'après la réforme électorale de 1832 qu'ils prendront de l'importance à la Chambre des Communes.

*

Les années passent. Nous sommes en 1819. Denis-Benjamin Viger écrit une *Lettre à un Ami*, dans laquelle il résume sa pensée à nouveau. Il est intéressant de voir s'il a évolué. Bien des choses se sont produites depuis 1809 : la guerre contre les Américains, dont les rangs sont venus se rompre à Châteauguay devant les miliciens et la troupe du colonel de Salaberry. C'est lui qui a arrêté l'avance des troupes américaines et leur a fait rebrousser chemin avant de prendre Montréal une autre fois.

Bien que la Colonie ait été conservée à l'Angleterre avec l'aide de ces miliciens dressés contre l'envahisseur, les marchands de Montréal n'ont pas désarmé. Ils porteront à Londres deux projets : l'un prévoit l'union des deux Canadas et, assez malencontreusement, la nomination des évêques et des curés par le roi. L'autre imagine d'amputer le Bas-Canada d'une bande de territoire allant jusqu'à Varennes ou Verchères, afin de donner un port de mer au Haut-Canada, comme nous l'avons vu précédemment. Les anglophones n'y verraient pas d'objection, mais les francophones et le clergé en particulier s'y opposent. C'est un point sur lequel Mgr Lartigue insiste dans ses directives à Denis-Benjamin Viger, avant son départ pour Londres en 1828 ; ce qui indique que le projet n'avait pas été rejeté.

En 1819 donc, Viger revient sur les idées qu'il a développées en 1809. Pour les exprimer à nouveau, car la situation n'a guère changé dans l'ensemble, il imagine une longue discussion avec un interlocuteur anglophone. Il la résume pour un de ses amis, à qui il adresse cette lettre qu'il intitule *Analyse d'un entretien sur la conservation des établissemens du Bas-Canada, des loix, des usages, &c. de ses habi-*

SA PENSÉE À TRAVERS SES ÉCRITS   169

tans. Le texte paraît en 1826, à Montréal chez James Lane.
Patient, tenace, Viger reprend l'exposé de sa pensée. Il plaide comme son métier d'avocat l'a habitué à le faire. Son
thème ? Ce n'est pas en cherchant à priver les Canadiens de
l'exercice de leurs droits, de leurs lois, de leur langue et en
faisant obstacle à la pratique de leur religion qu'on les con-
vaincra de rester dans le giron britannique. Bien au contraire ! Dans ces pages un peu longues, il reprend quelques-uns
des arguments qu'il a fait valoir dix ans plus tôt, en s'attar-
dant surtout sur des exemples : Joseph II d'Autriche, qui a
perdu les Pays-Bas en voulant les contraindre d'adopter ses
vues sur la manière de se gouverner ; les Irlandais qui se
révoltent parce qu'on veut leur imposer la manière forte,
eux qui sont si facilement contestataires. Il note, par contre,
la manière beaucoup plus souple que l'on a adoptée envers
les Écossais et ses résultats, les excellentes relations nouées
entre des pays de religions et de langues différentes. Écoutons-le ici :

> J'ai rappelé à mon interlocuteur l'alliance de la France ca-
> tholique ayant des ministres de sa religion à la tête de ses
> affaires, avec les protestans d'Allemagne et de Hollande, de
> cette dernière avec l'Autriche en possession des Pays-Bas ca-
> tholiques. J'ai cité de même les négociations de Cromwell
> avec le Pape, et ses ménagemens pour lui, et bien d'autres
> négociations de la même nature du gouvernement anglois, à
> des époques postérieures, l'alliance constante de l'Angleterre
> avec le Portugal catholique devenu en quelque sorte une de
> ses provinces, et dans ces derniers temps, avec l'Espagne qui
> pendant plus d'un siècle avoit été presque sans interruption
> dans les intérêts de la France. L'Angleterre, lui dis-je, n'a-
> t-elle pas contribué aussi efficacement qu'aucune des autres
> puissances de l'Europe à remettre la triple couronne sur la
> tête du chef spirituel du monde catholique, quoique son roi
> n'eût pas la liberté d'avoir un ambassadeur à la cour de
> Rome, et qu'un ministre ne pût sans crime traiter directe-
> ment avec elle ? On sait cependant ce qui en est dans le fait,
> depuis longtemps.

On sent l'avocat qui plaide. Pour cela, il n'hésite pas à
couvrir des pages et des pages de son raisonnement. Avec
une impeccable logique, il conclut ainsi :

Mais enfin, dis-je à mon interlocuteur, quel est donc le plus grand mal que la conservation de nos établissemens puisse entrainer ? Seroit-ce qu'on parlât français dans le Bas-Canada, et qu'un catholique put aussi bien qu'un anglican, un partisan de la doctrine de Luther ou de Calvin, vivre chacun en assurance et en paix *sous sa vigne et à l'ombre de son figuier ?* Y auroit-il là de quoi alarmer l'Angleterre, lui inspirer des craintes pour son existence ou pour sa prospérité ? Si la continuation de cet état de choses peut l'intéresser, c'est qu'il peut attester qu'elle fût éclairée, et qu'elle est juste.

Je connois mon pays et ses habitans un peu mieux que des voyageurs qui le traversent journellement et s'y arrêtent à peine, ou que ceux qui, venus s'établir parmi nous, occupés uniquement des soins de leur fortune, ne les voyent que du fond de leurs comptoirs. Je puis dire que la haine du nom Anglois si souvent imputée aux Canadiens pour colorer les injustices que l'on a de même projettées contr'eux, n'est qu'un prétexte dénué de tout fondement réel. Les Canadiens savent bien qu'ils ne doivent pas regarder du même œil le gouvernement Anglois et quelques uns de ces aventuriers pour qui nous ne sommes que des objets d'horreur, qui ne voyent en nous que des papistes à persécuter et à dépouiller, qui ont enfin pour nous les sentimens du soldat déguenillé et mutilé de Goldsmith, qui, après avoir été élevé aux dépens de sa paroisse, engagé pour sept ans à travailler dans les colonies, pressé à bord d'un vaisseau, été soldat, prisonnier, échangé et déchargé, demandant l'aumône, *hait*, dit-il, *les François, parce qu'ils sont esclaves, et portent des souliers de bois.*

Si toute l'histoire du Bas-Canada, n'en fournissoit pas la preuve, je pourrois démontrer, d'après des observations et des faits recueillis et puisés sur les lieux, que les Canadiens sont aussi attachés à l'Angleterre qu'aucun des autres peuples de l'empire. Les hommes éclairés parmi eux sentent peut-être plus vivement encore les avantages dont ils sont à portée de jouir et le désir de les conserver, parce qu'ils sont plus à même surtout de comparer la constitution établie dans la Province depuis trente ans, avec la forme de gouvernement sous laquelle leurs pères ont vécu. Ils ont parfois appris en résistant aux vues particulières de leur administration locale, et en déjouant quelques-unes des intrigues de ceux qui ont travaillé à les perdre, le prix de cette constitution au moyen de laquelle ils se trouvent les conservateurs nés de droits que des hommes étrangers à leur pays ont si souvent tenté de leur ravir. Mais on ne peut pas sans doute leur faire un crime de leur résistance, encore moins de repousser des injustices qui en les accablant auroient en même temps l'effet d'anéantir d'un coup tous les motifs qui peuvent les attacher à leur métropole. On ne prétend pas sans doute qu'ils dussent aller audevant des vues de leurs persécuteurs ou les combler de bénédictions.

Dans cette *lettre à un ami*, Denis-Benjamin Viger expose également la situation de son groupe. Qu'on en juge par cet autre extrait :

Quelle crainte au reste pourroit inspirer au gouvernement Anglois l'attachement qu'on attribue aux Canadiens pour la patrie de leurs ancêtres ? Ils sont séparés par douze cens lieues de mer de cette nation qui ne peut jamais devenir une puissance maritime, pas même à proprement parler une nation commerçante. Ils le sont encore davantage par la cessation de toute communication entre les deux pays depuis plus d'un demi siècle. Les habitans actuels du Bas-Canada ont remplacé deux générations successivement descendues dans le tombeau depuis la conquête. Les loix que nous tenions de la France, la France les a effacées de son code, et lui en a substitué un autre entièrement nouveau. La révolution qui s'est opérée tant dans les mœurs de ses habitans que dans son gouvernement, celle que ce laps de temps a dû amener, en a fait un autre peuple. D'un autre côté, les Canadiens avoient dès avant cette séparation, un caractère et des mœurs qui les fesoient distinguer des François. On conçoit que cette différence doit être aujourd'hui comme elle est en effet beaucoup plus sensible. Ajoutons que la génération actuelle s'est formée sous un autre gouvernement à de nouvelles habitudes, a adopté des opinions, s'est pénétrée de sentimens qui s'éloignent de plus de ceux de ses ancêtres. Cet effet est le résultat d'institutions publiques qui n'ont pas seulement agi sur des individus ou sur quelques portions particulières de la Province, mais bien sur la masse entière du peuple qui l'habite. Tous ces changements graduels joints à la position géographique, au climat, à une foule d'autres causes de ce genre, ont dû rendre encore plus frappant le contraste qui se trouvoit déjà si marqué entre les Canadiens et les François dès le temps où ils étoient réunis sous le même empire.

Voilà le fond de la pensée de Viger. Il l'a exprimée dans son texte de 1809 ; elle est la même quand il fait paraître sa lettre en 1826. Il est intéressant de voir qu'il y reconnaît les abus contre lesquels il s'élèvera à Londres en 1828 et en 1831. C'est auprès du gouvernement anglais qu'il faut faire valoir les griefs de ses gens, car c'est de lui seul qu'on peut attendre l'attention désirée, en effet.

Pour Viger, la solution est simple. On s'attache à son pays pour ce qu'il est, pour ce qu'on en a fait. Il faudrait comprendre une fois pour toutes que les Canadiens tiennent à leurs lois, à leur religion, à leur langue comme à un héritage sacré. Si on ne veut pas qu'ils se jettent dans les bras de leurs voisins du sud qui ne demandent qu'à les accueillir, il ne faut pas les pousser à bout, sinon un jour le Bas-Canada brisera ses liens avec l'Angleterre.

*

Pendant tout le XIXe siècle, on discutera le très grave problème de l'annexion avec les États-Unis. En 1864, en particulier, c'est la crainte de voir les libéraux gagner la population à l'idée de se joindre au pays voisin qui fera agir George-Étienne Cartier. Il gardera autour de lui le plus grand nombre des députés du Québec ; mais il n'empêchera pas que l'Opposition vote contre le projet de confédération. Parmi les opposants, il y a les Doutre, Antoine-Aimé Dorion, L.-O. David, Honoré Mercier et Wilfrid Laurier, même si, à la fin du siècle, celui-ci amarrera solidement le char de l'État à l'Empire triomphant, une fois que son parti aura pris le pouvoir.

Viger voyait juste en 1819, quand il demandait qu'on cesse de pousser ses compatriotes en dehors du giron britannique, en revenant périodiquement sur les précédents établis depuis 1763 et que la population francophone considérait comme des droits acquis.

*

En 1828 et en 1831, la Chambre basse charge Denis-Benjamin Viger de présenter ses griefs au roi, par le truchement du ministère des Colonies, de qui relève le sort du pays. L'abcès crèvera en 1837. Mis devant des faits bien troublants, le gouvernement de la jeune reine Victoria décidera d'agir. Il enverra lord Durham. C'est à la suite de son rapport, comme on l'a vu, que la Constitution franchira une troisième étape, avec le Canada-Uni. Les francophones du Canada en seront atterrés, mais les plus dynamiques décideront de prendre part aux affaires du nouvel État qui, par une rapide évolution, devait les amener à la responsabilité ministérielle : étape extrêmement importante puisque à l'avenir les affaires publiques du Canada seraient réglées par leurs députés et non par un représentant de la Couronne, en vertu de l'autorité déléguée par Londres.

Craint comme une calamité à cause de la fusion avec le Haut-Canada, le régime d'Union devait s'avérer une mesure valable malgré ses défauts et les abus qu'il confirmait. Ni Viger, ni La Fontaine, ni Parent, ni Papineau le comprirent tout de suite, mais en acceptant de collaborer avec le régime nouveau, ils contribuèrent à asseoir ses institutions plus solidement et à assurer l'évolution politique du pays, avant-dernière étape de l'indépendance ou, tout au moins, d'une quasi-indépendance qu'au siècle suivant le statut de Westminster confirmera.

*

Au cours de sa carrière politique, Viger se livre à d'autres travaux comme à un dérivatif. Il écrit, plaide, fait des discours en Chambre, envoie de longs rapports et des mémoires au gouvernement du Bas-Canada qui l'a chargé d'un double mandat en Angleterre, en 1828 et en 1831. À côté de cela, il a une grande curiosité pour les œuvres de certains écrivains étrangers, français ou anglais. Patiemment, il a lu et annoté beaucoup d'entre eux ; il a suivi l'exemple de quelques-uns. Ainsi, il a écrit des maximes et des pensées. Tout cela se trouve dans des dossiers qu'il accumule dans la bibliothèque de sa maison, rue Notre-Dame.

En 1838, quand on vient l'arrêter, il recommande à sa femme de veiller sur ses écrits, ses notes, ses souvenirs de lectures, ses pensées qu'il a réunies au cours des années. Tout à coup, il apprend, à sa grande désolation, que les argousins de sir John Colborne se sont présentés chez lui après son départ et qu'ils ont fait main basse sur ses dossiers. Il proteste vigoureusement contre une pareille intrusion dans sa vie privée, auprès de sir John Colborne dès qu'on lui en donne les moyens matériels :

Si dans ma lettre du douze de ce mois, je n'ai pas insisté d'une manière particulière sur les circonstances relatives à l'enlèvement de mes papiers, comme la chose eût été convenable, c'est que j'ignorais encore à cette époque des détails de la conduite qu'on avait tenue dans ma maison le quatre de novembre après mon arrestation. Quelques incommodités dont j'ai dernièrement souffert m'ont aussi forcé, comme dans quelques occasions précédentes, d'attendre pour pouvoir faire parvenir ma lettre à Votre Excellence.

Avant de laisser ma maison, je vis qu'on se proposait de mettre la main sur mes papiers. Craignant les pertes qui pourraient résulter pour moi d'une recherche de cette nature, faite par des personnes qui manqueraient des connaissances requises, et le désordre qu'elle pouvait jeter dans mes papiers, je témoignai le désir de la voir faite soit par un magistrat, soit au moins par une personne sur les lumières de la quelle je pus compter, fesant en même temps l'offre de mettre sous ses yeux tout ce que j'en avais. Cette offre au lieu d'être accueillie, fut immédiatement suivie du commandement de me conduire au corps de garde, où je fus retenu quelques heures pour me conduire ensuite à la prison.

C'est après mon départ, que des connétables sans la présence d'aucune personne pour les diriger[14] sont restés dans ma maison, depuis vers midi, jusqu'à quatre à cinq heures après, qu'ils sont entrés dans mes appartements, notamment dans mon bureau, qu'ils se sont emparé de ce qui se trouvait de papiers sur mes tables, dans les tiroirs, dans une armoire, les ont entassés dans une caisse qui s'y trouvait de même et les ont emportés.

14. Ce qui s'est avéré inexact par la suite.

J'ignore ce qu'ils peuvent avoir pris de papiers dans ma bibliothèque dans la quelle ils sont entrés comme dans mon bureau.

Il est parmi les manuscrits dont l'enlèvement m'est connu, plusieurs ouvrages sur des sujets d'une véritable importance, plusieurs recueils d'observations, de pensées, d'extraits d'écrivains, pour moi d'un grand prix, les uns sous enveloppes, mais sur des feuilles détachées, les autres mises en cahiers, le tout fruit de longues années d'étude, de recherches pénibles, de veilles laborieuses ; une foule de morceaux dont un grand nombre, comme des notes prises journellement ne sont qu'ébauchées, sans compter des lettres, et jusqu'à la correspondance relative à des observations que j'avais officiellement été prié de donner sur un projet d'ordonnance quelques semaines auparavant. Je ne parle pas de journaux, tels que des coupons de gazettes, détachés, comme préparés pour se retrouver facilement au besoin, que l'on s'est également permis d'enlever.

C'est à dire qu'à mon égard on a dans cette occasion fait beaucoup plus que perdre de vue le droit de propriété dans ce qu'il a de plus sacré. J'ignore encore ce que sont devenus, comme entre les mains de qui peuvent se trouver ces papiers, pris, comme emportés sans aucune formalité, sans inventaire d'aucune espèce, sans la moindre précaution, même sans témoins capables d'en constater l'existence, c'est entre autres traits, la manière, dont on a pu se conduire envers un sujet de Sa Majesté, non dans un pays qui soit en dehors de ses domaines, ou de la civilisation, mais dans une province de l'empire, et à quelques pas de la maison qu'occupe actuellement Votre Excellence dans Montréal. Je laisse à Votre Excellence de qualifier des démarches de cette nature.

C'est à la suite de ce traitement dont j'ignore les motifs[15] privé de fait de tout moyen d'en connaître les prétextes, qu'on a pu faire la suggestion qui se trouve dans le rapport dont j'ai reçu communication ; qu'enfin jeté dans une prison, sans plus de formalités que pour la recherche et l'enlèvement de mes papiers, je m'y trouve encore enfermé dans ce moment.

---

15. On ne lui a pas, en effet, précisé ce qu'on lui reprochait. Note de l'auteur.

Laissant de côté les considérations qui se rattachent à des principes de loi comme de gouvernement, il doit maintenant me suffire d'invoquer les règles de l'honneur dont le sentiment peut éclairer Votre Excellence sur la justice de mes réclamations.

On le sent profondément blessé par cette manière de procéder qui ne correspond pas du tout à ce qu'il a cru être le *fair play* britannique. Militaire, sir John Colborne, qu'on appelle le « Vieux brûlot », ne veut pas du tout en tenir compte. Pour lui, ce qui est important, c'est d'être débarrassé de ce gêneur. Il veut des preuves. Comme c'est dans les papiers personnels de Viger qu'on a quelque chance d'en trouver, il donne l'ordre qu'on cherche partout derrière les boiseries ou même dans les planchers, au besoin.

*

Heureusement, Viger retrouvera ses dossiers à sa sortie de prison. C'est pourquoi nous pouvons aujourd'hui suivre sa pensée à travers ces notes, ces maximes, ces réflexions qu'a conservées soigneusement Côme-Séraphin Cherrier et qui nous sont parvenues par le truchement des Monk devenus à leur tour seigneurs de l'île Bizard. Un jour, la famille a remis les papiers de l'ancêtre à l'État, après les avoir offerts à la Bibliothèque municipale de Montréal, à qui des édiles assez radins ont refusé les moyens de s'en porter acquéreur. Et c'est ainsi que, par des voies indirectes, l'État a pu mettre la main sur des documents dont ses argousins s'étaient emparés un siècle plus tôt. Ils revenaient sous son toit en échange d'espèces sonnantes et trébuchantes, il est vrai. Ironie du sort ? Non ! Marche inéluctable du temps et des événements.

Voici quelques exemples de ces travaux que Denis-Benjamin Viger affectionna :

1. D'abord, des pensées, maximes ou réflexions sur la liberté, la vérité, l'indépendance, la justice et l'art de gouverner. Si certaines paraissent un peu brumeuses, elles traduisent les préoccupations d'un homme pour qui comptent les

valeurs d'une société éprise d'idéal. Nous les donnons ici à titre d'exemples, car il y en a un grand nombre d'autres :

Il ne saurait jamais être dangereux d'inspirer aux hommes l'amour d'un art utile ou d'une vertu[16] quelconque, et l'on est sûr, en les groupant dans les voies de l'industrie et de la morale, de les mettre sur le vrai chemin de la liberté.

L'homme, par la nature même des choses, ne peut avoir de liberté, dans l'espace où il lui a été permis d'exercer ses forces, qu'en raison de son industrie, de son instruction, des bonnes habitudes qu'il a prises à l'égard de lui-même et envers ses semblables. Il ne peut être libre de faire que ce qu'il sait ; et il ne peut faire avec sûreté que ce qui ne blesse ni lui ni les autres. Sa liberté dépend tout à la fois du développement de ses facultés et de leur développement dans une direction convenable.

Les hommes ne sont donc esclaves que parce qu'ils n'ont pas développé leurs facultés et appris à en régler l'usage. Ils ne sont libres que parce qu'ils les ont développées et réglées. Il est vrai de dire, à la lettre, qu'ils ne souffrent jamais d'autre oppression que celle de leur ignorance et de leurs mauvaises mœurs ; comme il est vrai de dire qu'ils n'ont jamais de liberté que celle que comportent l'étendue de leur instruction et la bonté de leurs habitudes. Plus ils sont incultes

---

16. Nous le signalons à nouveau, dans l'œuvre de Denis-Benjamin Viger, on trouve fréquemment l'éloge de la vertu. Est-ce l'influence de Montesquieu, de la révolution en France et de ceux qui l'ont faite ? Ou des relents de l'histoire ancienne qu'évoquent ses lectures de collégien et d'homme mûr ? Les mots *vertueux* et *vertu* reviennent fréquemment dans ses écrits. Ainsi en 1809, voici ce qu'il écrit dans ses *Considérations, etc.,* (page 34) :

> À Dieu ne plaise que mes réflections pussent être supposé avoir trait à des individus dont j'honore les vertus publiques et privées ! J'aime à reconnaître le mérite partout où je le rencontre. Je me fais gloire de donner à la vertu le tribut d'éloges qui lui est dû chez tous ceux qui la pratiquent, de quelque nation, de quelque secte qu'ils soient. Je parle d'une nation comme corps politique. Je me dois à la vérité, je la dois elle-même à la Grande-Bretagne, à mon pays : je me croirais coupable, et manquer à un devoir sacré, quelque dure qu'elle puisse être de la taire ou de la discimuler.

Viger écrit à propos de ces Canadiens que, de Londres, des cartographes insouciants ou mal renseignés ont compris d'un trait de plume dans les états voisins. Les nouveaux sujets américains sont-ils assez attachés au gouvernement qu'ils ont appris à connaître pour s'armer en sa faveur en cas de guerre, contre leurs compatriotes de l'autre côté de la frontière ? « Je les crois amis du gouvernement, écrit Viger, mais pour le soutenir et le défendre, il leur faudrait égorger leurs frères. » Il n'évite pas une certaine grandiloquence qui est bien d'une époque où l'on succombe facilement à l'excès verbal.

et moins ils peuvent agir ; plus ils sont cultivés et plus ils
sont libres ; la vraie mesure dans la liberté, c'est la civilisation.

Partout où des hommes en veulent opprimer d'autres, il y a
violence, désordre et cause de désordres, partout où nul n'af-
fecte de prétentions dominatrices, partout où il y a liberté,
il y a repos et gage de repos, il ne faut qu'ouvrir les yeux
pour s'en convaincre...

Il y a sûreté là où aucun homme ne songe à faire violence à
aucun autre ; il y a propriété là où aucun homme n'en empêche aucun autre de disposer comme il lui plaît, en tout ce
qui ne nuit pas à autrui, de sa personne, de ses facultés et là
où tout le monde possède le même degré de vertu, de capa-
cité, de fortune, d'importance, car une telle égalité ne peut
exister nulle part, mais là où nul ne possède que l'importance qui lui est propre, là où chacun peut acquérir toute celle
qu'il est légitimement capable d'avoir. L'égalité, la propriété, la sûreté résultent donc, sinon de toutes les causes qui
concourent à la production de la liberté, du moins de l'une
de celles qui contribuent le plus à la produire, c'est-à-dire de
l'absence de toute injustice, prétention, de toute entreprise
violente...

2. Dans ses papiers, il y a aussi une longue lettre qu'il
adresse à un Anglais du nom de J. Lee[17], conservateur de la
bibliothèque de Hartwell en Angleterre. Il y traite de l'absence de lois sociales dans la Colonie. Comme beaucoup de
radicaux à l'époque, Lee s'intéresse aux questions ouvrières.
Selon Philéas Gagnon, il pose à Denis-Benjamin Viger les
questions suivantes :

a)   Avez-vous, dans le Bas-Canada, des lois pour obliger les
citoyens à venir au secours des pauvres comme en Angleterre ?

b)   Quels sont les moyens auxquels on a recours pour subvenir aux besoins de ceux qui se trouvent hors d'état de

---

17. C'est ce même M. Lee qui permettra à F.-X. Garneau de recopier le texte
du journal qu'a tenu un habitant de Québec, pendant le siège de la ville en 1759.
C'est ce journal que Viger rapportera d'Angleterre et qu'on fera paraître à Québec
en 1836, chez Fréchette. Note d'André Lefort, *ibid.*, p. 256.

soutenir leur famille ou de se soutenir eux-mêmes par leur travail ?

c) La mendicité est-elle commune et quelques-unes des lois canadiennes ont-elles pour but de la réprimer ? Quels effets ces lois auraient-elles eus ?

Dans un texte élaboré, Viger répond qu'il n'existe rien de tel dans la Colonie et il le déplore. Philéas Gagnon[18] cite une seconde lettre, adressée à M. Alexandre Vattemare. Viger félicite celui-ci de l'idée qu'on lui prête d'organiser des échanges de livres et des expositions d'art entre milieux et pays différents. Quand Viger écrit cette lettre, il vient tout juste de sortir de prison. L'une et l'autre nous paraissent dignes d'être mentionnées ici parce qu'elles indiquent chez Viger des préoccupations qui dépassent le milieu et l'époque, nous semble-t-il. Ne montrent-elles pas une ouverture d'esprit assez remarquable, à un moment où Viger a bien d'autres chats à fouetter. De sa main, il écrit ces longues épîtres. C'est que Viger est à la fois un homme politique et un intellectuel qui accorde de l'importance aux choses de l'esprit, autant qu'aux questions sociales.

Rapports et discours de Denis-Benjamin Viger

Les rapports de Denis-Benjamin Viger à l'Assemblée législative sont longs, très longs, un peu filandreux, consciencieux certes, comme tout ce qu'il fait. Il est impossible de les mentionner tous. Il suffira d'en analyser deux ici pour montrer sa manière et quelques aspects de sa pensée. Ils sont adressés au président de la Chambre, Louis-Joseph Papineau. Le premier traite de ce que la délégation a fait et obtenu à Londres en 1828 et, le second[19], du voyage de Viger, en 1831, non à titre de délégué de ce Conseil législatif dont il fait partie, mais comme porte-parole de la Chambre basse.

---

18. Dans *Essai de bibliographie canadienne*, 1895, vol. I, p. 652 (Collection Gagnon).

19. Archives nationales du Québec, à Québec.

Dans un premier rapport, Denis-Benjamin Viger explique les situations et les arguments que les trois délégués ont exposés à Londres et les résultats qu'ils ont eus, avec le renvoi de lord Dalhousie. Dans un second, envoyé au Président de l'Assemblée législative en 1833, il parle de ses démarches auprès des autorités de Londres pour réfuter les arguments du procureur général, James Stuart. Sous le titre d'*Observations, etc.*, il ajoute les commentaires qu'il a présentés au ministre des Colonies, lord Goderich, au sujet des principaux problèmes qui se présentent au Bas-Canada. En voici un résumé où Viger montre les carences et les abus. Elle nous éclaire sur ce qui ne va pas dans le lointain établissement britannique.

Et d'abord, l'état de l'instruction. « On ne voit pas que l'Administration locale se soit pendant plus de quarante ans occupée de l'Éducation du pays, note-t-il, si ce n'est pour former des projets plus ou moins dans un intérêt, ou étranger, ou opposé à celui des établissements du pays. Ils étaient sans résultat. » Il rappelle la création de l'Institution Royale, qui aurait pu donner des fruits si les Canadiens n'avaient pas clairement senti qu'elle était dirigée contre ce qu'ils avaient de plus sacré. Au niveau de l'enseignement secondaire, des collèges fondés par le clergé ont suppléé à la carence du gouvernement, ajoute-t-il, mais au niveau primaire, la situation restait lamentable à cause du manque de ressources et de maîtres, à cause aussi de l'éloignement et de l'isolement de la population. On aurait pu aider à répandre l'instruction si on n'avait pas confisqué les biens des Jésuites, destinés à aider l'enseignement. De plus, on a créé un état d'esprit lamentable en menaçant l'existence même des donations faites sous le régime français à certaines communautés comme les Sulpiciens.

La distribution des terres est un autre problème grave vers 1831. Le régime français a laissé des terres immenses inexploitées, dont la population locale pourrait bénéficier. Or, à certaines seigneuries comme celles des Jésuites, le peuple n'a pas accès. À Trois-Rivières, le bail accordé aux Forges du Saint-Maurice empêche la population de pénétrer à l'intérieur, comme aussi dans la région du Saguenay où l'on a affermé le commerce des pelleteries et, avec lui, le droit pour la population de s'y installer. Or, on en bloque les avenues sous le prétexte de ne pas nuire à la chasse et à la traite. Dans le reste de la province pour l'octroi des terres, on a nommé des gens qui sont très loin des Canadiens. Ils comprennent mal leurs désirs et leurs besoins et ils attribuent les lots avec une évidente partialité. Là encore on voit l'opposition de deux groupes que séparent langue, religion et origine. Les indigènes demandent des terres que trop souvent on ne leur accorde qu'après un très long délai et toutes sortes de difficultés.

Pour défricher, le colon brûle les arbres sur place ou les offre aux marchands de Québec, de Montréal ou d'ailleurs. Or, ces derniers se heurtent à une politique nouvelle du gouvernement britannique qui, après avoir accordé un traitement de faveur à l'importation, a tendance à le supprimer au bénéfice d'une politique nouvelle de libre-échange extrêmement préjudiciable à la Colonie.

En terminant, Viger oppose Métropole et Chambre basse de la Colonie. Les décisions qui intéressent celle-ci sont trop souvent prises par le ministère des Colonies, sans tenir compte des besoins réels de la population. « Quels moyens, note Viger, les ministres peuvent-ils avoir de comprendre ces besoins à la distance où ils sont des lieux ? Comment peuvent-ils juger la situation réelle et trancher équitablement entre le peuple, qui formule des réclamations, et le petit nombre de ceux qui s'opposent aux vœux exprimés par l'Assemblée qui les élisent ? » Viger met le doigt sur le problème le plus grave des relations entre la Colonie et l'Administration. Ce sera le point de départ des troubles qui se préparent.

*

Dans un livre qu'il a consacré à son voyage en Europe de 1831 à 1833[20], François-Xavier Garneau raconte com-

20. « Voyage en Angleterre et en France, dans les années 1831-32-33 ». Ce récit a été publié dans Le Journal de Québec de 1854 à 1855. Nous nous référons ici

ment M. Viger et lui ont travaillé pour venir à bout de la tâche confiée à Denis-Benjamin Viger par l'Assemblée législative :

> Il fallut d'abord parcourir le défense de M. Stuart, qui formait un volume in folio imprimé de l'épaisseur du doigt, et que M. Viger résolut de réfuter ligne par ligne, afin de ne rien laisser sans réplique. J'étais chargé de faire deux copies de cette réfutation, l'une pour le ministre des Colonies et l'autre pour la Canada. Je suivais M. Viger dans sa rédaction. Au bout de quelque temps, le ministre en demanda la traduction qui fut confiée à un jeune avocat de Londres, M. Rose, qui fut imprimé comme le reste. L'œuvre de réfutation qui devait, par ses détails, prendre nécessairement beaucoup de temps, M. Viger s'interrompait à chaque malle américaine pour écrire à M. Papineau et quelquefois à M. Neilson et à d'autres amis, ce qui se passait dans la métropole, au sujet de notre mission et de notre pays. Il adressait aussi de temps à autre des lettres ou des mémoires au ministre sur différentes questions de la politique coloniale, et obtenait souvent des entrevues avec lui ou avec son assistant, dans lesquelles il apprenait sans doute au gouvernement bien des choses qu'il n'aurait jamais sues, mais qui étaient plus propres, je présume, à importuner sa conscience qu'à la tranquilliser, s'il voulait faire disparaître sourdement notre nationalité comme l'Acte d'Union, et toute sa conduite avant et depuis ne le prouvent que trop. Bientôt, M. Viger reçut un appui indirect dans l'arrivée de l'agent du Haut-Canada, M. McKenzie, qui se mit à attaquer de son côté avec une vigueur toute nouvelle, le système suranné qu'on persistait à vouloir maintenir dans les colonies.

> C'est ainsi que nous fûmes occupés jusqu'à mon départ pour revenir en Canada. Nous travaillions du matin au soir sans relâche : après la réfutation de la défense de M. Stuart dans un premier mémoire, il fallut répliquer à une seconde défense de l'accusé tout surpris de l'attention prêtée par le gouvernement aux remontrances de la province.

> Dans ce travail que je faisais presque tête à tête avec lui, j'appris bientôt à connaître M. Viger, qui ne cessa point d'ê-

---

aux extraits parus dans le premier volume du recueil intitulé *La Littérature Canadienne*, paru en 1863.

SA PENSÉE À TRAVERS SES ÉCRITS

tre pour moi plein d'égard et de politesse pendant tout le temps que je restai à Londres, c'est-à-dire jusqu'en 1833.

Une lettre de Denis-Benjamin Viger à son cousin Jacques complète l'atmosphère et confirme le témoignage de son secrétaire, F.-X. Garneau. En voici un extrait[21] :

J'aurais bien des excuses à te demander ainsi qu'à Mad. Viger, de ne pas vous avoir écrit plus tôt. Mais d'un côté, tu peux juger combien j'ai été occupé, depuis mon arrivée à Londres ; en second lieu, pressé comme je l'étais, j'attendois à le faire l'occasion pour laquelle j'aurois fait parvenir la boîte elle-même.

Au reste, tu as dû voir par mes observations sur les mémoires de M. Stuart, en réponse aux accusations contenues dans le second rapport du comité des griefs de l'année dernière, que tu fis au roi d'une manière assez marquante dans tes réponses pour m'obliger à m'occuper de ce qui se rapportoit à toi. Tu as que voir aussi par cet échantillon à quel travail j'ai dû me trouver forcé, pour traiter tant de sujets divers, aussi compliqués, souvent de mémoire n'ayant point les documens dont j'aurais eu besoin.

Puis, à la suite de ce premier travail, il m'a fallu en recommencer un autre bien plus considérable, sur la lettre que M. Stuart a écrite au secrétaire d'État en réponse au premier et au troisième rapport du même comité, et ce second travail n'est pas encore terminé. Ainsi, tu vois que je ne suis pas sans excuses.

Si nous citons ces textes qui semblent nous éloigner de notre propos, c'est qu'ils jettent un certain jour sur les travaux d'ordres bien divers, auxquels se livre notre personnage. Ici il est l'inquisiteur consciencieux chargé de démontrer les abus d'autorité que commet un haut fonctionnaire. Derrière son argumentation, il y a le désir de justice et d'équité qu'il voudrait trouver chez les représentants du Pouvoir.

---

21. Lettre du 29 mars 1832, extrait de la *Saberdache bleue*, vol. IX. Aux Archives du Séminaire de Québec.

D'autres écrits, d'autres idées

Dans sa vieillesse, Viger est hanté par l'idée que l'histoire constitutionnelle du Canada doit être écrite. Au début du siècle, certains ont abordé l'histoire militaire et l'histoire politique, oh ! bien modestement. En réaction contre lord Durham, qui a parlé d'un « peuple sans histoire », François-Xavier Garneau s'est mis au travail. Il avance rapidement dans son grand ouvrage qu'il fera paraître en 1848, mais il faudra le reprendre ou du moins lui ajouter bien des détails et refaire certains passages dont se chargeront son fils et son petit-fils durant les années qui suivront. D'autres, comme L.-P. Turcotte ou Antoine Gérin-Lajoie se penchent sur la période allant de 1840 à 1850 ; mais tout cela ne verra pas le jour avant assez longtemps. Viger souhaiterait que paraissent des études assez poussées pour qu'on puisse comprendre l'extraordinaire évolution à laquelle il a assisté au cours de sa vie. Il ne peut s'y livrer lui-même, mais l'idée le hante. Chaque dimanche, il reçoit à déjeuner ce charmant adolescent qu'est Hector Fabre, le fils de son ami Édouard-Raymond Fabre. Celui-ci l'écoute respectueusement d'abord, puis il décide qu'il en a assez d'entendre parler des mêmes choses. Un jour, il prend l'initiative et il dit à son hôte, avant que celui-ci ait eu la chance d'ouvrir la bouche : « Monsieur, une chose me frappe, personne n'a encore écrit l'histoire constitutionnelle du Canada. » Ravi, son hôte en parle à son vieil ami, tout en le complimentant sur l'éveil de l'esprit qu'il constate chez son fils Hector. Mais le père a compris et ne force plus son fils d'accepter l'invitation hebdomadaire de M. Viger.

À côté de l'esprit irrespectueux d'Hector Fabre, l'anecdote souligne, croyons-nous, la préoccupation qu'avait son hôte, à propos d'une histoire dont il déplorait l'insuffisance. Vieux, sa mémoire n'était plus aussi fidèle. S'il se répétait, il gardait bien précis dans son esprit ce désir de voir son vœu se réaliser.

L'ouvrage de François-Xavier Garneau fut une première étape de l'histoire du Canada. Longtemps après, on élèvera un monument à son auteur sur cette colline parlementaire où, après 1867, le parlement s'était logé. On montrera ainsi l'importance que prenait dans l'esprit de ses contemporains ce chercheur qui, au lieu de se contenter de réunir des documents et des faits, comme Jacques Viger, les interprétait. Mais Denis-Benjamin Viger n'était plus là pour connaître les éditions successives d'un ouvrage qu'il avait vu à ses débuts.

De son côté, Viger a voulu écrire un dictionnaire du droit canadien. C'est ainsi qu'on trouve, dans ses archives, des notes destinées à servir de base à un grand ouvrage qu'il ne peut mener bien loin, pris par bien d'autres choses et par l'âge qui, petit à petit, diminue son activité intellectuelle.

*

À Londres, Denis-Benjamin Viger a écrit de nombreuses lettres à lord Goderich et à lord Stanley. Dans l'une d'elles, il attire l'attention du ministre sur les pénibles événements de 1832 (27 septembre 1833). Dans l'autre, il résume la situation qui existe dans la Colonie et les abus constants auxquels se livrent certains fonctionnaires (14 octobre 1833). Dans une autre, il exprime des vues intéressantes sur la responsabilité du gouverneur pour les actes de ses subordonnés (2 septembre 1833). Dans une autre, enfin, il proteste contre le choix des jurés. La lettre du 2 septembre 1833 est particulièrement intéressante. Elle indique chez son auteur une connaissance profonde du régime britannique et de son fonctionnement. Pour qu'on en juge, voici la comparaison qu'il établit entre le souverain et le gouverneur général de la Colonie :

> It must also in the second place be observed, that in England the King's person alone is inviolable. He is not responsible for the faults or errors of this servents. When they are of a nature to produce such complaints, he is not precipitated from the throne, in the expectation that they will be hushed, at the same time retaining in office those, who by the advice which he was bound to follow, have let him astray. Even admitting that such means were adopted to re-

store harmony, his successor would not doubtless be compell-
ed to be surrounded by the same men, to submit to the
same advice, to persue the same cause of conduct, and
finally to abide the same lot, leading them still to retain the
chair of office. And that is what really exists in Canada. He
who holds the range of government is responsible for his
errors, and so it should be ; but he is in front of fact the only one. Those who lead him astray are invested with that
degree of invariability which is only attached to the King's
person. With few exceptions, and so there are to confirm
that species of role they have always up to this moment,
been able to retain their places and situations with impu-
nity, while he has lost his. One may ask at the same time
that it is possible, that that province or any other, can be
placed in that anomalous situation ? This is the question
which it is proper in the first instance to elucidate, because
its solution would afford that of all the difficulties which
daily present themselves in discussions of this nature in relation to some of the colonies. I have therefore considered
that considerations supported by facts, calculated to produce a
conviction that such is in fact the state of things in
the province, in that respect, would be productive
of a salutary effect. Who acquainted His Majesty's government with the true source of the abuses, which provoke
complaints in question, is pointing out at once the means of
rendering to the inhabitants of those colonies, and to the
Canadians in particular, that justice which they expect at its
hands, and which it has already manifested so great a desire
of doing ; in short, of conforming to the honest whishes of a
people whose hopes, it can neither be the interest of intention of His Majesty's government to frustrate[22].

Coïncidence assez curieuse, lady Aylmer, femme du
gouverneur général en poste au Canada à ce moment-là,
écrit dans le même sens à une de ses amies anglaises. Ses
lettres ont été publiées sous le titre de *Recollections of Ca-*

---

22. Lettre adressée à « The Right Honorable E. J. Stanley, His Majesty's principal secretary of State for the Colonies, etc. etc. etc. » Elle est datée de London
Coffee House, Ludgate Hill, 2nd September, 1833. La lettre est en anglais. Elle a
probablement été écrite en français d'abord, comme le faisait toujours Denis-Benjamin Viger, quitte à faire traduire le texte. Source : Archives nationales de Québec, Documents Viger-Papineau, Session, numéro 1843.

nada, abondamment illustrées avec des dessins et des aquarelles d'un des amis du couple, le colonel Cockburn. Certaines traitent de la situation politique. C'est ainsi qu'à un moment donné, elle parle du gouverneur général au Bas-Canada. C'est lui, note-t-elle, qui est responsable envers la Couronne, et c'est lui qui porte la responsabilité si les choses vont mal et si quelqu'un est à blâmer. Le roi choisit ses collaborateurs, ajoute-t-elle. Or, *the King can do no wrong*. Aussi, ne peut-on lui reprocher quoi que ce soit. Si des erreurs sont commises, ses collaborateurs en ont la responsabilité : « The responsibility is thrown on his Councillors whereas here the case is reversed . . . », écrit-elle à son amie Sophy, le Vendredi Saint 1831.

L'idée est la même : au Canada, le premier visé par les critiques, c'est le représentant du roi. Viger le sait parce que, trois ans plus tôt, il a obtenu le rappel de lord Dalhousie, quand il est venu à Londres avec ses collègues Neilson et Cuvillier. Lady Aylmer l'affirme, après avoir entendu son mari se plaindre d'une situation difficile. Dans son poste de gouverneur, il se sent guetté de toutes parts et il doit se méfier de ces conseillers dont les avis sont trop nettement orientés dans le sens de leur intérêt et de leur groupe. Comme il se sent isolé, surveillé, il est malheureux, lui qui a fait une carrière militaire contre les armées françaises. Général, il était obéi. Gouverneur général, il peut toujours commander, ordonner ou suggérer, mais on ne suit pas nécessairement ses directives. De son côté, il n'est pas prêt à entériner des décisions prises sans son accord. Ainsi, rappelons-le, il a refusé la nomination de Denis-Benjamin Viger comme agent de l'Assemblée législative à Londres ; il n'a pas approuvé celle d'Étienne Parent comme greffier, en s'appuyant sur l'opinion majoritaire du Conseil législatif. Or, cela n'a pas changé grand-chose : Viger, à Londres, a été reçu officieusement, sinon officiellement malgré son refus de l'y recommander auprès du Colonial Office. Dans l'armée, il y aurait eu là un acte d'insubordination. Ici, dans le Bas-Canada, il y a tout simplement une situation de fait que le gouverneur ne parvient même pas à contrecarrer. Sa femme a donc quelque raison d'écrire à son amie Sophy :

You cannot conceive how difficult a position of Governor here is placed in the two houses. The legislative and the House of Assembly, always in opposition to each other, and consequently thwarting every measure originating with government so that the Governor has no assistance from those, who are looked upon as his Councillors[23].

*

Après avoir quitté, en 1846, son poste de président du Conseil exécutif dans les circonstances que nous avons exposées, Viger ne reste pas inactif. Il écrit des articles qui paraissent un peu partout. Dans le dossier Papineau, aux Archives nationales de Québec, on en a réuni une trentaine. Viger y traite tous les sujets d'actualité auxquels il continue de s'intéresser. Ainsi dans l'un d'eux, il parle longuement de cette question des biens des Jésuites qu'il avait portée à la connaissance du ministre Goderich en 1831. Au pouvoir, il s'était opposé à une loi présentée à la Chambre, mais qui ne lui plaisait pas parce qu'à son avis, elle ne tenait pas compte d'une loi de 1832 à l'effet que les revenus des biens des Jésuites devaient être appliqués à l'instruction dans le Bas-Canada et non uniquement aux catholiques. En Chambre, il s'est justifié. Longuement, L'Aurore des Canadas, dirigé par son ami J.-G. Barthe, défend son attitude. Mais comme on l'injurie chez ses ex-amis ! On écrit, par exemple : « M. Denis Viger est devenu un bon vieillard à la voix débile dont on ne peut presque jamais saisir un seul argument...[24] »

*

Faut-il citer d'autres textes pour montrer l'orientation de Denis-Benjamin Viger. Nous ne le croyons pas. Ceux que nous avons mentionnés dans ce chapitre nous paraissent suffisants pour résumer les principaux thèmes de sa pensée.

---

23. R.A.Q., 1935, p. 284.
24. L'Aurore des Canadas rapporte le fait et proteste dans le numéro du 31 mars 1846.

Cherchons un autre aspect, mineur il est vrai, mais assez caractéristique de son état d'esprit, avec ses épigrammes, ses fables et ses chansons. Car si Viger était un avocat et un homme politique, il avait parfois un besoin d'évasion que nous avons voulu noter ici sans lui accorder, il est vrai, trop d'importance. Il faut bien admettre que si Viger a été un homme politique remarquable, il n'aurait été qu'un poète et un fabuliste mineurs, sinon bien médiocres, s'il s'était pris au sérieux.

*

Épigrammes, fables et chansons

Au cours de sa carrière, Denis-Benjamin Viger a des ennuis, ce qui est normal. Il veut les oublier et, pour cela, il écrit. Oh ! pas toujours des choses sévères. Il se rappelle certains moments pénibles où il a imaginé une fable, *Le Lion, l'Ours et le Renard*, dans laquelle il a exprimé le fond de sa pensée sur certains de ses compatriotes. Ainsi, il se défoulait, comme on dira quand on aura imaginé d'analyser les sentiments les plus intimes, sur l'invitation de Freud.

On a de lui quelques épigrammes, dont certaines remontent à 1823. Voici ce qu'il écrit sous le titre d'*Une Leçon*, en 1843, en pleine bataille politique[25] :

Guillot, armé d'un gros tronc de sarment,
Émoustillait sa femme un jour de fête ;
On court au bruit. — Eh ! voisin, doucement,
Tu vas lui rompre ou les reins ou la tête !
— Depuis vingt ans, ami, je lui répète
De l'alphabet deux lettres seulement,
Mais point ne veut en meubler sa mémoire.
— Parbleu ! compère, il est donc décidé
Que ces lettres sont du grimoire ?
— Eh ! non, morgué, ces lettres sont C. D.

On voudrait être certain de comprendre. Ce n'est pas à sa femme qu'il songe, car elle n'a rien d'une virago. Elle est

_____

25. Au moment où on l'assaille de partout.

confite en dévotions et bonnes œuvres, comme on le sait. Ne serait-ce pas plutôt à ces amis politiques qu'il conseille de céder sur certains points, mais qui ne veulent pas l'écouter. Déjà il a cherché des collaborations qui, un temps, le maintiendront au pouvoir, mais qui déclencheront contre lui des haines, comme celle que nourrissaient des irrédentistes tels La Fontaine, François-Xavier Garneau, Napoléon Aubin et plusieurs de ses amis d'autrefois. « Céder, essaiera-t-il de leur dire, pour mieux obtenir ce que vous désirez. Il y a, de l'autre côté de la barrière, des gens de bonne volonté avec qui il est possible de travailler.» À dix ans d'intervalle, il rejoint Étienne Parent qui, vers 1834, souhaitait un rapprochement avec les maîtres de la Colonie et, en particulier, avec le gouverneur, lord Gosford, tant il craignait une lutte ouverte contre un pouvoir trop puissant.

Avec Draper, en 1843, Viger a formé un cabinet où seul parmi ses amis, Denis-Benjamin Papineau est entré[26]. Les autres clameront leur désappointement et même leur haine envers cet homme qui si longtemps a été avec eux et qui, tout à coup, leur dit : « Cédez pour mieux obtenir ces mesures pour lesquelles nous nous sommes tous battus.»

Si l'on veut comprendre l'état d'esprit de l'époque, dans certains milieux, on peut lire la prose rimée de J.-G. Barthe, que Viger a fait entrer à *L'Aurore des Canadas* et qui, dans ses moments de loisir, lui aussi taquine la Muse, assez maladroitement, il est vrai. Barthe termine ainsi une de ses satires intitulée *Le Poisson d'Avril* :

> Torys qui tourmentez vos frères canadiens,
> Qui pillez leurs trésors et ravissez leurs biens,
> Qui maudissez Bagot qui trop vous donne
> De fiel,
> Enfants gâtés un jour par votre bonne
> De miel,

---

26. Dans *Le Fantasque*, Napoléon Aubin en fera des gorges chaudes. « Dieu a créé le monde en six jours, écrira-t-il. En neuf mois, Denis-Benjamin Viger n'a pu former son cabinet.» La Fontaine, en particulier, a fait une très vive opposition à Viger. Et comme il tient ses partisans bien en main, Viger se heurte à un mur.

Vous reniez ministres responsables :
Ogden, cet aimable alguazil,
Ce roi Pétaud déchu de tant misérables,
Vous reste pour poisson d'avril !

Errant vagabond, politique Caïn
Qui grossit ses trésors du sang de l'orphelin,
À lord Stanley tant qu'il peut il inspire
Du fiel.
Ah ! s'il pouvait trouver dans son martyre
Du miel,
Replacer au pouvoir la canaille déchue
Et trouver en dédale encore un bout de fil...
Mais, voyez, il viendra de l'officielle rue[27]
En vrai poisson d'avril !

Barthe est tout au plus un rimailleur, comme le sont la plupart des écrivains de l'époque. Nous pensons, cependant, qu'il résume l'état d'esprit de l'opposition et de ses amis de toujours qui se séparent brutalement de Viger.

À l'époque, le « poisson d'avril »[28] était déjà l'objet de rires, de jeux plus ou moins pendables ou drôles. Cette fois, il est dirigé contre Viger et les gens qui sont tentés de le suivre. Barthe ne se gêne pas pour qualifier l'un d'eux de « politique Caïn ». Or, c'est de son côté que Viger invite ses amis à se ranger. Opportunisme politique, a-t-on dit ; désir de jouer enfin un rôle de chef, affirmeront d'autres. Ne serait-ce pas plutôt modération et prudence chez un homme qui a payé de près de dix-neuf mois de prison sa participation aux idées de 1837. S'il n'a pas été pris les armes à la main, il a écrit dans des journaux dits subversifs qu'il a, paraît-il, aidé à faire paraître. Et c'est pour cela qu'on l'aurait incarcéré en lui refusant les moyens d'écrire qu'il demandait. Parce qu'on craignait sa dialectique et son influence, on l'a gardé derrière les murs d'une prison dont — vieillard de soixante-quatre ans — il se refusait à s'échapper. Alors que dans un grand tapage à Québec, vers le même temps,

---

27. Downing Street.
28. *April fool,* en anglais ; ce qui exprime mieux l'attrape que ce jour-là on pose à tout venant.

s'organisait la fuite d'autres rebelles que Napoléon Aubin a racontée de façon amusante, tant qu'il n'est pas allé les remplacer derrière les barreaux. Pendant ce temps, à Viger on refusait même le droit de faire de la musique ou de se promener derrière les murs de sa geôle à Montréal[29]. C'était lui qui, quelques années après, en 1843, recommandait à ses amis de céder et de collaborer pour mieux obtenir, avec le temps, ce que tous désiraient tout de suite.

Chose curieuse si, dans ses discours, Denis-Benjamin Viger est souvent verbeux, ennuyeux, monotone comme la pluie qui tombe sur un toit de métal, dans ses épigrammes il est léger, amusant, dans la tradition du siècle précédent, très loin du romantisme qui commence à pénétrer dans le milieu. Viger trouve le moyen de plaisanter, lui qui est avant tout un homme sévère. Or, c'est dans la femme qu'il en cherche l'occasion : « Ouida, ils ne sont pas à vous », fait-il s'écrier la femme infidèle[30] qui refuse à son mari le droit de corriger ses rejetons parce que, justement, ils sont d'un autre. Il ne songe pas à sa femme sûrement quand il écrit son épigramme. Mais, au fait, qu'était sa femme à cette époque, c'est-à-dire vers 1843 ? Une peinture du Château Ramezay nous permet de l'imaginer. Un peu boulotte, la tête entourée d'un bonnet de dentelle très serré autour du crâne, femme d'œuvre, bénévole ou « béné-folle », comme on dira irrespectueusement au siècle suivant des femmes qui se dévouent à des œuvres sans en tirer autre chose que le désir d'être utiles, de donner dans l'esprit du Christ. On nous la présente sévère comme le veulent les peintres de l'époque, mais les yeux vifs.

Viger n'a sûrement pas fait paraître, dans un journal où il a ses entrées, ces strophes qui eussent montré chez sa femme une ténacité frisant l'entêtement. Ce poème, ou plutôt cette épigramme, Ludger Duvernay l'a remise à James Huston pour le recueil qu'il se propose de faire paraître

---

29. *Mémoires relatifs à l'emprisonnement de l'honorable D.B. Viger*, Paru chez F. Cinq-Mars en 1840, p. 43.
30. C'est le thème de *L'Échappée*, autre épigramme que nous avons déjà notée.

sous le titre de *Répertoire National,* titre un peu hypertrophié comme la grenouille du bon La Fontaine. Huston y accueillera tout ce qui lui tombe sous la main : du bon (peu de chose, il est vrai) et du mauvais. Pour nous, gens curieux et sans pitié venus au siècle suivant, il ne peut s'agir de tout admirer, même si nous trouvons, dans ce *Recueil de littérature canadienne,* les préoccupations et la pensée des gens du XIXᵉ siècle. Celle-ci n'a pas toujours l'originalité, la forme et la légèreté d'expression que nous souhaiterions. Mais patience, nous serons jugés nous-mêmes et sans indulgence, si ce n'est pas déjà fait. Pour l'instant, nous risquons une opinion à propos d'*Une Leçon* — œuvre mineure. Encore une fois, nous lui attribuons une intention imprécise, mais symbolique. Cédez ne s'adresse pas à la femme de Viger, mais à ces gens qui s'opposent au destin politique de celui-ci au milieu d'un grand tapage.

*

À nouveau, nous succombons au plaisir de sortir un peu de notre sujet. Que sont James Huston et Ludger Duvernay ? Nous l'avons dit déjà, mais sans beaucoup de détails. L'un est traducteur et amateur d'œuvres de l'esprit ; l'autre, journaliste, trublion politique, cabochard, patriote et généreux.

James Huston est un curieux bonhomme. Né au Bas-Canada, il s'intéresse à ces gens qu'il coudoie et à ces députés dont il traduit les discours à l'Assemblée. Ainsi, il a appris à les connaître. Il se rend compte que si beaucoup écrivent, leur prose ou leurs vers se perdent dans les journaux où leurs travaux paraissent, ou encore restent dans leurs dossiers. Il conçoit le projet d'un recueil des pièces qu'il juge les plus intéressantes. Et c'est ainsi qu'en 1893, il fait paraître chez le libraire J.-M. Valois à Montréal, en quatre volumes, ces textes qu'il a réunis. Nous ne possédons que la deuxième édition de son *Répertoire National,* précédé d'une préface du juge Adolphe Routhier. Le titre fait sourire, mais il présente un recueil d'œuvres ou d'œuvrettes qui, sans son compilateur, seraient tombées dans l'oubli[31]. Heureux événement, penseront certains esprits chagrins. Mais non ! Chaque époque a ses faiblesses. Il faut les connaître pour en parler et tenter de comprendre.

Huston a été de l'Institut Canadien, comme Denis-Benjamin Viger. Il est un peu l'image des qualités et des insuffisances du milieu. D'où viennent les textes qu'il a réunis ? D'un peu partout mais, en particulier, de *La Minerve*, de l'Institut Canadien et de son ami Ludger Duvernay. Celui-ci, écrit Huston, était un esprit curieux, grand collectionneur de documents à une époque où on ne leur accordait aucune importance. Heureusement, à ce moment-là, il y avait aussi Louis-Georges Baby[32] et Jacques Viger qui raflaient tout ce qui leur tombait sous la main. Nous devons, écrit James Huston, à M. Ludger Duvernay, éditeur « de précieuses collections de poésies canadiennes, dont plusieurs sont inédites et au milieu desquelles se trouvent les vers de feu Mgr Lartigue que nous plaçons au hasard sous la date de 1828 parce que nous ignorons à quelle époque ils furent composés. On devra à M. Duvernay la conservation de plusieurs pièces intéressantes et qui, sans son amour de la littérature nationale, auraient été perdues jusque-là ».

Et maintenant Duvernay, autre ami de Denis-Benjamin Viger, comme nous l'avons noté. Dire qu'il est avant tout journaliste, mais aussi trublion politique est vrai et faux. Essayons à distance d'expliquer son rôle dans un moment de troubles politiques. Ainsi, nous nous rapprocherons de Viger, dont nous semblons nous éloigner vraiment un peu trop.

Dans une gravure que nous avons sous les yeux, Duvernay a une figure intelligente[33]. On le présente avec des che-

31. James Huston a écrit lui-même. On lui doit une *Visite à un village français* (1847) et *De la position et des besoins de la jeunesse canadienne-française* (1847), comme le signale MacMillan dans *Canadian Biography* et le Père Le Jeune dans son *Dictionnaire général du Canada*.

32. Nous avons cité ailleurs ce mot de Robert de Roquebrune à qui son père disait, quand il apprenait la visite de son cousin Baby : « Mettons tout sous clef, etc », p. 252.

33. *Dictionnaire général du Canada*, Le Jeune, vol. I, p. 567.

veux longs étalés sur la nuque, des pattes de lapin sur les joues, le cou entouré d'un foulard noué à double tour et vêtu d'un vêtement sombre. Voilà comment le voit le peintre à qui, selon l'usage, Ludger Duvernay a confié le soin de fixer ses traits. Il est un personnage de l'époque, qui a compté bien des originaux et des gens courageux. Assez cabochard, il ne craint pas la prison qui l'accueille à deux reprises au cours de sa carrière. Il y est traité non comme un criminel, mais comme un journaliste à la dent dure, qui ne cache pas assez ses opinions personnelles dans une période troublée. En 1832, il est condamné pour diffamation — libelle, dit-on déjà — avec son ami Daniel Tracey du *Vindicator*. En 1836, il passe trente jours derrière les barreaux, à nouveau. Dans l'intervalle, en 1834 il avait fondé la Société Saint-Jean-Baptiste. En 1837, il avait été élu par acclamation dans le comté de Lachenaie. En novembre, il doit fermer boutique à *La Minerve* et fuir à Burlington car il est sur la liste des proscrits. Il faut dire qu'à *La Minerve*, dont il est le rédacteur, il ne ménage personne. À Burlington, il fonde une autre feuille *Le Patriote Canadien*. Et il imprime le texte que son ami Papineau lui envoie de Paris en protestation contre lord Durham et ses amis. Puis, comme ce dernier accorde une amnistie à certains rebelles, Duvernay revient à Montréal, renfloue *La Minerve* avec l'aide d'Édouard-Raymond Fabre et de Denis-Benjamin Viger qui, à sa sortie de prison, lui fournira les moyens de reprendre son métier et sa feuille.

C'est ce tenace, cet entêté qui fournit à Huston les textes oubliés de Viger[34]. Ce qui nous permet de retrouver notre personnage qui refait surface à sa sortie de prison.

*

Revenons aux épigrammes et aux fables de Viger puisqu'elles nous permettent de trouver en lui l'homme gai derrière le moraliste. À côté de Viger l'obstiné, il y a l'homme sérieux, mais aussi l'homme serein et de bonne humeur.

---

34. *Répertoire National*, vol. I, page 206. Chez J.M. Valois, 1893.

Deux textes nous permettent de le mieux comprendre. Les deux sont de 1823. Viger a alors quarante-neuf ans. Dans le premier qui prend la forme d'une épigramme, Viger écrit sous le titre *L'Enfant précoce* :

> On admirait, dans un cercle nombreux,
> D'un jeune enfant l'esprit fertile, heureux
> Et cultivé, lorsque dans sa présence
> Un pédant dit : « Dangereuse science !
> « Enfant si fin, qui trop tôt mûrit,
> « À dix-huit ans est dépourvu d'esprit,
> « Rien n'est plus vrai. » L'enfant dit à ce sage :
> « Que vous deviez être fin [35] à mon âge ! »

La même année, il intitule une de ses fables *Le Lion, l'Ours et le Renard.* Écoutons-le dire de sa voix ferme :

> Certain Renard, un jour qu'il était en voyage,
>   De soins rongé, tourmenté de la faim,
> Vit l'Ours et le Lion disputant pour un daim
>   Que Chacun voulait sans partage.
>   « Parbleu ! se dit aussitôt le matois,
>   « De la forêt laissons faire les rois ;
>   « En évitant leur mâchoire cruelle,
>   « Tirons parti de la querelle. »
>   Il n'était pas un franc Algérien,
> Mais, comme on voit, bon Calédonien.
> Pendant que sur le cas en lui-même il raisonne,
>   Deçà, delà, chaque lutteur,
>   De dent, de griffe avec fureur,
>   À l'autre de bons coups il donne,
> Tant qu'à la fin tous deux tombant de lassitude,
>   Maître Renard, sans plus d'inquiétude,
>   Peut sous leurs yeux cette aubaine enlever,
> Aux dépens des héros s'égayer et dîner.

> J'ai vu souvent dans ma patrie
> Mes trop légers concitoyens,
> Canadiens contre Canadiens

---

35. Déjà, il y avait là un canadianisme. *Fin* ne veut pas dire ici spirituel, délicat, perspicace, subtil, mais instruit, intelligent, vif. Le sens est très près de ce qu'on dit en France, mais différemment. *Fin* peut également vouloir dire gentil, aimable, au Canada français.

Ce qui est un peu gênant, c'est qu'on trouve la même idée chez Pic de la Mirandole.

Lutter avec même furie ;
Nouveaux venus nos pertes calculer,
S'en enrichir et de nous se moquer.

Que s'était-il passé pour que Viger, habitué aux traîtrises de la politique, se soit abandonné ainsi ? Oh ! Peu de choses dans la vie de ce doux entêté, qui ne détestait pas la bataille verbale ; peu de choses mais significatives. 1823 est une période tendue. Les relations ne se sont pas améliorées avec les anglophones du Bas-Canada. À Londres, ceux-ci sont en très bons termes avec Edward Ellice qui, seigneur de Beauharnois, est très écouté. Ils sont parvenus à convaincre les autorités métropolitaines qu'il faut le plus tôt possible transformer ces deux colonies d'Amérique et faire du Haut et du Bas-Canada un seul établissement. Il faut aussi profiter de l'occasion pour supprimer quelques prérogatives qu'on a accordées bien légèrement aux sujets francophones ou dont ils ont eux-mêmes créé le précédent, souverain en milieu britannique. Il y a aussi ces curés et cet évêque si indépendants malgré leur indigence. Pour les mettre au pas, il est question que les curés soient nommés par le gouvernement de Londres.

Pris par ses propres soucis, inquiet de leurs querelles et du flottement qu'il constate chez certains de ses amis, Viger écrit cette fable où, désolé, il rappelle ce qui se passe quand des adversaires peu lucides laissent le troisième larron tirer les marrons du feu. Il se moque, mais aussi il se désole.

Il est curieux de mettre en regard de ce découragement soudain de Viger cette opinion exprimée par sir Charles Metcalfe, à propos du parti canadien-français, comme il dit, qui oppose son unité aux autres partis : ce qui lui donne une grand force de résistance. Si la fable de Viger remonte à 1823, la remarque du gouverneur est de 1843, il est vrai.

*

Viger était gai à l'occasion, comme on l'a vu. Il aimait la société des gens. Aux moments les plus difficiles de sa carrière, souvent il amenait des amis passer le *week-end* dans sa maison de l'île Bizard, quand le tribunal eut accordé la seigneurie à sa femme après un long procès, dont il sera question ultérieurement.

Mais pourquoi détestait-il le roman ? S'il en eût lu quelques-uns, son style se fût sans doute allégé. Il eut laissé davantage à son naturel le soin de s'exprimer.

Écarter le roman à cette époque était, il est vrai, presque une vertu dans cette société aux larges vues politiques, mais à la mentalité assez étroite dès qu'elle jugeait de moralité ou de choses à faire ou à ne pas faire. *It isn't done*, disait-on à l'époque dans l'entourage de la reine Victoria, dans un monde pour qui les apparences comptaient avant tout. Or, cette influence des convenances, on la constatait dans la lointaine colonie du Saint-Laurent, aussi bien dans le milieu anglophone que francophone, rigide et conventionnel, même si dans le second on aimait rire, s'amuser, boire sec. Écoutons Viger à nouveau dans une chanson dont les deux premières strophes se lisent ainsi[36] :

> À table réunis,
> Lorsque le vin abonde,
> Quand on boit à la ronde,
> Quel plaisir d'être assis
> Auprès de ses amis !

> Chassons la noire tristesse,
> Faisons régner l'allégresse,
> La gaîté, l'amitié,
> Et la sincérité.

---

36. Par *Le Répertoire National,* on constate comme on écrivait beaucoup de chansons vers cette époque. Augustin-Norbert Morin, F.-X. Garneau, George-Étienne Cartier, M. Bibaud, Dominique Mondelet, Antoine Gérin-Lajoie, par exemple, chantaient leurs œuvres dans des banquets ou des réunions. Leur bonne humeur frappait les étrangers. Voici ce qu'écrivait Maurice Dudevant à sa venue à Québec en 1861. Il assiste à un dîner offert à la citadelle. C'est ainsi qu'il raconte la réception à sa mère :

> Je te ferai grâce des cérémonies et dîners de réceptions ; pourtant l'on peut dire que nulle part le monde officiel n'est moins ennuyeux qu'à Montréal et à Québec. On s'y sent transporté dans une ancienne manière d'être fort piquante, qui n'existe plus nulle part ailleurs, que je sache. Les officiers anglais semblent en avoir appris quelque chose. À un repas à cette Citadelle du Cap-Diamant, on a chanté au dessert, ni plus ni moins qu'à un souper du temps de Louis XV.

Encore une fois, il ne faut pas juger ces strophes pour leur qualité littéraire. En les écoutant, un esprit délicat eût pincé les lèvres, même s'il eût levé son verre, comme l'y aurait invité celui à qui un dîner était offert à l'occasion de son départ pour Londres, en 1828.

Dans ce goût de Viger pour l'épigramme, la chanson et la fable, il faut chercher un état d'esprit. C'est celui qui l'anime quand il met de côté ses préoccupations, ses factums ou les querelles politiques qui l'opposent tantôt à ses amis, tantôt aux gens de l'autre bord.

*

Par ces quelques exemples tirés de l'œuvre de Denis-Benjamin Viger, avons-nous pu donner une indication suffisante de sa pensée, de son orientation politique et de sa culture ? Nous l'espérons, même si nous n'en sommes pas sûrs. Et cependant, n'y a-t-il pas là résumées en quelques pages les idées directrices de l'homme attentif aux besoins de son milieu, aux désirs de ses compatriotes ? Au fond, ce que nous avons voulu, c'est montrer ce qui a orienté toute sa vie. Avec ses défauts et ses qualités, il nous a paru représenter une époque, une étape, un milieu orienté avant tout vers la chose politique, vers son évolution dans une obscure colonie d'Amérique. La société que Viger et bien d'autres ont influencée était surtout rurale et préoccupée des biens de la terre, dans l'immédiat. Pendant longtemps elle avait été attirée par les grands espaces, par les voyages dans un continent immense. Depuis le régime anglais, elle s'était repliée sur elle-même. Si certains avaient atteint un autre échelon au point de vue intellectuel, le plus grand nombre était resté accroché au sol jusqu'au moment où, attirée par le pays voisin et son industrie textile, une partie de sa population avait émigré, tandis que d'Europe venaient s'installer chez elle des gens encore plus malheureux. Denis-Benjamin Viger ne s'est pas surtout préoccupé du sort économique de ses gens, car l'économie ne l'intéressait guère. Attiré par la politique, il s'y est jeté corps et âme, sans hésitation. Il a voyagé, lu, réfléchi et, par son argumentation et ses écrits, il a fait avancer l'évolution politique de la Colonie. Il est un de ceux à qui on doit cette marche vers la liberté, vers l'administration des affaires du pays par ses propres gens et non plus par ce Colonial Office qui, de Londres, décidait tout par le truchement de hauts fonctionnaires souvent de bonne volonté, mais qui se heurtaient rapidement sur place à un état de fait ou d'esprit, à des inimitiés grégaires dont l'origine remontait loin dans l'histoire.

Grâce à Viger, à Papineau, à d'autres aussi comme ceux qu'un jour de 1838, on balança à une corde du côté de la place des Patriotes, le régime évolua pour prendre la forme d'une démocratie agissante, là où longtemps le bon plaisir du Prince avait été la règle.

10

Denis-Benjamin Viger, seigneur de l'île Bizard

Dans l'archipel de Montréal, il y a une île bien jolie, qui longtemps fut reliée à l'autre — la grande — par un bac, puis par un simple pont de bois. À peu de distance se trouvait une maison de pierre à deux étages au toit surmonté de lucarnes. Oh ! elle n'avait aucune prétention et, surtout pas celle d'être un manoir. Elle n'avait même pas l'élégance des vieilles maisons du XVIIIᵉ siècle élevées dans la vallée du Richelieu ou dans les environs de Québec. Ailleurs, elle aurait été un pavillon de chasse. Devenu seigneur de l'île par sa femme, Denis-Benjamin Viger la fait construire en 1843, alors qu'il s'oriente vers l'action politique au plus haut niveau. Il s'était contenté jusque-là d'être avocat, député, journaliste à la pige, grand protecteur de journaux et de journalistes et, comme on l'a vu, propriétaire foncier, suivant en cela l'exemple de son père dont la succession comptait cinq maisons et une terre de quarante-sept arpents, situées immédiatement hors les murs. Si Viger construit la maison de l'île Bizard, c'est sans doute pour être bien de cette seigneurie dont son beau-père avait voulu l'écarter et dont il devait hériter plus tard au décès de sa femme. Faut-il le répéter, elle avait été conquise de haute lutte, après un procès commencé vers 1816 et terminé vers 1842 ? Autre exemple d'obstination procédurière comme il y en a eu tant dans les annales judiciaires du Bas-Canada.

L'opposition de Marie-Amable Viger au testament de son père avait commencé à la mort de celui-ci. Elle était parmi les héritières, avec ses quatre sœurs, mais le *de cujus* avait, par testament, pris trois décisions qu'il avait crues sages, mais qui s'avéraient propices à maintes revendications et discussions. La première, c'était que les héritiers devaient accepter ses volontés à la lettre. Si le règlement de la succession donnait lieu à une poursuite, seraient immédiatement déshérités les héritiers qui l'intenteraient : leur part revenant aux autres.

Pierre Foretier avait mis comme autre condition que la seigneurie de l'île Bizard et ce qui restait du fief Lambert-Closse ne seraient pas vendus parce que, dans son esprit, les deux prendraient rapidement une valeur considérable. Enfin, dernière condition, l'exécuteur testamentaire ne devait pas être un avocat, pour empêcher toute intrusion d'un gendre qu'il aimait peu, sans doute pour s'être querellé avec lui. Son exécuteur testamentaire était un de ses amis, Toussaint Pothier, homme d'affaires connu et capable de tenir tête à un gendre obstiné[1].

Denis-Benjamin Viger était avocat, mais il aurait été un bien meilleur exécuteur testamentaire que Toussaint Pothier, commerçant de quelque réputation mais qui, vers la fin de sa vie, fit faillite en entraînant les revenus accumulés de la succession et commit quelques irrégularités. S'il avait consulté son gendre, Pierre Foretier n'eût pas fait l'erreur de comprendre dans ses dernières volontés des biens qui, entrant dans la communauté, devaient être traités différemment du reste de sa fortune.

---

1. Toussaint Pothier (1771-1845) n'était pas le premier venu. On comprend que Pierre Foretier lui ait confié le soin d'administrer sa succession. Fils d'un des fondateurs de la Compagnie du Nord-Ouest, il s'enrichit à son tour dans la traite des fourrures. Il fut seigneur de Lanaudière dès 1814, membre du Conseil législatif en 1824 (Père Le Jeune) et président du Conseil spécial en 1838 (Jean-Jacques Lefebvre). Ce que Pierre Foretier n'avait pas prévu, c'est que ses affaires tourneraient mal et que la succession en pâtirait.
Esprit curieux, Pothier s'intéressait aux sciences naturelles. Il fut l'un des fondateurs de la Société d'Histoire naturelle de Montréal (E.-Z. Massicotte).

Après quelque vingt ans de plaidoiries, de factums, de délais à une époque où la procédure était un cauchemar et un sport pour certains, Viger vit un jour la seigneurie de l'île Bizard revenir à sa femme, après de multiples plaidoyers conduits par Vallières de Saint-Réal[2], un grand bonhomme du droit à l'époque. Détail assez piquant, c'est James Stuart[3] qui défendait Toussaint Pothier et la succession. Or, James Stuart était justement celui qu'à Londres Denis-Benjamin Viger devait faire casser de ses fonctions de procureur général quelques années plus tard.

Derrière l'argumentation des plaideurs, il y avait en filigrane Denis-Benjamin Viger qui, de loin ou de près, travaillait avec son collègue de Québec. Tous deux avançaient leurs pions, comme sur un damier dans cette cause devenue une occupation autant qu'une préoccupation. Viger n'a-t-il pas avoué qu'à un certain moment il avait passé la moitié de ses loisirs à préparer les factums destinés à convaincre un tribunal d'abord récalcitrant, puis se rendant graduellement à son argumentation. Tout cela se faisait en marge d'une vie politique intense, à travers d'autres occupations et des voyages en Angleterre, des articles, des réflexions sur la politique, la justice, la vérité, la vertu.

Il est vrai que l'île Bizard valait la peine qu'on s'en préoccupât pour le problème juridique soulevé, ainsi que pour le prestige qu'elle vaudrait à son propriétaire.

De forme presque ovale, comme la décrit Joseph Bouchette en 1832, dans son *Topographical Dictionary of Lower Canada*[4], l'île mesurait environ quatre milles de longueur par deux de largeur. Si les terres étaient bonnes, le revenu de la seigneurie était assez faible, car la plus grande partie du sol avait déjà été concédée. À telle enseigne, que le droit de quint fut estimé à dix-sept dollars soixante-dix par année

---

2. Protégé de l'évêque de Québec, qui lui fit faire ses études au Séminaire ; il devint rapidement un des avocats les plus en vue de la Colonie.
3. Comme la plupart des avocats de l'époque, il eut une vie politique agitée ; ce qui ne l'empêcha pas de devenir juge en chef à Montréal en 1842.
4. Paru à Londres.

le 24 janvier 1861, tandis que la valeur des cens et des rentes était fixée à quelque quatre mille dollars par Norbert Dumas, le commissaire « sous l'acte seigneurial » chargé de déterminer l'indemnité accordée au seigneur. Ce n'était donc pas la seigneurie elle-même pour sa valeur propre qui avait déterminé Denis-Benjamin Viger à conseiller à sa femme de nier la validité du testament autant, nous semble-t-il, que la règle de droit en jeu ; ce qui était dans sa ligne ordinaire de pensée. Voici à combien le commissaire Dumas évalua la seigneurie, en 1861[5] :

Cens et rentes	$ 3 944,29
Lods et ventes	6 859,40
Moulin banal	12 000,00
Le domaine	800,00

Ce dernier chiffre montre comme le domaine avait peu d'importance en soi puisqu'on ne l'estimait qu'à huit cents dollars.

Détail amusant, le Commissaire ajoute dans le *Cadastre abrégé* :

> J'adjuge que le seigneur n'a droit à aucune idenmité pour la perte de son droit de banalité, et de son banc seigneurial dans l'église Saint-Raphaël. Et je rejette aussi toute réclamation du seigneur non mentionnée dans le présent cadastre et jugement.

Cela ne rappelle-t-il pas cette poursuite que le père de Denis-Benjamin Viger avait dû intenter bien des années auparavant à titre de marguillier de l'église Notre-Dame pour essayer de récupérer le banc qu'occupaient les héritiers du propriétaire précédent[6] ?

*

---

5. Si la valeur est exprimée en dollars canadiens, c'est que le dollar est devenu la monnaie officielle du Canada-Uni depuis 1858. Pour le préférer à la *pound sterling*, on a invoqué les relations avec les États-Unis. Ce qui n'a pas été sans heurts avec la Métropole. Depuis 1840, la Colonie jouissait de la faculté de diriger ses affaires économiques. Ce fut une des premières manifestations importantes de cette quasi-indépendance dans certains domaines particuliers.

6. Cause citée en page 22.

Plus de vingt ans pour mettre la main sur une seigneurie valant quelque vingt-quatre mille dollars et rapportant si
peu annuellement, ce serait bien long et presque incompré-
hensible, si l'on ne se rappelait ce qu'était Viger, l'homme.
Ambitieux certes, appréciant l'argent, tout en étant prêt à
en donner aux œuvres qui l'intéressaient, mais surtout préoccupé de procédure et de forme. Pour lui, son beau-père
avait fait une erreur grave en disposant de biens faisant
partie de la communauté, en ne distinguant pas ce qui ne
lui appartenait pas de ce qui était à lui. Denis-Benjamin Viger était assez riche pour se passer de tout cela. D'autant
plus que sa femme était censée recevoir de la succession ce
qui lui revenait. Il y avait aussi l'erreur psychologique com-
mise par Pierre Foretier : aucun avocat, avait-il précisé.
C'était plus qu'il ne fallait pour éperonner un orgueilleux.
À un obstiné, c'était donner la conviction qu'il fallait aller
jusqu'au bout.

En appel, Denis-Benjamin Viger obtint donc gain de
cause pour sa femme. Puis, il construisit la maison dans l'î-
le. On se demande pourquoi il l'a logée du côté de
la rivière des Prairies et non beaucoup plus loin, face au
majestueux paysage de l'autre rive, en face du lac et des
collines qui ont donné son nom à la masse d'eau. C'est qu'à
cette époque, l'autre rive de l'île est loin, la route qui, déjà,
va d'une rive à l'autre, n'est pas en très bon état et puis, l'é-
glise est à côté du lieu qu'il a choisi[7]. Cela compte pour de
vieilles gens qui, en 1843, ont respectivement soixante-neuf
et soixante-sept ans. Si Viger est encore en assez bonne santé, malgré une faiblesse des jambes qui va s'accentuant, sa
femme l'est moins.

La maison n'est pas un rendez-vous de chasse, encore
une fois ; c'est là que Viger — citadin — reçoit ses amis certains samedis où ils partent en bande joyeuse. On en trouve
le souvenir dans des notes que Alfred DeCelles nous a lais-

---

7. Celle de Saint-Raphaël. Elle remonte à peu près au même moment où
Viger fait construire sa maison.

sées[8]. En voici un extrait qu'après E.-Z. Massicotte, Mme Éliane Labastran cite dans son *Histoire de l'Isle Bizard*[9] :

> Hors le temps des sessions du parlement, certains samedis, partaient en voiture à une heure de l'après-midi Messieurs Denis-Benjamin Viger, Louis-Joseph Papineau, Ludger Duvernay, Labrèche-Viger, Côme-Séraphin Cherrier, Denis-Benjamin Papineau, Augustin-Norbert Morin, Raymond Fabre, Joseph Roy, Wolfred Nelson, le juge en chef Johnson et bien d'autres bons vivants et fins gourmets. Après avoir contourné la montagne, passé par Saint-Laurent et atteint Sainte-Geneviève, les excursionnistes traversaient en bac et s'installaient dans un manoir de l'Ile Bizard où les attendait un choix des meilleurs plats de la cuisine canadienne : dinde rôtie à la broche, rôtis de porc frais, en particulier ces fameux sacs à l'ail que le juge Johnson trouvait être la réalisation suprême de nos cordons bleus, pâtés de pigeons sauvages, des croquignoles (mieux dénommés croquecignoles, soit une sorte de beignes, mais beaucoup plus croustillantes et légères).
>
> Lorsque les forces étaient restaurées, commençaient entre les convives des discussions animées, entremêlées de discours improvisés, et la séance se prolongeait tard dans la soirée. Ce programme recommençait le dimanche, car on ne revenait à la ville que le lundi matin.

Quand on sait la relative exiguïté de la maison, on se demande où Viger logeait tous ses hôtes. Sans doute, en partie chez l'habitant, car la seule salle à manger et la cuisine prenaient une partie de l'espace disponible.

Si ces amis du bonhomme Viger aimaient discuter — et Dieu sait que l'époque s'y prêtait — ils accordaient beaucoup d'importance aussi aux plaisirs de la table. Or, nous l'avons noté déjà, Denis-Benjamin Viger et sa femme recevaient bien et voyaient à ce que les vins de qualité correspondissent à celle des mets qu'on servait à leurs amis.

Cette génération vieillissante jouait encore un rôle dans la politique et dans son évolution. En terminant ses notes, DeCelles n'écrivait-il pas :

---

8. « À travers l'histoire » *La Presse*, 1900.
9. Notons ici que nous lui devons des détails intéressants.

... ces petites scènes de l'Ile Bizard nous font penser à des répétitions en vue de la représentation finale sur la scène du parlement.

Comme il le dit, il y avait là le libraire Édouard-Raymond Fabre, toujours prêt à intervenir dans des initiatives nouvelles et avantageuses pour le groupe. C'est lui qui centralisait les sommes destinées à fonder les œuvres et à les faire vivre. Et puis, Louis-Joseph Papineau, rentré de France et resté fougueux malgré son âge, Ludger Duvernay que l'exil avait à peine assagi et Wolfred Nelson revenu enchaîné de son aventure de 1838. Par un rétablissement vigoureux, il devait être maire de Montréal en bousculant son ami Fabre, avec l'aide de George-Étienne Cartier, le gendre de celui-ci ; ce qui ne devait pas arranger les choses entre sa femme et lui, et ce jeune Hector Fabre appelé à jouer un rôle dans un milieu de journalistes nécessiteux, mais groupant plusieurs des meilleurs esprits de l'époque.

Parmi les invités du samedi, qui ne dépassaient pas le lundi, il y avait tous les éléments voulus pour entretenir une conversation animée. C'est en pensant à une de ces réunions du samedi que l'on pourrait rappeler cette chanson de l'hôte composée bien des années plus tôt :

> À table réunis,
> Lorsque le vin abonde,
> Quand on boit à la ronde,
> Etc.

Boileau aurait sans doute fait la grimace en entendant ces rimes sans prétention, mais les amis de Viger n'y cherchaient que la chaleur de l'invite et la gentillesse de leur hôte.

*

Puis vint 1854, l'année où, sous l'influence de George-Étienne Cartier et sous l'égide de Louis-Hippolyte La Fontaine, fut passée la loi qui supprimait le régime seigneurial ; elle laissait, il est vrai, une compensation assez importante au seigneur pour qu'il n'y eût pas de spoliation. Denis-Benjamin Viger n'était guère favorable au projet, mais ne jouant plus un rôle dans la politique de l'Union, il ne pouvait faire valoir son point de vue. Louis-Joseph Papineau y était opposé également, comme Côme-Séraphin Cherrier, leur interprète. Le clergé se fit tirer l'oreille tant que, prudemment, on eut décidé d'exclure leurs domaines de l'opération. Il y viendra quand il se sera rendu compte qu'on indemnisait assez généreusement les propriétaires de seigneuries utiles dans le passé, mais devenues un empêchement à l'essor économique d'une grande partie du Bas-Canada. Convaincu, Cartier avait poussé de toutes ses forces à la réalisation d'un projet qui lui tenait à cœur, comme il se jettera dans la bataille en 1864 avec le succès que l'on sait.

1861 pour Viger est la fin de l'aventure seigneuriale. Il touche $24,000 quelque temps avant sa mort. Il laissera à son cousin cette somme, la petite rente qu'on lui a accordée à perpétuité, sa maison et ce qui reste du domaine non attribué aux censitaires.

*

Une autre branche des Viger — celle qui descend de François — s'installera à l'île Bizard, mais assez loin de là où Denis-Benjamin Viger recevait ses amis. Ses descendants logeront leur maison dans un site enchanteur, face au lac et aux deux montagnes d'Oka. Dans l'intervalle, la conception d'une maison de campagne avait changé. On recherchait le confort, mais surtout l'agrément de l'eau et du paysage, tandis que tout autour les cultivateurs tiraient d'une terre riche une récolte abondante de foin et d'autres céréales, à quoi plus tard ils ajoutèrent la culture maraîchère. On vendait alors ses produits non sur place comme auparavant, mais dans ce marché installé place Jacques-Cartier, au milieu du quartier où Denis-Benjamin Viger avait eu une maison héritée de son père. Plus tard, on alla dans le grand marché, où coopératives et gens de la terre cohabitaient en gardant une oreille attentive à la radio qui, à certaines heures du jour, annonçait le prix des denrées comestibles.

*

Est intéressante cette autre branche de la famille Viger, qui vint demeurer à l'île Bizard à un moment donné. Issue de l'ancêtre François Viger qui, en 1702, épouse Françoise Lamoureux, c'est d'elle que naquit le premier Bonaventure, époux de Madeleine Patenaude. Puis vinrent Bonaventure II et Bonaventure III, qui prit part au soulèvement de 1838 et fut fait prisonnier en essayant de se rendre aux États-Unis, comme le raconte Robert de Roquebrune dans son *Testament de mon enfance.* Il fut exilé aux Bermudes avec Robert Shore Milnes Bouchette, fils du géographe Joseph Bouchette, qui n'avait rien d'un rebelle, et six autres de ses compagnons d'infortune. Il en revint au moment de l'amnistie. Sa sœur Marie-Julie eut une fille qui épousa Denis Sénécal. Leur fils, Denis, épousa à son tour Marie-Josephte Cherrier, fille de Côme-Séraphin Cherrier devenu seigneur de l'île Bizard à la mort de son cousin en 1861. À leur tour, ils eurent une fille, Marie-Louise qui devint Mme Frederick Debartzch-Monk. Et c'est ainsi que ce qui restait de la seigneurie passa aux Monk[10].

Plus tard, un des Monk (Frederick) s'allia à Paul Gouin pour renverser Louis-Alexandre Taschereau et son régime de favoritisme.

Puis, les papiers de Denis-Benjamin Viger, avec ceux de Côme-Séraphin Cherrier, furent portés aux Archives d'Ottawa, où on les retrouve soigneusement classés pour le plus grand intérêt de ceux qui se penchent sur le passé.

*

La cause de Denis-Benjamin Viger et de Marie-Amable Foretier contre la succession de son père fait valoir deux points de vue intéressants sur la validité du testament de Pierre Foretier :

1. M. Foretier ne devait pas disposer des biens de la communauté dont il n'avait que l'usufruit. C'est l'attitude de Denis-Benjamin Viger et de sa femme.

---

10. Nous devons des détails à Madame Éliane Labastran, auteur d'une *Histoire de l'Isle Bizard,* parue aux Ateliers des sourds-muets, à Montréal, en 1976.

2. Le droit de tester est sans limitation, affirme le notaire Thomas Barron, qui tente de réfuter les allégations de Viger.

Dans son factum que présente Vallières de Saint-Réal, Denis-Benjamin Viger n'y va pas avec le dos de la cuillère. Voici ce qu'il écrit dans le préambule du « Mémoire de Denis-Benjamin Viger et de Marie-Amable Foretier son épouse contre Toussaint Pothier » (Montréal, 1827) :

> Mr. Pierre Foretier est mort le 3 Décembre 1815. Il avoit été marié deux fois. La première, il avoit épousé la Dame Thérèse Legrand. C'étoit en l'année 1764. Les Défenderesses sont toutes filles ou petites filles de cette Dame et de Mr. Foretier.
>
> La Dame Legrand étoit décédée en 1784. Elle laissa par sa mort, entre les mains de Mr. Foretier, une communauté composée tant de propriétés foncières, entre lesquelles se trouvent le Fief Claus et l'Ile Bizard, que de rentes constituées, et d'un mobilier considérable, et dont conséquemment les héritiers devenoient propriétaires pour moitié.
>
> Elle laissa en outre des immeubles à elle propres, advenus pendant son mariage par donation, ou échus de la succession de ses père et mère, qui appartiennent exclusivement à ses enfants, et dans lesquels Mr. Foretier n'avoit point de part.
>
> Mr. Foretier fit inventaire de ces biens en 1785.*
>
> Tous ces biens, sans aucune exception, sont restés entre les mains de Mr. Foretier, depuis la mort de la Dame Legrand jusqu'à son propre décès. Il a joui du tout, et en a perçu les revenus. Il a aliéné une grande partie des biens-fonds, de la communauté et qui ne lui appartenoient que pour moitié, et même une partie des fonds propres à la Dame Legrand qui appartiennent en entier à ses héritiers.
>
> Il n'avoit rendu aucun compte à ses enfans, issus de ce mariage ; il n'avoit fait aucune avance sur les biens à eux échus du chef de leur mère, excepté à la Dame Barron, d'une somme de 21,000 francs, et à la Dame Heney, d'une somme et de biens de valeur à-peu-près égale, *à compte de leurs droits dans la succession de la Dame Legrand, leur mère ;* * les autres n'avoient rien reçu.

Il étoit donc comptable envers ses enfants de leur part des biens de cette communauté, tant en meubles qu'immeubles, des propres de la Dame Legrand, à eux échus par sa mort, de tous les revenus dont il avoit joui pendant trente-un ans, et en outre, de la valeur de tous les biens-fonds qu'il avoit aliénés pendant ce long espace de temps, ainsi que des capitaux de rentes constituées dont il avoit reçu les remboursements et qui ne se trouvent plus dans sa succession.

De son côté, M. Thomas Barron est, avec Toussaint Pothier, l'un des intimés dans le procès intenté par M. et Mme Denis-Benjamin Viger. En 1835, il prépare un long mémoire dans lequel il réfute un par un les arguments de Denis-Benjamin Viger et de son épouse. Il est le fils de la seconde femme de Pierre Foretier et l'un de ses gendres. Il s'oppose à l'argumentation de Vallières de Saint-Réal dans un *Mémoire abrégé en réponse à celui de Denis-Benjamin Viger, écuyer et de Dame Marie-Amable Foretier son épouse, appelans ; vs Toussaint Pothier, écuyer et autres intimés*[11]. Si nous citons sa conclusion ici, c'est qu'elle résume sa pensée sur le droit de tester. Elle nous paraît intéressante, même si elle est diamétralement à l'opposé de celle de Viger :

Je crois avoir démontré suffisamment qu'elle était la faiblesse des raisons et des différents moyens employés ou plutôt hasardés par les appelans pour invalider les dispositions de M. Foretier, qui ont comme je l'ai observé, la faveur et autorité de la loi actuelle des testamens. Pour abréger ce mémoire, au lieu de résumé, je référerai pour la validité des dites dispositions de M. Foretier à mes observations préliminaires, et aux remarques que j'ai faite sur l'interprétation qu'on doit donner aux actes de 1774 et 1801, et les conséquences qu'on en doit tirer. Et j'ajouterai que les différentes objections et autorités invoquées par les appelans ne peuvent être d'aucun poids ni avoir aucune application dans ce pays, en autant qu'elles tendraient à éluder, limiter et même annéantir l'effet et la faveur de la loi qui nous régit à l'égard de la faculté de tester, en la subordonnant aux restrictions ou principes du droit coutumier dans certains cas, et à ceux du droit Romain dans d'autres cas, selon que ces différentes

---

11. Paru à l'Imprimerie Jones & Cie, à Montréal, en 1835.

lois, qui n'ont pas plus que les lois Turques, Russes ou autres, aucune analogie à notre droit actuel, leur seraient plus ou moins favorables.

Nous sommes régis par une loi qui *permet* à tout propriétaire de tester de ses biens *comme et en faveur de qui bon lui semblera sans aucune réserve, restriction* et limitation, nonobstant toutes lois, coutumes et usages à ce contraires.

Cette loi est très claire et parle par elle même ; il n'est pas nécessaire, pour interpréter des dispositions qui lui sont *propres et particulières* de recourir à des lumières étrangères ou à des principes de lois qu'elle a abrogées, et qui ne pourraient que nous égarer ; la meilleure et *la seule autorité* que l'on puisse employer est celle de la loi elle même, *qui en accordant une liberté illimitée de tester abandonne sans réserve* tout testateur à son propre jugement et à sa volonté absolue, et *fait revivre* en sa faveur *la loi des douze tables* qui donnait au testateur *un pouvoir sans bornes* de disposer de ses biens en faveur de qui bon lui semblerait, sans être tenu d'en réserver aucune partie à ses héritiers légitimes : il est vrai que suivant Domat en son traité des lois, ch. XI, de la nature et de l'esprit des lois, etc. art. 6 et 7, et suivant le Repert. de Juris. vo. *Quarte Falcidie*, page 196, 2de col. vû l'abus que les testateurs fesaient d'un pouvoir aussi indéfini en privant, en faveur d'étrangers, leurs *propres enfans* de toutes part en leur succession, on a trouvé convenable dans la suite de *restraindre* un pouvoir aussi absolu et aussi illimité, en reservant et assignant *par des lois arbitraires, aux héritiers légitimes,* certaines portions de l'hérédité dont les héritiers légitimes, ne pourraient être privés, telles que la Falcidie, la Trebellianique et la Légitime.

Mais tant que de pareilles loix arbitraires et restrictives ne seront point introduites en cette province, tout testateur, en vertu *de la loi actuelle* des testamens qui lui permet de disposer comme et en faveur de qui bon lui semblera de tous ses biens sans aucune réserve, restriction et limitation nonobstant toutes lois, coutumes et usages à ce contraire, pourra dire à son héritier légitime : « Voici *mon ordonnance* de dernière volonté et telle est la loi ; je ne vous dois aucune partie des biens de ma succession, je puis en étant *le maître absolu,* les léguer tous à un étranger ; je veux bien vous les léguer aux mêmes charges et conditions que j'imposerais à un étranger, et comme vous ne pouvez prétendre plus de faveur ou préférence qu'un étranger institué qui ne pourrait, ayant accepté ma libéralité, se soustraire aux charges et conditions que j'y aurais attachées, je vous réduis à l'alternative ou d'accepter purement et simplement, sans aucune restriction de votre part, mes biens aux charges et conditions que je vous propose, ou d'être privé en entier de toutes parts en ma succession : il dépend de vous d'accepter ou de répudier, ainsi faites votre choix. »

Uti quisque legassit suæ rei ita jus esto.

Voilà comment deux points de vue aussi opposés sont exprimés par deux hommes de même formation juridique, du même milieu, mais opposés par des intérêts différents. Si on a tenu à reproduire leur argumentation ici, c'est qu'elle nous paraît résumer à la fois la pensée d'un milieu juridique et une conception divergente de deux juristes de la même époque et sans doute de bonne foi ; l'un nous semblant exprimer le point de vue du juriste de formation française qui reconnaît la règle de la communauté de biens et l'autre, pourtant de même instruction professionnelle, qui s'y refuse en invoquant une autre règle, celle qui accorde le droit de tester sans restriction.

11

Mort et funérailles

Le 22 octobre 1859, Denis-Benjamin Viger demande à Me Joseph Belle et à Me Antoine D. Brousseau de recueillir ses dernières volontés. Tous deux se rendent chez lui, rue Notre-Dame ; ils le trouvent étendu sur un sofa. Il est « sain de corps, d'esprit, de jugement, de mémoire et d'entendement », notent les deux notaires dans le testament qu'ils prépareront. Mais si le testateur est sain d'esprit, il est assez mal en point. Le notaire Belle note, en effet, qu'il est incapable de signer « pour cause de faiblesse et infirmité dans ses membres et, entre autres, dans sa main droite ». Ce sont les deux notaires qui, en apposant leur signature, donneront au document sa validité.

Après avoir échangé quelques propos avec Denis-Benjamin Viger, les notaires, de noir vêtus et haut de forme en main, quittent la maison de leur hôte pour préparer le texte.

Côme-Séraphin Cherrier est l'unique héritier de son cousin. Celui-ci ne lui en a pas voulu de ne pas l'avoir suivi en 1843, au plus fort de ses démêlés avec l'opposition majoritaire, menée par Louis-Hyppolyte La Fontaine. Viger lui avait offert un poste dans son Cabinet. Il l'avait refusé pour les raisons qu'il lui avait indiquées. L'histoire a retenu que Cherrier s'était expliqué également avec La Fontaine. Viger l'a-t-il su ? Si oui, il lui a sans doute pardonné en comprenant le sentiment de Côme-Séraphin Cherrier, dicté par son état de santé, son horreur de la politique, son indépendance d'esprit : avocat qui veut s'en tenir à ses factums.

Denis-Benjamin meurt le 13 février 1861.

Alors, quel concert d'éloges l'accompagne dans la tombe à peine fermée ! Il y a d'abord son ancien secrétaire, Joseph Royal, qui lui consacre la biographie dont nous avons parlé. Puis, Siméon Le Sage qui, devant les professeurs et les élèves du séminaire de Saint-Hyacinthe réunis dans la chapelle, fait son panégyrique. Il y a aussi Côme-Séraphin Cherrier qui, en mars 1861, prononce une conférence qu'il intitule « L'Honorable Denis-Benjamin Viger et son Temps[1] ».

Dès la nouvelle du décès, les journaux consacrent de longs articles à son souvenir. La plupart l'ont durement traité au moment de son aventure politique de 1843. Volontiers, on oublie cette période difficile de sa carrière pour ne rappeler qu'une longue vie consacrée à ses gens et à l'évolution politique de la Colonie. Du *Canadien* jusqu'à l'*Aurore des Canadas*, en passant par la *Minerve* et la *Montreal Gazette*, l'éloge est général.

Un des témoignages les plus touchants vient de Napoléon Bourassa, gendre de Louis-Joseph Papineau. Bourassa consacre à Viger un long poème qu'il lit à l'Institut Canadien. Plus tard, on lui demandera de le faire paraître. Il y consentira en l'accompagnant de la note suivante :

> Cette pièce fut faite pour une soirée littéraire qui eut lieu quelque temps après la mort de M. Viger ; elle ne se trouvait au programme que comme accessoire : l'auteur ne la destinant pas à la publication l'avait laissée aux mains de l'héritier[2], preux des œuvres et du patriotisme du grand citoyen ; il croyait qu'elle resterait dans la famille parmi les choses qui servent à rappeler une mémoire précieuse. De-

---

1. Là également le texte n'est pas signé, mais le style, l'écriture, tout indique la source. On le trouve dans le fonds Cherrier à Ottawa. A.P.C. 859.

2. Côme-Séraphin Cherrier, dans le dossier duquel se trouvent le manuscrit et l'épreuve du poème, aux Archives Publiques du Canada.

puis, on a demandé à l'auteur sa permission de la livrer à l'impression, il ne s'y est pas opposé . . . tout à fait !

Cependant, il croit devoir observer que ces strophes, faites comme exercice littéraire, avaient moins pour but, dans sa pensée, de raviver des sentiments violents, des dévouements glorieux que d'inspirer de l'admiration pour ceux qui les ont accomplis. On comprendra facilement qu'ayant à exalter sous une forme de langage poétique les travaux et le caractère d'un homme éminent, il fallait se servir des ombres qui les mettent en relief.

L'auteur est de ceux qui croient que la Providence a bien fait ce qu'Elle a fait pour nous, que si nous devons tout notre respect et notre admiration à ceux qui nous ont sauvés, nous devons aussi oublier, dans nos relations sociales actuelles, les griefs du passé.

Il est fait allusion, dans la pièce, à des « traîtres », à des « délateurs » : l'auteur regretterait infiniment si on allait, sur ce qu'il en dit, en exagérer le nombre. Dieu merci ! on compte peu de semblables caractères parmi les hommes de cette fière génération. Il ne s'en fut trouver qu'un seul qu'il aurait fallu le flétrir.

Voici un court extrait du long poème que Bourassa consacra à son ami et que l'on trouvera en annexe :

> Vieux vétéran de l'illustre cohorte
> Qui protégea les droits de nos aïeux,
> Tu n'es donc plus ! . . . et l'âge qui t'emporte
> Laisse nos cœurs dans un deuil anxieux.
> Tes blancs cheveux avaient vu s'accomplir
> Quatre-vingts ans de notre triste histoire,
> Et tu comptais dans nos pages de gloire
> Un bien grand souvenir[3] !

Ce n'est pas tout. Pour mieux rappeler son souvenir, Napoléon Bourassa fait un médaillon du gisant, allongé dans le salon de sa maison de la rue Notre-Dame. On en a gardé un exemplaire. Y paraît figé le masque du vieil homme qui vient de mourir : yeux globuleux, nez proéminent, face grave, privée de vie, et rappelant de l'âge l'outrage redoutable.

---

3. Il faut éviter de juger sans tenir compte de l'époque.

*

Viger meurt le 13 février 1861, comme on l'a vu. Le 18, avant le service qui sera chanté à l'église Notre-Dame, le corps est transporté à la chapelle des Récollets où le directeur de la Congrégation des Hommes de Ville-Marie fait son éloge ainsi, selon un journal de l'époque[4] :

L'honorable Denis-Benjamin Viger était le doyen de la Congrégation des Hommes de Ville-Marie, et tel était son attachement à cette congrégation qu'il a manifesté le désir que son corps fût apporté dans cette église avant d'être conduit à sa dernière demeure. Nous lui devions, du reste, ce témoignage de considération comme notre doyen et pour les exemples qu'il n'a cessé de donner durant la longue et utile carrière qu'il a fournie et qu'il a parsemée de traits innombrables d'une pieuse générosité. J'ai eu plus d'une fois le bonheur d'entendre ce vénérable vieillard parler avec une affection et une reconnaissance vraiment touchantes de ceux qui ont dirigé son éducation première (les Sulpiciens) et qui ont gravé dans son cœur l'amour de la religion.

Puis, à l'église Notre-Dame, remplie comme en un jour de fête, Mgr Bourget accueille la dépouille de l'homme d'État. Lui qui ne voudra pas qu'on prononce une homélie quand on y recevra le corps de sir George-Étienne Cartier, quelques années plus tard, il tient à faire l'éloge de Denis-Benjamin Viger :

Il a brillé dans le monde, il a joué un rôle actif dans la politique, s'écrie le prélat. Il a occupé les places les plus honorables et, cependant, dans ses plus grandes préoccupations, il n'a pas oublié ses devoirs envers Dieu. C'est la principale gloire de sa vie et ça été la consolation de ses derniers jours.

C'est *La Minerve* qui résumait ainsi les paroles de Mgr Bourget. Avec l'éloge qu'il avait fait de Denis-Benjamin Viger quelques jours plus tôt, le journal rachetait les propos tenus envers le vieil homme abattu, découragé qui avait quitté la scène politique en 1846. Viger avait dû trouver très dures les critiques qu'avaient faites de lui un journal et des

4. Cité par Léon Pouliot, s.j., dans un article intitulé « Les Funérailles de Denis-Benjamin Viger ».

hommes qu'il avait si souvent aidés et appuyés dans le passé. Le milieu était ainsi, à l'époque. Prêt aux plus grands
éloges, il réagissait souvent violemment devant ceux qui lui
avaient déplu. Il est vrai que, par ses attitudes à la fin de sa
carrière, Denis-Benjamin Viger s'était bien exposé.

*

Après la cérémonie à l'église Notre-Dame, le corps du
défunt est transporté au cimetière de la Côte-des-Neiges.
Avant de le mettre en terre, certains de ses amis signent le
registre. On y relève les noms de Louis-Joseph Papineau,
d'Antoine-Aimé Dorion, de Louis-Antoine Dessaulles, de
Denis Sénécal et de Frédéric-Auguste Quesnel, venus pour
rendre hommage à celui qu'ils ont loué ou combattu.

12

Ils étaient six cousins
qui façonnèrent l'opinion

Ils étaient six qui façonnèrent l'opinion : six cousins issus des Cherrier de Saint-Denis-sur-Richelieu. Le premier, Denis-Benjamin Viger, fut président du Conseil de Sa Majesté la reine Victoria pour qui il était devenu « *my trusty and beloved son* ». À un moment donné, il est vrai, il se trouva assis entre deux chaises : position peu confortable, dont les Trifluviens le tirèrent en l'élisant dans leur comté. Le second, Jean-Jacques Lartigue[1], fut évêque de Telmesse, puis de Montréal quand les Sulpiciens cessèrent de s'y opposer. Le troisième, Louis-Joseph Papineau, fut avocat, mais il n'exerça pas sa profession longtemps. Il fut seigneur de la Petite Nation, député, puis président de l'Assemblée législative. Grand orateur, il secoua les colonnes du temple. Proscrit, il devint l'ami de Félicité Robert de Lamennais et du baron Laffite à Paris. Quant au quatrième, Jacques Viger, il fut journaliste, arpenteur-géomètre, fantaisiste, collectionneur invétéré, mais aussi avisé. À un moment donné, on l'élit maire de Montréal, le premier d'une longue série assez bigarrée. Député, puis homme d'affaires, le cinquième, Louis-Michel, fut le président-fondateur de la Banque du Peuple. Enfin, le sixième, Côme-Séraphin Cherrier, devint un grand avocat, très écouté, bâtonnier du Barreau de Montréal et doyen de la faculté de droit, comme nous l'avons vu.

---

1. Si le père du futur prélat signait *Larthigue*, son fils simplifia le nom.

Quatre d'entre eux ont été mêlés aux événements de 1837. Le premier passa dix-huit mois en prison, le troisième l'évita de justesse, le cinquième fut arrêté, puis relâché, tandis que le sixième, après être sorti de prison, était mis aux arrêts chez lui. Un autre parent plus éloigné, il est vrai, Bonaventure Viger fut fait prisonnier, puis exilé aux Bermudes. Il était un des huit qui, après avoir été accueillis froidement à Hamilton, prirent part à la vie de l'île au point de se mêler au chœur de la cathédrale, le dimanche, pour chanter les louanges du Seigneur, en attendant qu'une amnistie leur permette de revenir dans leur pays.

Très unis jusque-là, les cousins furent divisés par le soulèvement. Certains n'oublièrent jamais, croyons-nous, que l'évêque avait défendu à ses prêtres d'enterrer en terre sainte les insurgés morts les armes à la main. Ce qui n'empêcha pas les membres de l'Institut Canadien d'élever un monument, au cimetière de la Côte-des-Neiges, pour rappeler leur souvenir[2].

Jean-Jacques Lartigue

Comme nous avons déjà suivi le premier dans sa carrière, nous nous contenterons de présenter les autres au lecteur.

Et d'abord Jean-Jacques Lartigue (1777-1840). Jeune, il se crut poète. Grâce à James Huston et au *Répertoire national*, on a gardé le souvenir d'un de ses essais, dont voici les premières strophes :

> Vers l'empire de Flore
> Nous dirigeons nos pas,
> Au moment où l'aurore
> Arrose ses appas ;
> La déesse s'avance,
> Sautant sur le gazon

---

2. Colonne en forme d'obélisque qui rappelle le souvenir d'hommes courageux, face à une Église récalcitrante et presque monolithique.

Et portant en cadence
La rose et son bouton.

Dans mon vaste domaine,
Me dit-elle en riant,
Pour la fête prochaine
Vous cherchez un présent ;

Secondant votre zèle,
Ma mère vous fait un don ;
Des fleurs voici la reine :
La rose et son bouton.

Fort heureusement, sa carrière poétique fut de courte durée[3], comme devait l'être celle d'avocat. Un moment, il se crut appelé à défendre la veuve et l'orphelin à une époque où tous deux étaient bien exposés. Sa vocation était ailleurs. Homme de robe, il troqua la toge contre la soutane. Il entra chez les Sulpiciens qui l'accueillirent avec joie, tant Jean-Jacques Lartigue était un candidat de qualité. Malgré cela, quand Mgr Plessis voulut en faire son suffragant à Montréal, ses collègues lui firent grise mine au point que, pour eux, s'il fut évêque de Telmesse, il ne devint évêque de Montréal que longtemps après. Dans leur esprit, il n'était qu'évêque à Montréal ; ce qui était une nuance, assurément. Mgr de Québec avait cru qu'un des leurs serait plus facilement accepté. Il se trompait car seigneurs de Montréal en titre et en fait, sinon en droit jusqu'à 1839, les Messieurs étaient jaloux de leur autorité ; ils voulaient bien s'incliner devant Rome, mais pas devant l'évêque de Québec reconnu par l'Angleterre au seul titre de surintendant de l'Église romaine. Car dans ce domaine, on est parti de loin. Pour le comprendre, on peut se reporter à un texte que nous avons analysé à l'occasion du départ de Denis-Benjamin Viger pour Londres en 1828. Il faut le lire pour s'apercevoir que si l'évêque de Telmesse avait des problèmes avec ses ouailles et leurs pasteurs, il en avait d'autres avec le *Colonial Office* de Londres qui, à l'époque, était la grande autorité en matières coloniales.

3. Un jour qu'on lui offre le portrait du colonel de Salaberry, il en accuse réception en vers ; ce qui indique une amusante tournure d'esprit.

Mgr Lartigue était prêt à faire face à la situation. Il avait une bonne préparation intellectuelle, sa formation familiale avait été excellente et il connaissait l'anglais que son père, le docteur Lartigue, lui avait fait apprendre à l'excellente école anglaise des Sulpiciens. Tout cela devait lui être utile dans ses relations avec le pouvoir établi.

Mais rien n'est facile pour le prélat à cette époque. Il y a d'abord la nécessité de construire une cathédrale[4] et un palais épiscopal. Il y a bien l'église Notre-Dame qu'on démolira pour faire place à celle qu'on ouvrira vers 1830, en face de l'autre temple, celui de l'argent. Fondée en 1817, la Banque de Montréal élèvera bientôt, en effet, ses colonnes de pierre et son fronton de l'autre côté de la place. Fait paradoxal, l'on se comprend assez bien avec le voisin d'en face, en traitant de puissance à puissance par personnes interposées — Austin Cuvillier d'abord, puis Joseph Masson : tous deux commerçants et successivement membres du conseil de la Banque.

Chez les Sulpiciens, comme on l'a vu, l'entente avec l'évêque n'était pas aussi facile car, de ce côté, on fait sentir au prélat qu'il est l'intrus, toléré, mais sans plus. Au point qu'à un moment donné on lui enlève son trône dans l'église. Il se réfugie alors à côté, dans la gracieuse chapelle des Sœurs Grises, en attendant que sa cathédrale soit construite sur l'actuelle rue Sainte-Catherine, tout à côté de la rue

---

4. Le feu la détruisit en 1852. Le peintre James Duncan nous en a rappelé le souvenir dans une aquarelle dont l'Inventaire des œuvres d'art du Québec a gardé la photographie aux Archives nationales du Québec. Deux grandes églises pour Montréal, c'était beaucoup à une époque où la ville était de peu d'importance. Elles correspondaient à un état d'esprit et à une opposition à laquelle se prêtent les Viger et les Papineau : ces cousins qui appuient l'évêque dans sa lutte pour établir son prestige et consolider sa situation dans l'Église et dans son diocèse. C'est après la destruction de la cathédrale par le feu que le successeur de Mgr Lartigue prendra les dispositions nécessaires pour aller vers l'ouest. Mgr Bourget avait bien songé un moment à reconstruire son église et son palais du côté de la rue Sherbrooke, mais à son avis le terrain disponible était trop exigu pour la cathédrale qu'il avait en vue.

L'opposition du prélat et des Sulpiciens durera aussi longtemps que l'évêque Bourget n'aura pas obtenu de Rome qu'on lui permette de sectionner la Paroisse et de supprimer la mainmise de la Compagnie sur ses fidèles.

Saint-Denis, là où plus tard, il y aura l'église Saint-Jacques et au siècle suivant l'Uqam.

Parmi les problèmes du prélat, il y a aussi les relations avec ses ouailles. Certains dressent la tête et vont, parfois, en dehors du troupeau.

Et puis est urgente la question des prêtres. L'évêque voudrait un recrutement plus nombreux, une formation plus étendue des clercs et des laïques. Il a bien fait venir de France les Frères des Écoles Chrétiennes — excellents pédagogues au niveau primaire. Mais s'il a des prêtres, il se rend compte que leur préparation est limitée. Devant l'âtre, souvent, il en discute avec son secrétaire. Plus tard, celui-ci fera un énorme effort de ce côté, tout en gardant une main de fer sur l'équipe chargée d'enseigner et sur ces Sulpiciens qui, tout en n'acceptant pas son autorité, se déclarent prêts à l'aider pour former les jeunes ecclésiastiques qui se groupent autour de lui, avec bonne volonté mais aussi avec une faible connaissance des choses de Dieu.

Enfin, il y a les relations avec la Métropole. En 1763, le Traité de Paris a créé un *modus vivendi* entre le clergé et l'État. On a bien reconnu à l'Église le droit d'enseigner la religion, de garder ses propriétés, d'exercer son apostolat, mais juridiquement rien n'est stable, définitif. Le gouvernement britannique s'est emparé des biens des Jésuites après la mort du dernier d'entre eux. Depuis, les revenus de la Société sont employés pour tout, sauf pour la formation des jeunes francophones. On a aussi créé l'Institution Royale, au début du XIXe siècle, mais sans grands résultats pour les francophones, car l'Église constate qu'elle est dirigée par des protestants dont, à tort ou à raison, elle se méfie. Les autorités lorgnent du côté des biens de l'ordre de Saint-Sulpice. Denis-Benjamin Viger le sait ; il a alerté l'évêque et son cousin Jacques Viger à Québec, à un moment où celui-ci est à la rédaction du *Canadien*. Les Sulpiciens ne seront confirmés dans leurs droits qu'en 1839 par le Conseil spécial, grâce à l'intervention de lord Durham. Au sortir de la rébellion, celui-ci a tout de suite compris qu'il fallait agir pour garder l'influence et la bonne volonté du clergé.

Pour l'évêque, il faut manœuvrer, ruser au besoin, mais agir, même avec de faibles moyens. D'autant plus que d'autres nouvelles sont assez troublantes. À Londres, on songe, en 1822, à un projet d'union tendant à fusionner les deux Canadas. Avec maladresse, les auteurs du projet ont imaginé la nomination des curés par le gouvernement. On parle aussi de comprendre Montréal et les environs dans le Haut-Canada afin de donner à celui-ci un accès direct à la mer. La double nouvelle a mis le feu aux poudres dans la Colonie. Une pétition monstre a immédiatement circulé. En tête des signataires, il y a le clergé, puis les notables et les autres. Un grand nombre sont analphabètes il est vrai, mais quand même ils sont des citoyens reconnus. Dans l'esprit de tous, il ne saurait être question de l'un ou de l'autre projet puisque le premier a pour objet de noyer la population francophone dans un tout et le second, d'amputer le Bas-Canada d'une forte partie de sa population et de la mettre sous la férule de l'évêque de Kingston, reconnu à Londres si celui de Montréal ne l'est pas encore. L'Assemblée législative de Québec charge Louis-Joseph Papineau et John Neilson⁵ de faire valoir à Londres la protestation unanime des francophones. Les partisans du double projet reculent ; à la Chambre des Communes, le *bill* est battu, malgré les interventions d'Edward Ellice, seigneur de Beauharnois,

---

5. John Neilson (1776-1849), Écossais venu d'Europe en 1790 pour rejoindre son frère Samuel, à qui appartient *La Gazette de Québec*. Il lui succède en 1797. Journaliste de métier, il est député de Québec de 1818 à 1834. Il est très écouté, à cause de la pondération de ses avis et aussi, peut-être, parce qu'il est le neveu par alliance de l'évêque de Québec (note de Jean-Jacques Lefebvre). Il est fidèle à Louis-Joseph Papineau jusqu'aux *Quatre-vingt-douze Résolutions*.
C'est lui qui, en 1831, pilote Alexis de Tocqueville au cours d'un voyage qu'il fait à Québec. Voici comment celui-ci le présente dans ses notes de voyage :

> Quoique étranger, M. Neilson peut être regardé comme un des chefs des Canadiens dans toute leur lutte avec le gouvernement anglais. Bien que protestant, il a été nommé (*sic*) constamment depuis quinze ans par les Canadiens membre de la Chambre d'Assemblée. Toutes les mesures favorables à la population canadienne ont trouvé en lui un défenseur ardent. C'est lui et deux autres qui, en 1825 (*sic*), ont été envoyés en Angleterre pour le redressement des griefs. M. Neilson est un homme d'un esprit vif et original. Sa naissance et sa position sociale en opposition l'une à l'autre forment quelquefois dans ses idées et dans sa conversation, de singuliers contrastes.

Ce texte est intitulé, dans les notes de voyages de Tocqueville : « 27 août 1831. Conversation avec M. Neilson ». Voir *Tocqueville au Bas-Canada*, Montréal, Éd. du Jour, 1973, p. 93.

très influent, très écouté à la Chambre basse où, à certains moments, il a joué un rôle important. Ellice est à Londres le porte-parole des anglophones du Canada. On le trouvera devant soi chaque fois que l'Assemblée législative enverra des délégués en Angleterre pour faire valoir ses doléances.

L'épreuve la plus dure pour l'évêque Lartigue sera le soulèvement de 1837 et celui de 1838. Comme toute Église, celle du Bas-Canada est opposée aux troubles politiques. D'instinct, elle appuie l'ordre, sauf si le pouvoir établi abuse de son autorité. À plusieurs reprises, elle a exercé son influence auprès de ses ouailles pour résister aux Américains et aux interventions extérieures défavorables au régime. Elle s'est inclinée devant celui-ci en 1763, même si elle sait qu'il lui est hostile et si sourdement, il a essayé, essaie et essaiera de saper son autorité. En 1837, le moment est grave, car l'esprit de révolte se propage rapidement dans la région de Montréal. Alors le prélat se décide. Il condamne le mouvement, même si, à sa tête, il y a deux de ses cousins, Louis-Joseph Papineau et Denis-Benjamin Viger. Ses autres parents, Louis-Michel Viger et Côme-Séraphin Cherrier, ne sont pas aussi engagés dans le mouvement, mais tous feront un séjour forcé plus ou moins long à la prison de Montréal.

Si unis jusque-là, les cousins sont divisés momentanément. Louis-Joseph Papineau gardera un souvenir amer, qui en fera sinon un ennemi avoué de la religion — car il est forcé de se contraindre — du moins un partisan actif de ce mouvement de libre pensée qui se dessine et dont les successeurs de Mgr Lartigue auront à tenir compte.

L'évêque a une santé chancelante. Vers la fin de sa vie, il est obligé de s'absenter souvent pour essayer de se remettre. Heureusement, à côté de lui, un coadjuteur a subi son influence profondément ; son activité déjà est extraordinaire. Fils de cultivateur, Ignace Bourget s'est admirablement adapté à la vie religieuse de Montréal. Il est intelligent, travailleur, tenace, plein d'idées que l'évêque de Telmesse s'emploie à tamiser ou à diriger. Dans l'ensemble, Ignace Bourget approuve et appuie son évêque. Peut-être même voudrait-il aller plus loin ? Petit à petit, il se prépare à lui

succéder. Mgr Lartigue meurt en 1840. Il le remplace sur le
siège de Montréal, qui sera reconnu[6] quand, après 1840, le
régime constitutionnel du Canada-Uni donnera aux Chambres des pouvoirs nouveaux, même si une lutte très serrée
s'engage, comme on l'a vu, entre les gouverneurs qui se
succèdent à une allure folle et la Chambre basse. Ses membres finiront par obtenir gain de cause dans les affaires inté-
rieures du pays tout au moins, malgré les obstacles mis à
leur prédominance.

*

Quand les ouailles s'agitent, le pasteur doit rester calme.
Comme les événements de 1837 ont dû causer d'inquiétudes et d'anxiété même, à ce prélat qui voit certains de ses
fidèles s'engager dans une voie bien dangereuse ! Il cherche
à les en empêcher. Suivant l'usage, il écrit un premier mandement à son clergé pour le convaincre de s'opposer au
soulèvement qui menace, puis un second au début de janvier 1838 dans lequel il déplore les événements. C'est peut-
être deux des textes les plus difficiles de sa carrière. Il n'hésite pas à les écrire, même s'il sait que son geste va éloigner
davantage de l'Église ceux qu'il fustige. Écoutons un de ses
curés qui, du haut de la chaire, donne lecture de l'épître
de son évêque[7] :

> Encore une fois, Nos Très Chers Frères, Nous ne vous
> donnerons pas notre sentiment, comme Citoyen, sur cette
> question purement politique, « qui a droit ou tort entre les
> diverses branches du Pouvoir souverain ; (ce sont de ces
> choses que Dieu a laissées aux disputes des hommes,) *mun-*
> *dum tradidit disputationi eorum :* » mais la question morale,
> savoir « quels sont les devoirs d'un Catholique à l'égard de
> la Puissance civile, établie et constituée dans chaque État, »
> cette question religieuse, dis-je, étant de notre ressort et de
> notre compétence, c'est à votre Évêque à vous donner sans

---

6. Il l'est en fait depuis 1836, mais ce n'est guère qu'avec le nouveau régime
que le clergé jouira des droits et privilèges qu'il réclame à cor et à cri depuis si
longtemps.

7. Extrait du « Premier Mandement à l'occasion des troubles de 1837 »,
p. 14 des *Mandements, Lettres pastorales circulaires et autres documents.*

doute toute instruction nécessaire sur cette matière, et à vous de l'écouter ; car, dit le célèbre Lamenais[8] « les Évêques étant chargés par l'Esprit Saint de gouverner, sous la conduite du Souverain Pontife, l'Église de Dieu, nous faisons profession de croire qu'en tout ce qui tient à l'administration spirituelle de chaque Diocèse, Prêtres, et Laïques doivent fidèlement obéir aux Ordres de l'Évêque institué par le Pape.

(...)

Voici donc ce que vous enseignent là-dessus les divines Écritures : « Que tout le monde, dit St. Paul aux Romains, soit soumis aux Puissances supérieures : car il n'y a point de puissance qui ne vienne de Dieu ; et c'est lui qui a établi toutes celles qui existent. Celui donc qui s'oppose aux Puissances, résiste à l'ordre de Dieu ; et ceux qui résistent, acquièrent pour eux-mêmes la damnation. Le Prince est le Ministre de Dieu pour procurer le bien ; et comme ce n'est pas en vain qu'il porte le glaive, il est aussi son Ministre pour punir le mal. Il vous est donc nécessaire de lui être soumis, non seulement par crainte du châtiment, mais aussi par un devoir de conscience. Soyez donc soumis, ajoute St. Pierre le Chef des Apôtres, à toutes sortes de personnes par rapport à Dieu, soit au Roi, comme étant au-dessus des autres, soit aux Chefs qu'il vous envoie pour punir les méchants et louer les bons ; car telle est la volonté de Dieu. Étant libres, ne vous servez pas de cette liberté comme d'un voile pour couvrir de mauvaises actions ; mais (agissez) comme des serviteurs de Dieu. Rendez honneur à tous, aimez vos frères, craignez Dieu, honorez le Roi. Serviteurs, soyez soumis et respectueux envers vos Maîtres, non-seulement à l'égard de ceux qui sont bons et doux mais aussi envers ceux qui sont bizarres et fâcheux ; car c'est un effet de la grâce, si en vue de Dieu, l'on souffre avec patience d'injustes traitements ».[9]

Puis un autre extrait du second mandement à l'occasion des troubles de 1837 :

Quelle misère, Nos Très-Chers Frères, quelle désolation s'est répandue dans plusieurs de vos campagnes, depuis que

---

8. Il est très curieux de voir que l'évêque n'hésite pas à citer l'autorité du prêtre si discuté.

9. Sans commentaires ! La remarque est de l'auteur assurément.

le fléau de la guerre civile a ravagé cet heureux et beau
pays, où régnait l'abondance et la joie, avec l'ordre et la sûreté, avant que des brigands et des rebelles eussent à force
de sophismes et de mensonges, égaré une partie de la population de notre Diocèse ! Que vous reste-t-il de leurs belles
promesses, sinon l'incendie de vos maisons et de vos Églises,
la mort de quelques-uns de vos amis et de vos proches, la
plus extrême indigence pour un grand nombre d'entre
vous ? Mais surtout, pour plusieurs, la honte d'avoir forfait à
la fidélité due au Souverain laquelle avait caractérisé de tout
tems votre pays ; d'avoir méconnu la Religion Sainte, qui
vous défendait avec tant d'énergie de pareils attentats ; d'a-
voir été sourds à la voix de la conscience qui, malgré l'étour-
dissement des passions, réclame toujours contre le désordre :
ah ! voilà principalement ce qui doit répandre l'amertume
dans vos âmes ; voilà ce que vous devez déplorer encore
bien plus que la perte des biens matériels. Il est vrai que les
temples de Dieu, les objets les plus saints, ont été profanés ;
et vos cœurs se soulèvent avec raison contre ces sacrilèges ;
mais outre que le plus vaillant Capitaine, quelque humain
et quelque généreux qu'il soit ne peut toujours, dans ces occasions, maîtriser la fougue du soldat, à qui doit-on attribuer la première cause de ces malheurs ? N'est ce pas à ceux
qui y ont plongé la Province par leur Propagande de rébellion ? N'est-ce pas à ces meneurs de révolte, qui ont ôsé
s'emparer eux-mêmes de la Maison de Dieu, afin de s'en
servir comme de fort et de redoute pour différer le châtiment qui les menaçait ?

Et comme d'après l'Écriture, un abyme conduit ordinaire-
ment à un autre abyme, à peine le drapeau de la rébellion
a-t-il été arboré que ces prétendus patriotes ont commencé à
vous faire ressentir quelle espèce de gouvernement ils vous
préparaient. En effet, est-ce le régime électif, qu'ils appelaient cependant le *Palladium* de toutes les libertés, qui a
proclamé les soi disant Généraux, Colonels et autres Officiers de ces bandes, que l'habitant de la campagne n'a connues que par leurs pillages ? Est-ce le vœu de la majorité du
pays, qui néanmoins selon leurs principes doit régler tout
dans un État, est-ce cette volonté générale qui a dirigé les
opérations militaires des insurgés ? Vous trouveriez-vous libres, lorsqu'en vous menaçant de toutes sortes de vexations,
de l'incendie et de la perte de tous vos biens, de la mort

même si vous ne vous soumettiez à leur effrayant despotisme, ils forçaient plus de la moitié du petit nombre qui a pris les armes contre notre auguste Souveraine, à marcher contre ses armées victorieuses ? Ils ont montré ce qu'était la liberté qu'ils vous promettaient, lorsqu'ils ont dépouillé vos granges et vos maisons, qu'ils ont enlevé vos bestiaux, et vous ont réduits à la dernière pauvreté, afin de se gorger de butin dans leurs camps, où ils démoralisaient notre jeunesse en l'entretenant dans un état habituel d'ivrognerie, pour étourdir ses remords. Ils ont fait voir ce qu'ils entendaient par libéralité, quand ils ont massacré de sang-froid, non en bataille rangée, mais avec toute l'atrocité de l'assassinat, des hommes qui n'avaient d'autres torts à leurs yeux, que celui de ne pas partager leurs opinions politiques,

Tels sont les fruits amers d'une première faute.

En novembre 1837, Louis-Joseph Papineau et George-Étienne Cartier[10] sont en fuite. Un peu plus tard, Louis-Michel Viger est incarcéré dans la prison de Montréal, comme le seront Denis-Benjamin Viger, Louis-Hippolyte La Fontaine et même le calme et serein Côme-Séraphin Cherrier. Ils sont tous amis ou parents du prélat.

Ils sont des deux côtés de la barrière. Mais qu'y faire ? L'un a cru faire son devoir en intervenant ; les autres ont été entraînés dans la bagarre qu'ils ont suscitée à des degrés divers. Parmi ces derniers, l'un paiera par l'exil ; il ne reviendra que dix ans plus tard. Les autres seront mis assez brutalement en prison car le Pouvoir n'est pas tendre pour ceux qui l'ont combattu. Durham fait exiler un groupe aux Bermudes[11] ; d'autres seront dirigés vers l'Australie, tandis que onze autres seront pendus haut et court pour la plus grande désolation de celui qui, pourtant, avait mis ses fidèles en garde. Ce qui n'avait pas manqué de soulever d'autres gens contre cette Église déjà assez mal en point.

---

10. Dans une lettre du 20 septembre 1838 adressée à Charles Buller, George - Étienne Cartier justifie son absence du pays et demande l'autorisation d'y revenir sans être considéré comme un proscrit.

11. Autre cousin, mais éloigné, Bonaventure Viger sera parmi les huit qu'on embarquera un jour pour Hamilton. On en trouve encore la trace par l'*Exiles' Cottage* et par certaines allusions dans les journaux locaux. Ils avaient de belles voix, le dimanche ils chantaient à la Cathédrale, y lit-on.

Mgr Lartigue laisse le souvenir d'un évêque intelligent, actif, pieux et intransigeant ouvrier de la religion à Montréal.

Son successeur sera aussi un prélat à la fois grand et discutable car, s'il est très dynamique, il est autoritaire terriblement. Avec Jean-Jacques Lartigue, disparaît un des six cousins qui, à Montréal, ont façonné l'opinion durant un temps assez long.

Louis-Joseph Papineau (1786-1871)

Que dire de Louis-Joseph Papineau qui n'ait été écrit jusqu'ici[12] ? Essayons de le présenter sans fard comme un des personnages de la politique canadienne de son temps. Né en 1786, mort en 1871, il a été un orateur fougueux, intransigeant, un peu grandiloquent parfois ; toujours il a été excessif, un peu malheureux, impécunieux, assez mécontent du présent et inquiet de l'avenir quand, jeune officier de Sa Majesté, il devait se lever très tôt pour commander ses hommes au régiment[13]. C'est sa sœur Marie-Rosalie Papineau qui nous le dit. Plus tard, il fut un critique révolté contre les abus de quelques-uns des gouverneurs et de leur clique. Violent dans ses critiques de l'administration et de la banque ; violent aussi dans ses appels à la révolte, même à une époque où il admirait les institutions politiques de l'Angleterre. Il fut non moins excessif dans sa peine et dans ses ennuis familiaux.

Il réussit très tôt. En 1808, il est député en même temps que son cousin Denis-Benjamin Viger. Il a vingt-deux ans. Quelques années plus tard, il est élu *orateur* de la Chambre.

---

12. Dans *Ancêtres et contemporains*, (Guérin, Montréal), 1979, Jean-Jacques Lefebvre lui a consacré une très belle étude sous le titre de « La Vie sociale du grand Papineau ». De son côté, Robert Rumilly a raconté sa vie extraordinaire en deux forts volumes (Fides, Montréal) où il reprend sa première étude parue à Paris, chez Flammarion, en 1934. Et que d'autres ont écrit sur lui !

13. Dans une lettre adressée à sa sœur Marie-Rosalie Papineau en juillet 1812, il se plaint des gens, des choses et du moment. On sent qu'il n'aime pas ce que la situation le force à faire.

Tout lui réussit même si, souvent, il soulève l'ire de ses adversaires. Il est éloquent, audacieux. Au cours d'un voyage qu'il fait en Angleterre, en 1823, il apprend à connaître le fonctionnement des institutions politiques qu'il admirait de loin. Petit à petit, cependant, il est amené à combattre sinon le régime, du moins ceux à qui on a confié le soin de gérer les affaires de la Colonie. Après avoir groupé autour de lui ceux qui se plaignent des abus du gouverneur et de ses amis, il mène la Chambre basse. Ses initiatives ou ses décisions sont fréquemment rembarrées par le Conseil législatif, dont les membres sont nommés par le gouverneur général. Outrée, la majorité de la Chambre basse envoie alors des agents à Londres pour saisir le Colonial Office d'abord, puis la Chambre des Communes de ses doléances.

Papineau atteint le faîte de son prestige en 1834, quand il fait passer ce que l'on a appelé « Les Quatre-vingt-douze Résolutions » : longue plainte d'une majorité brimée. Puis, les choses se précipitent. À coups de discours enflammés, il soulève une population tendue, exaspérée, qui se jette dans les bras des meneurs. Il y a un premier soulèvement en 1837 que la troupe mate[14] ; puis un second en 1838 que sir John Colborne étouffe dans le sang et le feu.

La rébellion avait recruté ses partisans dans la région de Montréal surtout, malgré l'évêque et la plupart de ses prêtres. À Québec, l'opinion avait été réfractaire sous l'influence du clergé et, notamment d'Étienne Parent. Effrayé devant ce qui menaçait à Montréal, Papineau avait bien essayé un moment de calmer les esprits, mais sans succès car il les avait amenés à un point de colère qu'il était devenu impossible de maîtriser. Sa tête fut mise à prix. On promit mille livres à celui qui le livrerait[15]. Poussé par ses amis, Papineau se rend aux États-Unis pour essayer de convain-

---

14. En novembre 1837, on oppose à des troupes rangées des rebelles indisciplinés, armés de fourches, de haches et de fusils de chasse.

15. Un exemplaire du document se trouve dans la collection Melzack de l'Université de Montréal. Les Archives Publiques du Canada en possèdent un autre exemplaire, comme aussi celles du Québec, que l'on reproduit dans un des rapports de l'archiviste.

cre les Américains de fournir aux rebelles les moyens en hommes et en armes pour réussir. Comme ceux-ci font la sourde oreille, peu enclins à se laisser entraîner dans une affaire bien mal commencée, Papineau décide de se rendre en France. À nouveau, on le reçoit froidement à un moment où Louis-Philippe, à la faveur du règne de la reine Victoria, tente de se rapprocher de l'Angleterre, sous l'influence de Talleyrand, ambassadeur de France à Londres, à l'époque où Papineau avait envoyé son ami Augustin-Norbert Morin porter les Quatre-vingt-douze Résolutions à l'*agent* de l'Assemblée législative, Denis-Benjamin Viger.

En France, servi par son prestige personnel, Louis-Joseph Papineau fréquente, chez le baron Laffitte, une société libérale où ses goûts de liberté lui ouvrent bien des portes. C'est ce que constate son neveu, Louis-Antoine Dessaulles, venu à Paris après avoir terminé ses études au séminaire de Saint-Hyacinthe.

Parmi les amis de l'homme politique canadien, il y avait aussi, en France, ce prêtre fougueux, Félicité Robert de Lamennais, philosophe épris de liberté, dont les idées avaient pénétré un peu partout dans la catholicité jusqu'au moment où les *Paroles d'un Croyant,* son livre le plus percutant, fut mis à l'index. Loin d'éloigner Papineau du prêtre, la condamnation les rapproche pour le plus grand plaisir de son neveu, très attiré par des idées qu'il avait nourries lui-même au cours de ses études, mais auxquelles il n'avait pu donner forme ou libre cours, dans un milieu intéressant, mais étroit.

Papineau voit également Alfred de Vigny à Paris. Quelques années plus tôt, celui-ci a épousé une Anglaise. Pour les affaires de sa femme, il passe six mois à Londres. Il est reçu un peu partout, à la Chambre des Communes en particulier, dont la mise en scène, la stabilité et l'éclat le frappent et l'enchantent. Un soir, à Gore House chez lady Blessington, Vigny est invité à dîner avec lord Durham et Charles Buller, son ami et ex-secrétaire. Lord Durham entretient les hôtes de lady Blessington du Canada, de ce qu'il y a vu, de la lamentable ignorance des gens qu'il y a côtoyés et, enfin, du retard pris par un milieu dont les éléments s'opposent violemment ou sourdement, selon les jours. C'est son rapport qu'il résume devant eux. Alfred de Vigny est un peu choqué de ce qu'il entend et, surtout, de l'intention que l'on a de noyer ces francophones dans l'immigration qui s'annonce, tout en faisant porter à la population du Bas-Canada une partie des dettes contractées un peu imprudemment par le Haut-Canada. De retour à Paris, Vigny pose de multiples questions à Louis-Joseph Papineau qu'il a connu chez le baron Laffitte sans doute. Papineau ne demande pas mieux que d'y répondre. Dans son livre sur Xavier Marmier[16], Jean Ménard cite questions et réponses, puis le texte d'un article que Vigny destinait à la *Revue des Deux Mondes,* mais qui est resté dans les cartons du poète. Peut-être, écrit Jean Ménard, parce que l'étude n'était pas terminée et tout à fait au point. Comme il disait du mal de lord Durham, peut-être aussi le poète ne voulait-il pas blesser sa femme ou se mettre à dos un groupe puissant qu'il avait fréquenté chez les Blessington durant son séjour à Londres.

Si nous mentionnons ici cette curiosité manifestée par un poète très en vue à l'époque, c'est pour montrer comme le milieu de Paris s'éveillait parfois aux problèmes du Canada, mais sans beaucoup de conséquences pratiques, il est vrai. Si le prince Louis-Napoléon était chez lady Blessington, en même temps qu'Alfred de Vigny, une fois revenu en France il ne s'intéressa guère à la question canadienne. Pris par ses propres problèmes, il tenait trop à l'amitié de l'Angleterre pour vouloir intervenir. Il envoya bien son cousin en Amérique une fois qu'il fut devenu empereur longtemps plus tard mais, semble-t-il, dans l'intention surtout d'éloigner un politique un peu brouillon, sympathique, mais dont les idées ne lui plaisaient pas toujours. À Montréal, le voyageur s'intéressa plus à l'Institut Canadien qu'à l'Évêque. Celui-ci ne voulut pas le recevoir à cause de certaines déclarations qu'il avait faites à la Chambre des dépu-

---

16. *Xavier Marmier et le Canada,* par Jean Ménard, Aux Presses de l'Université Laval. Voir pp. 21-31 et 179-188.

tés, en France, puis d'autres, à Montréal, qui étaient beaucoup plus favorables aux membres de l'Institut Canadien et à son président qu'à la sainte religion ou, tout au moins, à la conception qu'on en avait alors.

À Québec, le prince fut reçu à bras ouverts, aussi bien par les autorités politiques que religieuses. Toutes deux voulurent voir en lui non l'adversaire du Pape et de la Religion, mais le représentant d'une nation à laquelle le Bas-Canada était encore lié par tant de liens sentimentaux. Depuis l'époque où Denis-Benjamin Viger avait dit du mal du régime en Nouvelle-France, bien des choses s'étaient passées. La jeune génération était prête à oublier le passé, le charme français recommençant à opérer à travers ses envoyés extraordinaires et sa littérature. Et puis, parmi l'élite, bien des gens comprenaient que si l'on voulait rester francophone en terre d'Amérique, il fallait se rapprocher de la source principale de la civilisation française. C'était une première étape de ce qu'au siècle suivant on appellera la francophonie.

*

Papineau reste en France jusqu'en 1846[17], malgré les instances de sa femme et l'insistance de certains de ses a-mis, comme Édouard-Raymond Fabre, et de son frère Denis-Benjamin. Celui-ci le presse de revenir en lui écrivant des lettres où il lui dit, entre autres choses, que le nombre de ses amis va croissant. De son côté, son cousin Denis-Benjamin Viger aurait bien voulu l'avoir à ses côtés dans sa lutte contre La Fontaine et Baldwin. Il semble aussi que lord Metcalfe eût été favorable à son retour, si l'on en croit le témoignage de Denis-Benjamin Viger[18].

---

17. Papineau revient au printemps de 1846 en passant par New York, note Jean-Jacques Lefebvre (*op. cit.*, p. 99). Il ajoute : (Il) « s'était juré de ne pas revoir le sol de la patrie, avant que le dernier exilé d'Australie n'ait réintégré ses foyers. »
18. Denis-Benjamin Papineau déclarera, en effet, à un moment donné que lord Metcalfe aurait souhaité son retour pour faire échec au tandem La Fontaine-Baldwin. Le gouverneur était prêt à tout pour essayer d'ébranler ces deux hommes politiques qui lui tenaient tête et empêchaient son Ministre, Viger, d'attirer assez de parlants français dans son Cabinet pour en assurer la survie.

Il faut dire que le gouverneur général est dans une situation difficile, qui se révélera inextricable quand, malgré
ses démarches, Denis-Benjamin Viger dut s'avouer incapable de former son cabinet, avec la collaboration des francophones.

Louis-Joseph Papineau a sans doute trop attendu pour
revenir dans son pays. Un vieux dicton ne dit-il pas que
« les absents ont toujours tort » ? Durant son séjour en
France, Papineau ne s'était pas rendu compte que son prestige s'était terni. Si, à son retour, il est élu député du comté
de Saint-Maurice, en 1848, il constate rapidement que l'opinion a bien évolué. Une chanson exprime assez bien le sentiment populaire. C'est la faute à Papineau [19], chante-t-on
chaque fois que les choses vont mal. On dit aussi, il est vrai,
en parlant de quelqu'un qui n'est pas brillant : Ce n'est pas
la tête à Papineau. Certains ont gardé un bien pénible souvenir de la fuite de Papineau aux États-Unis en 1837. Un
des rares curés — favorables aux insurgés — avait quitté le
pays en disant pis que pendre de lui[20]. Aux États-Unis, il
était censé entrer dans un ordre religieux. Par la suite, Mgr
Bourget le réintégra dans ses cadres, mais il l'envoya dans
une cure lointaine, tout en le forçant assez durement à se
rétracter.

À son retour, Papineau constate que, si certains lui restent fidèles, il n'a plus le prestige d'autrefois. Il se rend
compte que les idées ont évolué en politique et que le clergé est resté ferme contre lui. Il a l'impression très nette que
sa carrière politique est terminée.

Quand le parlement nouveau accepte de lui rembourser
ses honoraires comme « orateur » durant son absence, il décide de construire une grande maison à Monte-Bello dans
sa seigneurie de la Petite Nation laissée un peu à l'abandon
avec la vieillesse de son père et l'entrée en politique de son
frère, Denis-Benjamin. C'est à lui qu'il avait donné le fief

---

19. Longue complainte que l'on chanta longtemps.
20. L'abbé Étienne Chartier, que dans son *Journal*, Amédée Papineau juge
avec la violence de son âge.

de Plaisance en reconnaissance des services que celui-ci lui avait rendus, pendant les longues années durant lesquelles il avait administré la seigneurie pour lui aux moments les plus difficiles de sa carrière politique.

Papineau avait espéré attirer sa femme dans son domaine. Malheureusement, comme elle n'aimait pas la campagne, elle se refusa d'y faire plus que de rares et rapides séjours, tant elle s'y ennuyait loin de tout et de ses enfants. Et cependant, comme est belle cette campagne où s'élève la maison nouvelle !

*

Et puis, la vie se fit dure pour Louis-Joseph Papineau. Si, de temps à autre, il venait à l'Institut Canadien à Montréal pour échanger des propos virulents sur l'évêque Bourget avec quelques-uns de ses amis, il se sentait bien seul dans son domaine de Monte-Bello. La seigneurie commençait à lui rapporter un revenu assez substantiel, même s'il lui fallait surveiller ses censitaires de très près pour les convaincre de payer leurs rentes[21]. Actif, esprit fécond, Papineau l'avait développée en lui ouvrant les portes sur le monde nouveau que représentaient Montréal et sa région.

1854 fut pour Papineau une année désagréable. En Chambre, on passa la loi destinée à liquider le régime seigneurial. Il est vrai que La Fontaine et Cartier avaient bien déclaré que les seigneurs seraient indemnisés, mais l'idée de renoncer à une partie de ses droits déplaisait à ce grand seigneur atteint dans son orgueil, et peut-être dans son intérêt immédiat. Son cousin, Denis-Benjamin Viger, n'était guère plus favorable à la législation nouvelle[22]. Il n'y pouvait rien car, revenu à Montréal, il n'avait plus aucune influence là où la décision se prenait. Peut-être dans l'attitude

---

21. Voir à ce sujet l'article de M. Cole Harris, paru dans *Canadian Historical Review,* mars 1971, p. 37.

22. Il aurait souhaité, semble-t-il, qu'on en tirât davantage, en l'utilisant mieux, comme il l'avait écrit à lord Goderich en 1831. D'un autre côté, il ne pouvait pas ne pas admettre qu'il fallait briser le carcan dans lequel Talon avait fait entrer les terres les plus accessibles.

des deux cousins, y avait-il un orgueil de caste ! Peut-être aussi étaient-ils convaincus que le régime rendait encore des services, même si la terre qu'il englobait était devenue insuffisante pour les jeunes qui quittaient leur village ou la ferme pour aller dans les villes ou pour émigrer avec leurs curés vers les États de la Nouvelle-Angleterre. Assez curieusement, Côme-Séraphin Cherrier, le sixième de ces cousins, emboîtait le pas. Il est amusant de citer ici le témoignage d'Alexis de Tocqueville qui, au cours de son voyage dans le Bas-Canada en 1831, avait posé la question suivante à un rural et en avait reçu une réponse qui le ravissait :

> Comme le Français, le paysan canadien a l'esprit gai et vif ; il y a presque toujours quelque chose de piquant dans ses réparties. Je demandais un jour pourquoi les Canadiens se laissaient resserrer dans des champs étroits, tandis qu'ils pouvaient trouver à vingt lieues de chez eux des terres fertiles et incultes. — Pourquoi, me répondit-il, aimez-vous mieux votre femme, quoique celle du voisin ait de plus beaux yeux ? J'ai trouvé qu'il y avait un sentiment réel et profond dans cette réponse.

Pour que M. de Tocqueville ait compris la saillie, il aurait fallu qu'il connût la situation réelle un peu mieux. Au-delà du régime seigneurial, il y avait, en effet, ce qu'on a appelé les Cantons de l'Est attribués en grande partie à la British American Land Company. Mais pour obtenir des terres de ce côté, il valait mieux s'appeler Johnson ou Mac-Donald que Dumont ou Tremblay. C'est contre cela d'ailleurs que s'élevaient Denis-Benjamin Viger et bien d'autres. Voici ce que Denis-Benjamin Viger écrivait à ce sujet vers la même époque à lord Goderich :

> Le fait est que les Canadiens jusqu'à il y a un certain nombre d'années pouvaient généralement acquérir avec la plus grande facilité des terres dans les seigneuries moyennant des rentes modérées, et que les établissements et les défrichements dans ces seigneuries se sont avancés avec une facilité proportionnée aux facilités qu'ils ont éprouvées pour s'y placer.

> Peut-on supposer que si on eût employé des moyens analogues pour tourner leur attention vers les terres allodiales,

qu'au contraire ils n'eussent pas été rebutés par des obstacles, ils eussent repoussé comme on le prétend le don de terres libres et dégagées de toutes redevances, auraient préféré de s'établir sur celles qui en étaient chargées ? C'est réellement s'exposer soi-même et prêter le flanc au ridicule que de conserver un ton de gravité en signalant la bizarrerie de semblables opinions. Ce devient pourtant souvent une nécessité indispensable quand on discute des objets d'intérêt public relativement au Bas-Canada.

Comme Viger, Papineau fut indemnisé assez libéralement. Le second toucha environ $89 000 et le premier $24 000 en 1861, tout en conservant des rentes dont le règlement final ne se fit qu'au siècle suivant, en 1942 : moment où disparut complètement le régime imaginé par Jean Talon et qui avait résisté pendant près de deux siècles, même après avoir perdu son utilité. Chose pénible, beaucoup de ceux qui auraient pu bénéficier de l'amélioration des revenus provenant de la seigneurie, avaient vendu leurs biens pour un plat de lentilles. Aussi, parmi ceux qui touchèrent les indemnités du Canada-Uni, y avaient-ils bien des nouveaux venus qui avaient profité de l'incurie ou de l'insouciance des propriétaires originaux.

*

Puis en 1862, survint la mort de sa femme. Malade, elle n'avait pu partager pendant bien longtemps la vie de l'exilé. Elle lui avait écrit, il est vrai, des liasses de lettres bien précieuses pour comprendre sa vie familiale, son mari et même les difficultés de l'époque[23].

Successivement décédèrent la plupart de ses enfants, laissant leur père isolé, meurtri, dans le domaine du Haut-Outaouais où des amis comme Édouard-Raymond Fabre et son gendre, Napoléon Bourassa, venaient le voir, il est vrai. Ce dernier nous a laissé une peinture de l'isolé romantique,

---

23. Il est intéressant de voir comment elle jugeait ceux qu'elle considérait comme des transfuges : Denis-Benjamin Viger et son beau-frère Denis-Benjamin Papineau. Lettre du 10 juillet 1845, à son mari. Rapport A.P.Q., 1957-58, 1958-59, p. 52.

à la fin de sa vie : grand, bien droit, volontaire, la chevelure blanche terminée par un toupet à la Papineau comme on disait, l'homme est majestueux, digne. Il donne l'impression d'être resté intransigeant comme il l'avait toujours été, électrisant les foules et les préparant à la boucherie qui suivit son départ.

Devant cette toile et l'arrière-plan qui représente l'Outaouais, on peut imaginer le vieil homme sortant de sa bibliothèque où il a réuni les livres rapportés de France, venant vers la rivière et rêvant à ce qui aurait pu être.

Louis-Michel Viger (1795-1855)

On l'appelait le *beau Viger*. L'était-il vraiment ou était-ce une de ces réputations que font les femmes à certains hommes[24] ? La miniature que l'on trouve dans la collection Maurice Corbeil nous le présente assez âgé, vêtu comme on l'était à l'époque, sans charme particulier. Par contre dans un dessin de son co-détenu en 1838, le notaire Girouard, il a belle allure, même s'il a subi l'outrage des ans. À cinquante-deux ans déjà, certains résistent mal à l'usure de leurs artères. Peut-être était-ce dans sa jeunesse qu'il avait mérité la réputation qui devait survivre à une époque où il était devenu corpulent et chauve. Il faut dire que lui aussi avait passé à travers des années dures — son séjour à la prison de Montréal, par exemple, où les jours s'écoulaient lentement et bien frugalement, tandis qu'étaient lancinants les problèmes de la Banque du Peuple qu'il avait laissés derrière.

À l'encontre de son cousin Denis-Benjamin Viger, il ne resta pas longtemps derrière les barreaux. Il obtint d'en sortir après avoir fourni une caution et après avoir pris l'engagement de ne pas prendre les armes contre Sa Majesté la Reine. Pas plus que son cousin, il n'avait pu être jugé par

---

24. Dans une lettre à son mari, Julie Bruneau-Papineau note à son sujet : « ... il est toujours bel homme, mais trop replet ... »

ses pairs et il ne sut jamais exactement pourquoi on l'avait
incarcéré. Il s'appelait Viger ; il était cousin de l'autre et de
Louis-Joseph Papineau en fuite, mais dont le souvenir était
bien vivant. Il avait été député et il s'était rangé parmi les
contestataires que lord Durham avait renvoyés dans leur
foyer, à son arrivée en 1838. On en avait fait sortir plusieurs
par la suite pour les mettre en prison. Les deux cousins,
Denis-Benjamin Viger et Louis-Michel Viger, avaient obtenu de s'y rendre en voiture après avoir ramassé quelques
objets de première nécessité. Tous deux avaient été arrêtés
en vertu d'un ordre d'écrou dont le dossier Cherrier a gardé
le souvenir[25]. Voici ceux qui, parmi les mauvaises têtes, furent mis aux arrêts le 4 novembre 1838[26] sans que, encore
une fois, on consentît à leur dire pourquoi :

> Louis-Hippolyte LaFontaine, Denis-Benjamin Viger, Char-
> les Mondelet, Louis-Michel Viger, Jean-Joseph Girouard,
> John Donegany, Francis W. Desrivières, Ecuyers, Lewis Jo-
> seph Harkin, Dexter Chapin, Toussaint Labelle, Augustin
> Racicot, François-Xavier Desjardins, George Dillon, John
> Terrell, Henry Badeau, Louis Coursolles, François Pigeon,
> Cyrille David et Hyram J. Blanchard.

Si Denis-Benjamin Viger apprit par la suite qu'il avait
été dénoncé par une domestique renvoyée, disaient les uns,
ou à la suite d'une lettre dans laquelle il était censé avoir
offert de verser une forte somme pour armer les futurs rebelles, ou, encore, pour avoir financé et orienté certains
journaux subversifs, Louis-Michel Viger ne sut pas pourquoi il était derrière les barreaux. Il sortit de prison un jour
et reprit son bureau à la Banque du Peuple, dont il avait
été élu président à vie. Car s'il avait eu une carrière politique active, Viger s'était orienté un jour vers la Banque,
avec son ami De Witt[27]. De 1830 à 1838, Louis-Michel Vi-

---

25. Et que l'on trouve dans les archives de la vieille dame de l'avenue Wellington à Ottawa.

26. Fait curieux à une époque pleine d'inattendu, l'ordre d'écrou, adressé à
l'honorable de St-Ours, à titre de *shérif,* était signé par H. Edmond Barron, beau-
frère de Denis-Benjamin Viger.

27. Jacob De Witt (1785-1859). Né aux États-Unis d'une famille d'origine
hollandaise venue au Canada au début du XIXᵉ siècle, Jacob De Witt s'intéressa

ger avait été député de Chambly. Il le fut pour Nicolet en 1842. En 1848, il succéda à La Fontaine dans le comté de Terrebonne quand celui-ci renonça à la vie politique pour revenir au droit, puis à la magistrature, à titre de juge en chef de la Cour d'appel de Québec. Viger continua sa carrière politique, en devenant député de l'Assomption en 1851, puis membre du conseil exécutif qu'avait présidé son cousin Denis-Benjamin, dans des jours difficiles. Il avait également été *receveur général* dans le cabinet La Fontaine-Baldwin jusqu'en 1849.

Louis-Michel Viger a eu une carrière politique honorable, même si elle avait été l'occasion d'un bref séjour en prison. En 1835, il fonda avec son ami De Witt une banque privée qui, en évoluant, devint la Banque du Peuple, installée à côté de sa puissante concurrente la Banque de Montréal. Par la suite, l'établissement se logea rue Saint-Jacques là où la Banque de Montréal avait commencé ses opérations en 1817, avant de déménager dans le grand immeuble de la Place d'Armes aux colonnes de granit, soutenant un fronton grec de classique allure. Vers le même moment, il y eut à Montréal la City Bank. Pourquoi trois banques dans une petite ville comme Montréal, qui a une population de quelque trente mille âmes en 1831 ? L'explication est simple. La Banque de Montréal, comme tout établissement

d'abord à une affaire de quincaillerie. Il s'enrichit au moment de la guerre avec les Américains et rapidement il se mêla à la vie politique et sociale de Montréal. Il a également eu une carrière politique qui commença en 1830, quand il devint député de Beauharnois. En 1835, il fonda avec Louis-Michel Viger une société bancaire en commandite, Viger et De Witt, qui résista à la rébellion et aux bruits qui coururent aux moments les plus graves du soulèvement. En 1838, Louis-Michel Viger, président de la maison, fut mis en prison comme rebelle, comme on l'a vu. Malgré cela, elle subsista. Elle fut remplacée, en 1844, par la Banque du Peuple, créée officiellement à la suite d'une requête présentée à la reine Victoria le 28 mai et proclamée par sir Charles Metcalfe la même année. Président du Conseil du Canada-Uni, Denis-Benjamin Viger n'y fut sans doute pas étranger.

Louis-Michel Viger fut président de la Banque du Peuple jusqu'en 1855. Jacob De Witt lui succéda. Il mourut à son tour en 1859, après une longue carrière d'homme d'affaires et une carrière assez mouvementée d'homme politique. Resté Américain dans l'âme, De Witt appuya la campagne qui, en 1849, tendit à l'annexion du Bas-Canada aux États-Unis. Dans le numéro de mars 1950 de la *Revue d'Histoire de l'Amérique française,* Louis Richard lui a consacré un article très bien documenté, à qui nous empruntons quelques-uns de ces détails.

financier, avait une tradition et des amis. À tort ou à raison, on prétendait que si elle ouvrait ses portes aux maisons dirigées par des anglophones, elle ne faisait que les entrebâiller pour les autres qui devaient se tirer d'affaire comme elles le pouvaient. N'a-t-on pas dit également que les deux associés Viger et De Witt avaient l'intention de créer un établissement destiné à financer les opérations du nouvel État[28] ? Il est difficile d'affirmer la chose à distance, mais ce qu'on sait c'est que l'influence morale de Louis-Joseph Papineau et de Denis-Benjamin Viger était grande dans la banque nouvelle, puisque sur certains billets signés par Louis-Michel Viger et par Jacob De Witt, il y avait l'effigie de Papineau dans un premier cas et de Viger dans un autre[29]. Or, l'un et l'autre ne pouvaient pas ne pas avoir discuté avec leurs amis l'éventualité où le Bas-Canada trouvant son indépendance, il lui faudrait un établissement bancaire officieux, tout comme l'était la Banque de Montréal pour le gouvernement anglais à l'époque. Aucun haut fonctionnaire britannique n'était au conseil de la Banque de Montréal, de même que ni Papineau, ni Viger ne l'étaient à la Banque du Peuple ; chose curieuse, cependant, ils n'étaient pas non plus parmi les actionnaires.

Avant de créer la Banque du Peuple, Viger et De Witt avaient fondé une société remplissant des fonctions bancaires. Ce n'est qu'un peu plus tard, en 1845 à la suite d'une évolution lente, qu'elle se transforma en un établissement reconnu par la vonlonté de ses fondateurs à une époque où la Banque de Montréal elle-même avait longtemps été dans l'impossibilité de faire renouveler sa charte par la Chambre basse du Bas-Canada, qui se refusait à passer tout projet de loi d'ordre financier. D'elle-même, la Banque avait décidé de prolonger son existence et d'augmenter son capital, en attendant que la Chambre basse consentît à lui renouveler

---

28. Ce qui n'est pas prouvé, cependant. Voir à ce sujet la très intéressante thèse de M. Robert Greenfield, à l'Université McGill : *La Banque du Peuple 1835-1895.*

29. Sur un billet de cinq dollars dans un cas et de dix dans l'autre, comme nous l'avons vu précédemment.

ses privilèges. C'est ainsi que les deux voisines travaillèrent dans la plus complète illégalité à un des moments les plus troubles de l'histoire du pays[30].

Que le président de la Banque du Peuple soit incarcéré pour haute trahison aurait pu être grave, si les clients n'avaient pas été de cœur avec lui. Il était bien sympathique, « extrêmement libéral et il faisait de sa fortune un noble et charitable usage », affirme un de ses biographes, dans une note écrite après sa mort.

À l'époque, souvent les qualités humaines tenaient lieu de témoignage ou de réputation, encore plus que les connaissances techniques. Et c'est pourquoi la Banque du Peuple tint le coup : ses déposants ayant peu pratiqué la « course sur les dépôts », comme on le fit plus tard quand quelques faillites bancaires enseignèrent aux déposants qu'aux moindres nouvelles inquiétantes il valait mieux se précipiter aux guichets de la succursale la plus rapprochée pour toucher son argent.

En sortant de prison, Viger trouva donc son bureau, son fauteuil, son personnel et ses affaires non perturbées par l'absence forcée du président, accusé de haute trahison. Il retrouva également sa pipe, son fauteuil et ses pantoufles dans cette grande maison de l'Assomption que sa femme lui avait apportée en dot, avec la seigneurie qui s'ajoutait à celle de Repentigny qu'il possédait en propre. En 1854, lui non plus n'était pas très enthousiaste de cette loi tendant à l'abolition de la tenure seigneuriale, à laquelle tenait tant George-Étienne Cartier et dont il avait confié l'application au juge Louis-Hippolyte La Fontaine et à quelques autres commissaires choisis pour leur probité et leur expérience.

C'est dans le manoir de l'Assomption que Louis-Michel Viger habita jusqu'à sa mort ; c'est là que sa femme, veuve de Charles-Auguste D'Eschaillon de Saint-Ours, accueillait

---

30. Dans son livre intitulé *Canada's First Bank*, McLelland and Stewart, 1966, Merrill Denison expose la situation de la Banque de Montréal au moment de la rébellion et la décision que l'on dut prendre devant une Chambre inexistante. Voir p. 342 et suivantes.

sa cousine Marie-Amable quand Denis-Benjamin Viger quittait le pays pour une longue absence. Au siècle suivant, Robert de Roquebrune évoqua sa jeunesse dans ce manoir de l'Assomption où il était né[31]. Voici comment il le décrit dans *Testament de mon Enfance* :

> Ce mot de manoir par quoi on désignait encore à la fin du dix-neuvième siècle les anciennes maisons seigneuriales du Canada français, était plus somptueux que ce qu'il nommait.

> Le manoir de Saint-Ours, à l'Assomption, nous venait de l'héritage de notre arrière-grand-tante maternelle. Ma mère y avait été élevée, s'y était mariée. Nous y étions tous nés.

> Il était à deux milles environ du village sur la route de Montréal. C'était une grande maison de pierre, à long toit, percé de lucarnes. Un porche de bois, auquel on accédait par un perron, servait d'entrée. Ce porche était situé à l'extrême droite de la maison. Une rangée de cinq fenêtres s'ouvraient dans la façade. Le grand toit et ses cinq lucarnes complétaient cet ensemble fort simple mais harmonieux. Aux deux bouts, des cheminées dépassaient le faîte. En arrière de la maison régnait une galerie de bois.

> Depuis la fin du dix-septième siècle jusqu'à nous, le manoir avait souvent changé d'habitants et, par des héritages et des parentés, était passé des Le Gardeur aux Saint-Ours, puis à ma mère. Il avait été en partie reconstruit vers 1790 par notre arrière-grand-oncle Charles-Auguste D'Eschaillon de Saint-Ours.

Mais ce Saint-Ours[32], n'était-ce pas le père de celui à qui avait été adressé l'ordre d'incarcération qui, en 1838, visait Denis-Benjamin Viger aussi bien que l'hôte du manoir, Louis-Michel ?

*

---

31. Détruit par le feu en 1918, il n'en restait que des ruines, assez belles d'ailleurs, quand Pierre-Georges Roy publia son livre *Vieilles Maisons, Vieux Manoirs*.

32. François-Roch de Saint-Ours devint *shérif* de Montréal l'année même de la rébellion de 1837, après avoir été député et conseiller législatif.

Louis-Michel Viger ne vécut pas assez longtemps pour toucher les indemnités qui furent versées en 1861. Il mourut, à l'Assomption, le 31 mai 1855, mais fut inhumé dans l'église de Repentigny.

Dans une notice nécrologique, parue en juin 1855, on a noté que le défunt « possédait une mémoire admirable et vraiment extraordinaire[33] ». D'autres ont confirmé la chose. Ainsi, à un moment donné, il eut une attaque d'apoplexie. Dans l'intervalle, sa clientèle était inquiète, car de dossiers il n'y avait guère de trace dans son bureau d'avocat. Après un mois, il y revint encore assez mal en point mais, de mémoire, il donna tous les détails dont on avait besoin, non seulement pour poursuivre les travaux, mais pour estimer les honoraires. Bien heureux celui qui est doué d'un pareil instrument de travail, mis à la disposition d'une intelligence vive. Or, de l'aveu de ses contemporains, Louis-Michel Viger avait les deux. Ce qui lui permit de mener à bon port les affaires de la Banque jusqu'à sa mort. La Banque du Peuple était une autre entreprise à laquelle se dévoua son ami Édouard-Raymond Fabre, qu'on trouve au point de départ de plusieurs initiatives destinées à combler un vide dans une société lente à prendre des initiatives correspondant à l'importance numérique du groupe.

Si la Banque du Peuple disparut en 1895, c'est que les successeurs de Viger et de Jacob De Witt avaient oublié qu'une banque a des règles que l'on ne doit pas transgresser, si l'on veut qu'elle puisse résister aux crises ou aux coups du sort.

Excellent avocat, député fidèle à ses électeurs et ministre intègre, Louis-Michel Viger n'a-t-il pas été un chef dans le domaine des affaires laissé presque en friche par ses compatriotes francophones ? Et par là, n'a-t-il pas influencé ce groupe auquel il appartenait ? Il fut un excellent banquier dans une société qui ignorait encore les qualités qu'il

---

33. *La Patrie*, 5 juin 1855. M. Viger possédait une mémoire admirable et vraiment extraordinaire. Rien de ce qu'il avait vu ou lu ne lui échappait. Son jugement était aussi sain que sa mémoire était parfaite, note-t-on.

fallait pour réussir à une époque où il n'y avait pas d'impôt, guère de règles particulières, pas de syndicats ouvriers, mais où la prudence devait suppléer aux moyens financiers[34]. Son exemple aurait pu influencer le milieu si celui-ci n'avait pas été presque imperméable à une participation directe aux affaires. Parmi les six cousins venus d'une famille qui a tellement influencé l'opinion, un seul s'est orienté vers l'économie. Parmi les autres, il y avait un évêque, trois avocats qui, à un moment ou à un autre, ont joué un rôle dans la politique, et un arpenteur-géomètre. Alors que cinq sur six auraient pu, en fondant des entreprises, créer de la richesse et des emplois pour ceux que lord Durham avait traités aussi durement dans son rapport. Au lieu d'orienter le milieu dans ce sens, ils se contentèrent de plaider, de faire des discours et de la politique : victimes de leur formation première. Ils avaient contribué à faire évoluer le régime, mais ils n'avaient pu rendre leur groupe ni fort, ni puissant, autrement que par le vote en périodes électorales. C'était un peu mince comme résultat pour des hommes doués comme ils l'étaient et qui jouaient un tel rôle dans une société en évolution.

Jacques Viger (1787-1858)

Cinquième cousin : Jacques Viger. Il n'est pas beau celui-là. Il faut le voir dans une peinture de James Duncan qui rappelle le temps où il était maire de Montréal : décoration au cou, l'air sérieux, un peu morose, ce qu'il n'était pas. Un de ses contemporains, J.G. Barthe, le présente ainsi dans ses souvenirs[35] :

> Ses yeux quelque peu fauves et obliques provoquaient le rire, et sa bouche enfantait l'épigramme qui en sortait parfois un peu brûlante quand il s'agissait surtout de sa *Saber-*

34. Dans une thèse déposée au Rare Books Department, McGill University, Robert Greenfield a étudié l'histoire de la Banque du Peuple de 1835 à 1895. Nous y renvoyons le lecteur curieux de précisions (Fiche : EXM-1G83-1968.)

35. *Souvenirs d'un demi-siècle*, Chez J. Chapleau et Fils, 1885.

dache, son enfant de prédilection, auquel il n'était pas permis d'attenter de près ou de loin.

Barthe avait une dent contre lui parce qu'un jour Jacques Viger avait fait un bien mauvais jeu de mots sur son journal *L'Aurore des Canadas,* dont Denis-Benjamin Viger était un collaborateur et le propriétaire. Jacques Viger lui avait demandé des nouvelles de « l'Horreur des Canadas ». Ce que n'avait pas aimé Barthe, en écorché qu'il était.

Bon vivant, cultivé, curieux de tout, d'humeur gaie[36], fantaisiste, Jacques Viger est tout le contraire de son cousin Denis-Benjamin Viger. Arpenteur-géomètre, il a été un temps à la rédaction du *Canadien* à Québec, bien avant Étienne Parent. Puis, il a collaboré avec Joseph Bouchette qui, à l'époque, amassait une documentation pour ses livres parus à Londres en 1815 et en 1832[37]. Les deux ne s'entendaient pas très bien car, si Bouchette publie des ouvrages intéressants, il n'est pas très scrupuleux. Il ne déteste pas chercher les matériaux là où ils se trouvent, dans ses dossiers à lui, comme aussi dans ceux de son collaborateur Viger. Il aurait même, paraît-il, emprunté bien des détails à un curieux bonhomme du nom de William Von Berczy, venu d'Allemagne un jour et installé à Montréal. Il s'était fait peintre à une époque où, dans la Colonie, il suffisait de le souhaiter pour le devenir, pourvu qu'on eût quelque talent. Doué, ses portraits ne manquent ni de valeur, ni d'intérêt[38]. Et puis, esprit fertile, il a voulu écrire un livre sur la géographie des colonies anglaises, après avoir dû renoncer à

---

36. On a gardé de lui des lettres bien agréables, adressées à sa femme. Dans l'une d'elles, il raconte avec beaucoup de détails amusants un voyage en bateau de Montréal à Québec. Dans une autre, à sa femme toujours, il écrit : « Bonsoir ma chère belle. Ouvrez, ouvrez, n'ayez pas peur ; ce n'est point un filou, c'est votre amoureux qui vient reprendre à vos côtés le fil de son voyage » (1er décembre 1808). C'est à l'époque où il s'installe à Québec pour remplir le poste qu'on lui confie au *Canadien.*

37. Livres intéressants et qui comblent un vide. D'une typographie et d'une illustration très soignée, les livres de Joseph Bouchette sont des œuvres dignes d'un bibliophile. Ils nous apportent des détails bien intéressants sur l'état du Bas-Canada à l'époque où Bouchette les a écrits.

38. Le livre de John André, *William Berczy Co. — Founder of Toronto,* en témoigne. Toronto, 1967.

une entreprise de colonisation à York, dans le Haut-Canada, qui l'avait conduit à la prison pour dettes. De Boucherville où il habitait, Jacques Viger avait corrigé certains de ses textes. Puis, Von Berczy était allé à New York ; il y était mort et jamais plus on n'avait entendu parler de son manuscrit. Les livres de Bouchette parurent. Viger en voudra longtemps à l'auteur, car il prétendra qu'il lui avait emprunté des plans et des textes sans mentionner son nom. On ne peut le blâmer d'avoir trouvé le procédé un peu cavalier.

Bon enfant, Viger oublie cependant. Il faut dire que ses *Saberdaches* retiennent toute son attention. *Saberdache,* cela devient un recueil de documents[39] dans l'esprit de Viger, collectionneur invétéré et incorrigible. Il y loge tout ce sur quoi il peut mettre la main. Il en a deux, la bleue et la rouge qui, toutes deux, sont aux Archives du Séminaire de Québec. À la Bibliothèque municipale de Montréal, dans la collection Gagnon, se trouve également un album, dit de Jacques Viger, auquel Mgr Olivier Maurault a consacré une longue étude dans les *Cahiers des Dix,* au siècle suivant. Il y a dressé l'inventaire d'autres pièces que Jacques Viger avait patiemment réunies à travers les années[40].

Barthe, qui a vu les *Saberdaches* en gestation juge ainsi le collectionneur :

> Gare à la main profane qui osait se lever contre ce monument de toute sa vie qui était aussi, il faut en convenir, une fantaisie d'artiste et un chef d'œuvre d'exécution comme travail *sui generis,* qui a eu les suffrages de beaucoup d'esprits d'élite et d'hommes distingués dans les lettres parmi nous comme parmi les étrangers illustres qui nous visitaient : les-

---

39. *Saberdache* vient d'un mot allemand qui veut dire sacoche. Pour Jacques Viger, c'était un fourre-tout où l'on trouvait du bon, du très bon et du médiocre. Il englobait quarante-quatre cahiers et un album. Dans le rapport de l'archiviste de la province de Québec (1955-56 et 1956-57), M. Fernand Ouellet a analysé pièce par pièce les documents que contiennent l'une et l'autre des *Saberdaches*. Il faut s'y reporter pour comprendre l'importance de cette source de documentation.

40. L'usage voulait qu'on rassemblât dans un album des documents de la famille ou des pièces diverses. Mgr Maurault mentionne parmi les plus connues, celui de Pierre J.-O. Chauveau et de Pierre Lespérance à Québec et celui de A.-J. Boucher à Montréal, commencé en 1860, note-t-il.

quels trouvaient en outre, dans sa maison, un salon qui donnait le ton à notre société d'alors.

La phrase est longue, mais elle présente en raccourci l'homme, ses goûts et son milieu.

*

Quel fantaisiste était ce Jacques Viger ! Dans ses *souvenirs* [41], Amédée Papineau, fils de Louis-Joseph, raconte que certains soirs, il arrivait chez son père vers dix heures. Il discutait longuement, racontait moult potins et histoires et repartait tard dans la soirée pour une autre tournée chez des amis, ce qui le ramenait chez lui tard dans la nuit.

Mais ces *Saberdaches* étaient vraiment l'œuvre de sa vie. Il y mettait tout ce que sa grande curiosité lui faisait découvrir ici et là. Comme personne n'accordait d'importance à ces *vieilleries,* il parvenait à amasser les documents qui, autrement, se seraient égarés ou auraient été détruits. À propos de Denis-Benjamin Viger, il y a logé des lettres échangées entre eux car ils étaient très unis, et des documents à propos de ses voyages. L'énumération de tout ce qui s'y trouve sur d'autres personnages ou des événements particuliers serait trop longue pour entrer dans le cadre de cette étude. Pour plus de précision, nous renvoyons le lecteur à l'inventaire que l'archiviste de la province de Québec en a fait dans son rapport de 1955-57. En le feuilletant même rapidement, on se rend compte de la richesse de documentation que représente le dossier.

Louis-Georges Baby fut un autre collectionneur venu un peu plus tard dans ce siècle. Certaines familles s'en mé-

---

41. D'une calligraphie serrée, nerveuse, peu facile à lire, ces souvenirs du fils de Louis-Joseph Papineau jettent un jour précieux sur un milieu bien bouleversé et sur des événements suivis de pénibles séquelles. Ils complètent les très nombreuses lettres que sa mère lui écrivait ou qu'elle adressait à son mari aux États-Unis ou en France. Voir à ce sujet notamment le *Rapport de l'Archiviste de la province de Québec pour 1957 et 1958,* et les notes de M. Fernand Ouellet (p. 53 et ss.), sous le titre de « Correspondance de Julie Bruneau (1823-1862) » Pour la correspondance de Louis-Joseph Papineau, elle est également dans le *Rapport de l'Archiviste de 1953-55 et de 1955-57.* Pour un exemplaire dactylographié des mémoires d'Amédée Papineau, voir la Collection Gagnon à la Bibliothèque Municipale de Montréal.

fiaient. Ainsi Robert de Roquebrune raconte que lorsque son père attendait la visite de son cousin Baby, il disait : « Mettons tout sous clef, Georges va venir aujourd'hui. » Heureuse cleptomanie qui a permis de conserver tant de choses si précieuses pour reconstituer une époque. C'est le témoignage qu'on doit rendre à ces hommes possédés du démon de la curiosité et à Jacques Viger en particulier.

*

Bien différent de ses autres cousins, Jacques Viger leur laissé la politique en pâture. Il a l'air de se dire : « Peu me chaut d'entendre ces parlotes et d'assister à ces luttes auxquelles je n'ai rien à voir. » Son patriotisme, note un contemporain grincheux, n'est pas du meilleur aloi. Et cependant, pendant la guerre contre les Américains en 1812, il s'est battu dans le Haut-Canada. Plusieurs de ses écrits donnent des détails précis sur les combats auxquels il a assisté ou dont il a voulu rappeler le souvenir. Et en 1838, n'a-t-il pas été membre d'un comité devant lequel a comparu notamment le notaire Jean-Joseph Girouard venu s'expliquer[42].

Essayons de le comprendre avec le recul du temps. Il veut la paix. Contestataire dans sa jeunesse, il est devenu dévot dans son âge mûr. Il ne cherche pas à corriger un milieu, il ne veut que les satisfactions de l'immédiat. Comme il n'a pas le goût de la bagarre, même invoquée au nom de l'intérêt commun, il évite ces séjours en prison qui atten-

---

42. Cela n'a pas empêché Jacques Viger d'être dénoncé. Ainsi quelqu'un qui signe « A friend of St. Ours, shérif, écrit que Jacques Viger a dit de lord Gosford qu'il n'a pas inventé la poudre . . . on l'endort assez aisément. » Il aurait ajouté : « I make turn Lord Gosford as I wish. » Un autre écrit de Montréal, encore une fois : « Jacques Viger, Inspector for the roads at Montreal, told lately to a gentleman : « If Lord Gosford is not a turkey (sic) or a stupid, I will be very soon in the Legislature or Executive Council. I deserve it, by having introduced him in many places at Montreal. » Les deux lettres sont adressées à L. Walcott, Civil Secretary, Québec. Détestable époque où la lettre anonyme était une arme comme une autre contre les gens en place.
    Lord Gosford vint au Canada en 1835 et repartit en 1837. C'est à peu près le moment où Jacques Viger est maire de Montréal. Aussi est-il très exposé à ce genre d'attaques lui qui, pourtant, déteste la politique. Source : Archives Nationales du Québec, documents 2924 et 2925.

dent ses cousins, en pleine réaction contre le Pouvoir. Il n'a pas le prestige et les préoccupations de Denis-Benjamin Viger, et les problèmes de son cousin l'évêque, il les voit de bien loin. Il ne faut pas compter sur lui pour les résoudre. Égoïsme ? Non, simple désir de vivre chez un homme qui apprécie les plaisirs et les faits du moment, qu'intéressent la qualité de son travail et surtout ces *Saberdaches* qu'il arrondit comme d'autres amassent un pécule. Rien ne compte pour lui autant que ces aquarelles, ces dessins, ces lettres, ces textes, ces dédicaces, ces autographes, ces souvenirs du présent ou du passé qu'il accumule avec un soin jaloux. Il en entretient Barthe qui parfois en est bien agacé et ne ménage pas son ami. Écoutons-le à nouveau[43] :

> Quant à la *Saberdache,* pour le fond, j'aime mieux Garneau, pour le style, je préfère celui de l'abbé Guinée dans ses *Lettres à quelques Juifs,* et enfin comme exactitude et fidélité historique, je donne la palme ou, pour parler plus modestement, j'incline en faveur de M. Bibaud jeune, qui a souvent pris la *Saberdache* en défaut sous ce rapport.

Si le jugement n'est pas tendre, il jette un jour assez précis sur l'opinion que certains avaient d'un homme qui était attiré surtout par le document.

Que l'on ait pris Viger en faute sur quelque point d'histoire, il n'y a pas à s'en offusquer. Il n'était pas un historien ; il n'en avait ni la formation première, ni la patience, ni les goûts. S'il accumulait des textes, il laissait souvent aux autres le soin de les interpréter. Mais quelle ténacité, quel effort continu représente ce patient travail ! Voici comment l'abbé Camille Roy lui rendra hommage au siècle suivant dans ses *Nouveaux essais sur la Littérature canadienne* [44] :

> Et, c'est, en effet, le meilleur titre de Viger à la reconnaissance de ses concitoyens : il a recueilli pour l'histoire de son pays des matériaux précieux, que sa curiosité et sa diligence allaient partout chercher et découvrir. Pendant cinquante

---

43. *Souvenirs d'un demi-siècle ou mémoires pour servir à l'histoire contemporaine,* chez J. Chapleau & Fils, 1883.

44. Imprimerie de l'Action Sociale, Québec, 1914, pp. 73 et 74.

ans il a copié des notes, des manuscrits, des actes officiels, des statistiques, des récits inédits, des listes, des cartes, des plans, des mémoires, des lettres, des circulaires, tout ce qui lui tombait sous la main et qui pouvait être utile à l'histoire du Canada. Il a transcrit ces documents, il les a mis en ordre, il les a annotés, il les a réunis dans des cahiers solides, dont la collection forme ce qu'il appelait *Ma Saberdache*. Cette *Saberdache* comprend quarante-quatre volumes soigneusement rédigés, où court à pleines pages l'écriture fine et soignée de Jacques Viger. Trente de ces volumes à couverture rouge, forment la « Saberdache rouge » ; les quatorze autres, dont le dos est en cuir bleu, composent la « Saberdache bleue ». À part ces cahiers, il y en a un grand nombre d'autres dont cinq portent le titre d'*Opuscules* : tous sont pleins de documents transcrits par Jacques Viger.

Jacques Viger a le goût et la frénésie du document, du petit détail, du fait isolé, mais il a aussi le souci de la langue. Ainsi, on lui doit une étude sur la néologie canadienne sur laquelle nous reviendrons et dont l'abbé Camille Roy fait le plus grand éloge[45]. On lui doit enfin des « tablettes statistiques » et des travaux où il accumule des constatations de toutes espèces sur la ville et la région de Montréal[46]. Arpenteur-géomètre, inspecteur des ponts et chaussées, commissaire pour l'amélioration des chemins publics, *officier-rapporteur* d'élections, il fut lieutenant de milice, puis capitaine et enfin lieutenant-colonel. Dans la vie civile, on le chargea également du recensement de l'île de Montréal. Il eut une carrière assez bigarrée, comme on le voit, mais qui lui laisse des loisirs, au cours desquels il parcourt la région de Montréal, ramasse des faits, des documents, fait des

45. *Ibid.*

46. *Tablettes statistiques du comté de Montréal (1825) ; Observations for the Improvement of the Road Laws in force in Lower Canada (1825) ; Rapports sur les chemins, rues, ruelles, ponts de la Cité et Paroisses de Montréal, avec notes.* En 1810, il avait fait paraître sa *Néologie canadienne* et, en 1812, le texte bilingue de *La Mort de Louis XVI*, récit de l'abbé Edgeworth de Firmont, note l'abbé Olivier Maurault dans les *Cahiers des Dix*, no 9, 1944, p. 84.

On a une idée des travaux statistiques auxquels se livrait Jacques Viger, par le relevé des ouailles de Montréal et de la région qu'il envoie un jour à Mgr Lartigue avec la recommandation de garder pour lui des chiffres qui n'ont pas encore un caractère officiel. Sa lettre indique à la fois la nature de son travail et une amusante gouaille.

plans. On a de lui certains tracés qu'il a dressés — tel celui
du quartier de l'est du bourg où sa tante, Madame Denis
Viger, a le plus gros de ses propriétés foncières. Son travail,
il le fait bien. Car il est curieux, consciencieux, ce qui l'aide
à classer ce qu'il trouve un peu partout. Et c'est ainsi que
s'ordonnent ses collections auxquelles, dans une société qui
vit au jour le jour, on n'attache aucune importance. Quel
original ! pense-t-on de ce bonhomme souriant, à l'esprit
blagueur, qui s'en va furetant dans des *vieilleries* et qui ramasse tout avec une curiosité insatiable ! Marchand ambulant de l'histoire, qui n'achète pas pour revendre, mais pour
conserver et pour mettre le présent ou le passé à l'abri des
vandales, des indifférents ou des négligents. À sa mort, il
confia ses *Saberdaches* à l'abbé Hospice-Anthelme Verreau
— lequel à son décès laissa l'œuvre au Séminaire de Québec.

*

S'il fréquente un peu partout, s'il arrive et part à des
heures tardives, il reçoit bien chez lui, dans cette maison
que sa femme rend hospitalière. D'une vieille famille (les
Lacorne de Saint-Luc, dont l'ancêtre était rentré de France
après avoir quitté Montréal immédiatement après la conquête), Madame Jacques Viger était charmante, primesau-
tière ; elle était aussi une excellente épistolière. Veuve du
major Lennox, elle avait épousé Jacques Viger qui n'avait,
à ce moment-là que vingt et un ans. Elle avait d'excellentes
manières, de l'esprit. Aussi se pressait-on chez elle pour
goûter l'hospitalité qu'elle faisait valoir par la gentillesse et
la générosité de son accueil. Tout en prenant avec un grain
de sel les affirmations de son mari en matière d'histoire,
comme on l'a vu, J.-G. Barthe trouvait en lui un hôte
agréable, sarcastique aussi, dont le visage faisait valoir l'originalité. Ainsi se trouve confirmée la qualité de cette société
de Montréal dont l'abbé Hospice-Anthelme Verreau, lui-
même fort cultivé, et Pierre-J.-O. Chauveau, esprit délicat,
feront l'éloge quelques années plus tard[47].

---

47. Dans un texte dont on a conservé le manuscrit dans le dossier Côme-
Séraphin Cherrier, aux Archives publiques du Canada.

*

Puis, en 1833, Jacques Viger devient le premier maire de Montréal. Que s'est-il passé ?

Montréal est, en 1831, une petite ville de trente mille âmes. Pendant longtemps, elle s'est développée à l'intérieur de ses murs élevés sous le régime français. Puis, avec l'augmentation de sa population, elle en est sortie. Peu nombreux, les problèmes ont été réglés de Québec jusque-là, par le truchement de *commissaires de la paix,* magistrats plutôt qu'édiles, note Camille Bertrand dans son *Histoire de Montréal,* mais, somme toute, assez piètres administrateurs. Vers 1828, des hommes de bonne volonté se réunissent et concluent que leur ville aurait besoin d'être dirigée sur place. On y a des problèmes de voirie, de conditions sanitaires, d'écoulement des eaux, de police, de protection contre l'incendie auxquels le gouvernement de la Colonie s'intéresse de bien loin. Une vingtaine de notables demandent un statut municipal. Une loi fait droit à leur demande, le 31 mars 1831, à laquelle le Roi donnera son agrément le 12 avril. Elle permet à la nouvelle corporation municipale de fonctionner à partir du 3 juin 1833, pour quatre ans.

Montréal sera alors dirigée par un conseil, élu par les citoyens âgés de vingt et un ans ou plus et possédant quelques biens dans les bornes de la municipalité nouvelle. L'élection a lieu ; le conseil est formé. Il compte neuf anglophones et sept francophones, mais l'ordre sera renversé aux élections suivantes qui ont lieu en 1834 et en 1835.

Comme ce sont les conseillers qui choisissent le maire parmi eux, le premier sera Jacques Viger, qui n'est pas sans mérite. D'abord, il est assez libre de ses mouvements, et puis, il n'est pas lié à la politique. Il est sympathique ; il plaît à tout le monde. Il sera donc maire de 1833 à 1836.

De justesse, il évite d'être pris entre l'arbre et l'écorce en 1837 et en 1838. Dès que les troubles ont lieu, on établit la loi martiale à Montréal ; la ville est mise en tutelle et l'on revient au régime des commissaires de la paix où se rencontrent les amis du pouvoir.

Montréal retrouvera son autonomie avec une charte nouvelle, mais pour l'instant, le Conseil spécial nomme dix-huit conseillers et Peter McGill est d'office reconnu comme maire. Jacques Viger ne sera cette fois ni conseiller, ni maire. Par la suite, il fondera la Société Historique de Montréal, dont il sera le président. Il sera aussi président de la Société Saint-Jean-Baptiste. On lui devra les armoiries de la ville[48]. Piètre consolation, mais peut-être était-il heureux d'être débarrassé d'une charge, qui l'éloignait de ses documents et de ses recherches.

*

Collectionneur, Jacques Viger était aussi un esprit observateur et un lettré. Très près de ses gens, il s'était rendu

---

48. Les archives de la ville de Montréal nous ont gardé le souvenir de l'intervention du maire. Voici, en effet, le texte de la résolution du Conseil du 19 juillet 1833 :

Au Comité des Chemins.

M. le Maire, en proposant d'adopter un sceau pour la Corporation, a soumis deux dessins qu'il a fait préparer, dont l'un de forme circulaire et l'autre de forme ovale : et après considération, le Conseil a choisi, à l'Unanimité, le sceau de forme ovale, pour *Cachet d'armes de la Corporation de la Cité de Montréal*, autorisant le Maire à le faire graver *Écusson* : figure ovale ; champ d'argent, écartillé au sautoir de gueules, portant au 1er quartier une rose d'or, au 2e quartier un chardon d'or, au 3e quartier un trègle d'or et au 4e quartier un castor passant d'or. — *Devise : Concordia salus*, sur jarretière d'azur. Au bas de l'Écusson sont les mots : « Corporation — Montréal ».

Lu la lettre de M. Le Maire en date de ce jour convoquant cette assemblée — elle est comme suit.

(Circulaire)

Conseil de Ville
Montréal, 18 juillet 1833.

Un siècle plus tard, le 21 mars 1938, d'autres armes remplacèrent celles de 1833. Raison invoquée : « Les armes actuelles ne sont pas, sous certains rapports, conformes aux règles de la science héraldique ». La devise reste la même cependant, c'est-à-dire *Concordia Salus*. Pour en comprendre le sens, il faut se rappeler l'époque où Jacques Viger l'imagina. Ville bilingue travaillée par de vieilles haines, Montréal voulait se préparer psychologiquement à l'entente essentielle. Pour que la ville ne fût pas gênée dans son essor, il fallait que les gens travaillassent dans un esprit de concorde. Ce qui, en 1849, n'empêcha pas l'incendie du parlement et l'état de crise quand lord Elgin donna son accord à une loi destinée à indemniser les victimes des troubles de 1837-38. C'est alors que le parlement commença une vie nomade à Kingston à Toronto et à Québec, qui se termina quand, avec sa fermeté ordinaire, la reine Victoria choisit le site d'Ottawa et décida qu'on y construirait les immeubles destinés aux services de l'État.

Viger avait vu juste, même si sa devise s'était révélée un vœu pieux.

compte que le langage parlé dans le Bas-Canada s'était
éloigné petit à petit de la langue que l'on appellera plus
tard le français international, c'est-à-dire celui de France et
des pays francophones. Il a voulu noter les expressions qui
lui ont paru être du cru, en rappelant le sens qu'on leur
donnait dans un pays plus grand que la France, mais où ac-
cent et vocabulaire étaient devenus à peu près uniformes,
alors qu'en France des cloisons étanches s'étaient établies à
travers les siècles entre des provinces isolées et ayant des
coutumes et un langage qui leur étaient propres.

Voici quelques exemples de cette néologie canadienne
qui a paru, un siècle plus tard, dans un certain nombre de
numéros du *Bulletin du bon parler français* [49] :

> CONFORTABLE — Adj. — Cet adjectif a beaucoup de si-
> gnifications. 1. *Consolant* : C'est une nouvelle *confortable*.
> 2. *Agréable* : temps, jour *confortable*. 3. *Doux, content* :
> mener une vie *confortable*. 4. Qui réjouit, qui fait plaisir :
> une liqueur *confortable*. 5. Qui *fortifie*, confortatif : une
> nourriture, un mets *confortable* ; ce mot est anglais.

> CORDEAUX — S.m.pl. et *Courroies,* s.f. — Mots employés
> le plus communément au pluriel à la place du mot propre
> *guides*, usité avec justice à Montréal pour exprimer les *lon-
> gues rênes attachées à la bride d'un cheval* attelé, et qui ser-
> vent à le conduire. On doit donc dire : donnez-moi les gui-
> des et non les *cordeaux* ou les *courroies*.

> CORNER — V.n. — Employé comme *biner* pour exprimer
> qu'une personne *enrage*, éprouve un dépit, un déplaisir
> grand et sensible. Il a *corné* comme il faut, c'est trop cor-
> né ; ce contretemps le fera corner. V. biner et ébrayer.

> CÔTE — S.f. — Ce mot signifie le penchant d'une montagne
> et d'une colline et les rivages de la mer. Côte d'une telle
> montagne ; les côtes de l'Océan. Mais on l'applique à tort
> ici à toute éminence, hauteur ou élévation.

> On se sert aussi de ce mot pour désigner une rangée de
> terres concédées, ou les habitants de la campagne.

---

49. Les exemples que nous citons ici sont tirés du volume VIII (1910) du *Bulletin du bon parler français.*

La Côte de la Visitation. C'est un habitant de la Côte St-Luc. Je viens de la Grand'Côte. On dit courir les *côtes* pour les *campagnes*.

COUETTE — S.m. — (Lit de plumes). Ce mot n'est pas connu ici dans cette acception. *Couette* signifie ici la queue de cheveux que portent les hommes ; Faites-moi la *couette*, c.à.d. entourez le ruban autour de ma queue de cheveux.

COURONEL — S.m. — pour *colonel*.

ÉCOLTER, ESCOLTER. — V.a. — Avoir l'estomac[50] découvert d'une manière indécente : Qui vous a *écoltée ?* Elle est toute *escoltée*. Il ne se dit guère que des femmes.

ÉCRAPOUTIR — V.a. — Ce verbe signifie : Aplatir, écraser, briser, par le poids de quelque chose ou par quelque effort. Ex. je t'écrapoutirai d'un coup de poing ; si je vais à toi, je *t'écrapoutis*. Il a mis le pied sur cette araignée, cette grenouille et les a écrapouties. On dit aussi d'une personne qui en a écrasé une autre de ses coups : il l'a *écrapoutilliée* ou *écrapoutillée* comme un crapaud.

On y joint le pron. pers. : il s'est *écrapoutillé* la main avec un marteau ; elle s'est *écrapoutillée* contre le mur dans la place.

ÉCROI — S.m. — Pour les petits des animaux et particulièrement des bêtes à cornes. Ma vache a eu un nouvel *écroi*. Cette vache est à son premier écroi.

ÉGARER — V.n. — On l'emploie avec *écartiller* pour *écarquiller,* dans le vrai sens de ces derniers mots, c.à.d. *écarter*, ouvrir les jambes ; il s'est égaré ; il a *tombé* tout *égaré*.

EMBARQUER — V.a. et m. — On fait de ce verbe le même abus que de *débarquer*. — Il est bien commun d'entendre dire ici : la voiture étant à la porte, nous embarquâmes, pour montâmes dedans. Il signifie quelquefois *partir en voiture* pour voyage. Ainsi de deux personnes qui sont convenues d'aller faire une promenade, l'une dira à l'autre : Soyez prête à embarquer à deux heures. *Embarquer à*

50. Est bien amusant ce mot d'estomac, qui permet d'éviter l'emploi de *seins*, terme dont il est bien vu de ne pas parler dans une société parfois un peu prude. Au XVIIᵉ siècle, note *Robert*, on employait estomac et non poitrine, mot jugé vulgaire.

cheval. On l'emploie aussi pour mettre dedans ; avez-vous embarqué ma cassette dans la voiture.

EMPOCHETER — V.a. (Mettre en poche). Il a *empocheté* aujourd'hui 15 minots d'avoine.

ENÇA — Interjection — pour ça. Ex. : *Ença* travaillons. *Ença,* pars vite. *Ença,* dépêche-toi.

ENVARIÉ, ÉE — Adj. — Parlant de marchandises gâtées dans un vaisseau. C'est *envarié.* Étoffes avariées.

ÉPICAILLES — S.f. — Mot employé dans cette phrase et qui n'est pas française. Il lui en a donné sur les *épicailles* ; il t'en donnera sur les *épicailles,* pour dire qu'il l'a bien grondé, qu'il te grondera bien.

Tous ces mots n'ont pas résisté au temps ; d'autres les ont remplacés, mais Viger les a recueillis et définis avant qu'il ne fût trop tard. Ils correspondent à une époque qui ne connaissait pas le *joual* — cette chose affreuse — mais qui était assez vivante pour avoir ses mots à côté de ceux que les premiers colons avaient apportés avec eux. Depuis le régime anglais, des termes, des tournures de phrases bâtardes avaient atteint les villes. Mais, malgré tout, dans les campagnes la langue restait pure avec ses *trouvailles* autochtones.

Est curieux et fort peu sympathique, ce témoignage d'Alexis de Tocqueville, rendu à peu près vers le même moment, sur le jargon des avocats et des tribunaux :

> Les avocats que je vis là, et qu'on dit des meilleurs de Québec ne firent preuve de talent ni dans le fond des choses ni dans la manière de les dire. Ils manquent particulièrement de distinction, parlent français avec l'accent normand des classes moyennes. Leur style est vulgaire et mêlé d'*étrangetés* et de locutions anglaises. Ils disent qu'un homme est *chargé* de dix louis pour dire qu'on lui demande dix louis. — Entrez dans la boîte, crient-ils au témoin pour lui indiquer de se placer dans le banc où il doit déposer.

> L'ensemble du tableau a quelque chose de bizarre, d'incohérent, de burlesque même. Le fond de l'impression qu'il faisait naître était cependant triste. Je n'ai jamais été plus convaincu qu'en sortant de là que le plus grand et le plus irrémédiable malheur pour un peuple c'est d'être conquis.

Tocqueville avait raison sans doute, mais était-il resté assez longtemps dans le Bas-Canada pour se rendre compte de la situation véritable ? Il faut se rappeler qu'à côté de ces avocats à la langue douteuse qu'il avait entendus à Québec, il y avait des hommes comme Denis-Benjamin Viger, Côme-Séraphin Cherrier et leurs amis, comme François-Xavier Garneau, Étienne Parent et bien d'autres. Tocqueville ne les avait sûrement pas connus même si, à Québec, il s'était promené avec John Neilson et même « avec un M. Viger » qui n'était sûrement pas Denis-Benjamin Viger puisque celui-ci était en Angleterre en 1831. S'il les eût connus, peut-être aurait-il modifié son jugement très dur. Reste, cependant, sa dernière phrase d'un caractère très profond.

Côme-Séraphin Cherrier (1798-1885)

Né vingt-quatre ans après Denis-Benjamin Viger, Côme-Séraphin Cherrier est son cousin germain, puisque son père est le frère de Perrine Cherrier qui a épousé Denis Viger, à Saint-Denis-sur-Richelieu. Son père s'appelait Joseph-Marie, ce qui était dans la tradition de l'Évangile.

Côme vient au monde à Repentigny en 1798. Il s'appellera aussi Séraphin : deux prénoms qui ne sont pas fréquents. L'un, médecin d'Orient, est le patron des chirurgiens avec saint Damien, et l'autre est le plus élevé en dignité des neuf chœurs des anges. Désigner ainsi un enfant dès le baptême, c'est risquer de le marquer pour la vie ou, tout au moins, de lui donner un handicap psychologique, qui pourrait peser sur sa carrière ou sur sa vie familiale. Il n'en fut rien, cependant. Côme-Séraphin passa à travers son adolescence et son âge mûr sans en souffrir, tant il est vrai que l'homme assure lui-même son prestige. Côme-Séraphin Cherrier était très simple, d'une exquise politesse, disaient ses contemporains. Son nom fut prestigieux dans le monde de la basoche : milieu encombré, mais où il était encore possible de se faire une réputation quand on avait préparé sa formation et son avenir par un travail acharné.

*

D'une famille de Repentigny — son père est cultivateur et marchand — Côme-Séraphin reçoit la même formation que ses cousins. De bonne heure, il entre au collège des Sulpiciens, grâce à son parent Denis-Benjamin Viger et à sa femme qui l'accueillent à Montréal dans leur maison de la rue Notre-Dame.

Plus tard, Viger le recevra dans son étude où il contribua à le former à la connaissance du droit. Côme-Séraphin y excellera et il deviendra un maître incontesté. Il sera bâtonnier du Barreau de Montréal en 1855. Quand l'Université Laval ouvrira une école de droit à Montréal, il en deviendra le doyen.

Il fera une courte fugue dans la politique à une époque où il fallait choisir entre le parti où œuvraient déjà ses cousins Denis-Benjamin Viger et Louis-Joseph Papineau, et les autres. En 1837, il est député. Il assiste à certaines assemblées assez bruyantes au cours desquelles se prépare la rébellion. À Saint-Laurent, par exemple, où Papineau demande à ses partisans de bloquer les importations d'Angleterre et à Saint-Constant. Puis, effrayé par les conséquences qu'il prévoit, Cherrier se refuse à suivre les plus violents. Publiquement il conseille de suivre les voies constitutionnelles. Sa présence à Saint-Laurent et à Saint-Constant lui vaudra cependant d'être incarcéré[51]. Quand il sortira de prison, en mars 1838, il sera mis aux arrêts chez lui jusqu'en juillet de la même année : régime moins dur qui lui permet de reprendre ses forces. Puis, comme on le libère, il établit le contact avec son cousin Denis-Benjamin Viger qui, lui, comme on l'a vu, s'arc-boute à son droit au procès et fait un long séjour derrière les barreaux.

---

51. Dans les documents relatifs au soulèvement de 1837 aux Archives Nationales du Québec, il y a, sous le numéro 856, le texte de l'examen volontaire de Côme-Séraphin Cherrier, accusé du crime de haute trahison, le 4 décembre 1837. Cherrier se contente de déclarer « qu'il n'est pas coupable du crime pour lequel il a été arrêté ». Le *texte* officiel ajoute : « . . . et ne dit rien de plus . . . »

Toute sa vie, Cherrier sera opposé à la violence et il sera fidèle aux droits des gens, à la justice, à la liberté. Et c'est pourquoi il se rangera avec son associé Antoine-Aimé Dorion[52], parmi ces libéraux dont on se méfie dans le clergé qui mène tout et mène à tout, dans une société que dirige, inspire ou réglemente à Montréal son vieil ami, Mgr Bourget. Comme le signale Honoré Mercier dans une conférence qu'il a prononcée longtemps plus tard :

> Il fallait un homme comme M. Cherrier, un homme d'une réputation aussi parfaite, dont les principes religieux étaient si bien connus de tous, pour réussir à faire disparaître les préjugés si nombreux, et si profondément enracinés, avec lesquels on avait tant compromis la cause libérale dans cette province. Il écrivit mémoire sur mémoire, lettre sur lettre, entassa document sur document, offrit plaidoyer sur plaidoyer pour satisfaire le nonce apostolique[53], que les deux partis politiques qui se divisaient l'opinion publique en Canada devraient, pour le moins, être placés sur un pied d'égalité au point de vue religieux. Son amitié pour nous, ses congénères politiques, ne s'est jamais ralentie. Au milieu de ces adversaires qui menaçaient de nous écraser, M. Cherrier voulait réaliser cet axiome des Proverbes : le véritable ami ne change point : l'adversité est sa pierre de touche[54].

*

Revenons en arrière pour suivre notre personnage dans sa carrière. Quant à sa vie familiale, nous aurons l'occasion d'en reparler en apportant le témoignage d'un aimable juriste, ami de la famille, excellent observateur, qui s'était beaucoup intéressé à l'instruction puisque, avant d'être ministre et sénateur, il avait été surintendant de l'instruction publique.

---

52. Qu'un jour la reine Victoria retiendra dans les filets de l'Empire en le faisant entrer dans l'ordre convoité de Michael and George. À l'avenir, il sera connu sous le nom de sir Antoine-Aimé Dorion. Déjà, il est un libéral dont l'étoile monte ; il est un autre exemple de cette politique coloniale que l'on pratiquera en Anglererre tant qu'un héritier du rebelle W. L. Mackenzie ne s'y opposera pas.

53. Devenu son ami.

54. *Biographie, discours, conférences, etc. de l'honorable Honoré Mercier*, réunis par J.-O. Pelland, Montréal, 1890.

Formé par Denis-Benjamin Viger, Cherrier est devenu avocat. Il s'associe à son cousin Louis-Michel — autre fils d'une famille féconde et si remarquable.

Rapidement, Côme-Séraphin Cherrier acquiert de la réputation. Il défend Ludger Duvernay que fait poursuivre le gouverneur général, en 1836, pour ses attaques contre certains actes des grands jurés. Duvernay, comme l'on sait, ne ménageait personne dans ses écrits. Ce que lord Gosford ne voulait pas admettre à une époque où la diffamation était passible de prison. Cherrier fit libérer son client. Ce qui ajouta à son prestige après quelques autres causes qui mêlaient le droit à l'humour. Ainsi, en 1837, un voisin accusait le client du savant maître d'avoir coupé la queue de son cheval pour le ridiculiser, lui, le propriétaire. À nouveau, Cherrier était parvenu à blanchir l'accusé, au milieu des rires. Quelques années plus tôt, il y avait eu ces poursuites intentées par le procureur général, James Stuart. Vexé des résultats d'une élection tenue à Sorel et dans la région, celui-ci avait poursuivi quelques-uns de ces contempteurs pour diffamation, si souvent invoquée à l'époque quand le candidat protestait contre la fausseté des propos tenus par certains de ses adversaires. La chose était sérieuse. Côme-Séraphin Cherrier gagna le procès à nouveau. Mais la manière dont Stuart avait procédé au cours ou après l'élection fut invoquée par Denis-Benjamin Viger, envoyé spécial de l'Assemblée à Londres. Devant la force de son argumentation, le Colonial Office avait dû s'incliner. Si Viger obtint la tête de James Stuart, cela ne gêna nullement la carrière du haut fonctionnaire britannique. Il devint, en effet, sir James Stuart par la suite et il occupa de hautes fonctions dans la colonie. Sans rancune, le même Stuart devait plus tard protester contre le fait qu'on gardait son vieil adversaire derrière les barreaux, sans lui faire ce procès qu'il réclamait à tous les échos.

Atteint momentanément du virus politique auquel bien peu résistaient dans sa famille, Cherrier fut député de Montréal en 1835 et 1836, comme on l'a vu. Puis, le soulèvement survint et, pour lui, il y eut ce bref et désagréable séjour en geôle qui, en n'améliorant pas son état de santé, lui enleva tout goût pour la chose publique. À l'encontre de son parent, Denis-Benjamin, il évitera la politique à l'avenir. À tel point qu'il repoussa l'offre pourtant flatteuse de son cousin qui voulait le faire entrer dans le Conseil exécutif qu'il dirigeait sous la haute influence de sir Charles Metcalfe. Et cependant, comme Viger — isolé et conspué par ses anciens amis et par *La Minerve,* notamment — aurait souhaité l'avoir à ses côtés ! Cherrier s'expliqua, résista à l'attrait d'un poste qu'il aurait été flatté d'occuper, mais dont son état de santé et ses goûts l'éloignaient. Et cependant, comme aurait pu paraître tentante cette fonction qu'on lui offrait, à un moment où il aurait pu jouer un rôle dans un pays auquel Londres venait de donner une constitution et un élan nouveaux, à la veille de l'essor qu'allaient entraîner le réseau des communications ferroviaires et l'expansion économique de l'Ontario et de l'Ouest.

Cherrier voulait rester ce qu'il était essentiellement : un avocat, un juriste. Et il résista aux appels des sirènes, qui attiraient tant de ses amis à une époque où presque tout — du moins chez les francophones — était dans et pour la politique. Ce qui ne veut pas dire que l'idée n'est pas en lui, si elle n'absorbe pas toute son énergie.

Il est très attiré par le libéralisme, comme on le pratique déjà en Angleterre, sous l'influence de ceux qu'on appelle les *radicals.* Même s'il est très près du clergé, il fait l'éloge des idées nouvelles qui, au Canada, attirent tant de jeunes gens intelligents, fougueux, en attendant qu'en 1877 ils trouvent un chef en Wilfrid Laurier : ce bien curieux et intelligent défenseur de la liberté politique au sens qu'on lui donne en Angleterre. Convaincu par son ami et associé, Antoine-Aimé Dorion, Cherrier se range donc parmi ces libéraux que l'Église regarde avec un peu de méfiance et que ses curés traitent sans ménagement aucun du haut de la chaire. Avec son exquise politesse, Cherrier s'adresse à leur chef le plus coriace, Mgr Ignace Bourget. Le prélat écoute d'une oreille récalcitrante ce que son ami lui affirme. Pour lui, ces libéraux sentent le fagot. Il n'a pas encore compris qu'entre le libéralisme teinté d'anticléricalisme que l'on pratique en France et celui des Anglais, il y a une différence marquée. Son ami Cherrier revient à la charge. Puis, il y a Wilfrid Laurier, ce charmeur[55] qui commence à percer dans son parti. Petit à petit, il ébranle la vieille garde des *castors* — ces fidèles mangeurs de balustre, ces envers-et-contre-toutistes, butés dans leurs privilèges et l'étroitesse de leur foi. Il ne voit pas encore très clair dans le parti nouveau, dont Dorion, Dessaulles, David, Laberge et plusieurs autres se font les thuriféraires. Il faut dire que Louis-Antoine Dessaulles et ses amis restent inquiétants pour l'Église, car ils ont refusé d'obtempérer quand le prélat a cherché à les convaincre de changer l'esprit de l'Institut Canadien. À côté d'eux, il est vrai, se range Côme-Séraphin Cherrier, avocat très hautement coté qui ne peut être soupçonné d'anticléricalisme, et plusieurs autres qui font valoir des arguments convaincants. Parmi eux, il y a des gens d'une grande intégrité comme L.-O. David, notamment. Un de ses livres a été mis à l'index, mais on ne peut douter de son honnêteté foncière et de son dévouement.

Encore un peu récalcitrant, l'évêque secoue ses curés qui, du haut de la chaire, font valoir que l'enfer est rouge, si le ciel est bleu et autres balivernes de même qualité.

Et puis se pose la question de la Confédération, cette grande œuvre politique qui veut faire un pays d'un demi-continent. Les opinions sont en marche. Un autre Canadien français éminent, George-Étienne Cartier, y est favorable. De toutes ses forces, il pousse à la réalisation du Pacte. Il est très influent auprès du parti au pouvoir. Par contre, sont bien agissants les amis de Côme-Séraphin Cherrier qui lui sont opposés. Ce dernier intervient personnellement dans le débat, même s'il n'est rien dans la politique du moment. Écoutons-le dans ce discours qu'Honoré Mercier commentera après sa mort, quand on le chargera de faire son éloge :

---

55. Qui, parfois, devient violent, lui aussi, quand il s'attaque à ses adversaires, tel F.-A. Senécal, par exemple.

... en quels termes éloquents il proteste contre l'intention des ministres de décréter la nouvelle loi sans consulter le peuple :

Je ne pense pas que l'on puisse trouver un exemple d'un semblable mépris, témoigné à tout un peuple, de la part de ceux qu'il a chargés de sauvegarder ses droits constitutionnels. Il n'y a que des ilotes, des esclaves que l'on traite ainsi. On décide de leur sort sans les consulter et leur destinée s'accomplit fatalement sans qu'ils aient à faire entendre une plainte, ou exprimer un vœu pour la changer ou l'améliorer.

Mais les dangers de voir notre nationalité noyée par celle des autres races effraient surtout son patriotisme. Mais on a dit, remarque-t-il, que nos craintes à l'occasion de la minorité dans laquelle le Bas-Canada serait laissé dans la représentation fédérale n'étaient pas fondées ; que nous pourrions, pour jouir de notre part légitime d'influence, compter sur des alliances de partis, sur des rapprochements que des intérêts matériels et identiques produiront entre des hommes d'opinions différentes sur d'autres objets, mais qui néanmoins sentiront la nécessité d'agir de concert et en commun sur certains objets pour atteindre leur but relativement à d'autres.

À cela, je n'ai qu'une réponse à faire : bien imprudents sont ceux qui confient à de semblables éventualités la sauvegarde des droits les plus importants, des intérêts les plus chers du peuple qui leur en a remis le soin, et bien confiant serait ce peuple de ne pas exiger d'autres garanties que celles que peuvent offrir les coalitions des hommes politiques.

La seule garantie qui puisse rassurer un peuple sur la conservation de ses libertés et celle de droits particuliers sont des institutions représentatives dans laquelle sa voix ne peut pas être étouffée par celle de la majorité. Quant aux chances et aux accidents qui renversent le lendemain le parti de la veille, ils n'offrent que des garanties illusoires.

Devant l'insistance de George-Étienne Cartier et les arguments des amis de Cherrier, l'évêque hésite. Puis, à la dernière minute, il cesse de tergiverser. Il recommande à ses ouailles d'accepter le régime constitutionnel nouveau que Londres est prêt à accorder. Il ne pouvait faire autre chose, même si ses relations avec Côme-Séraphin Cherrier allaient en souffrir un peu.

Cherrier a vu juste à un certain point de vue. Il a compris qu'un jour ou l'autre le Québec se sentirait à l'étroit dans un cadre rigide. Il a prévu les difficultés que déclencherait l'opposition des provinces au pouvoir centralisateur. Ce pouvoir, sir John A. Macdonald l'avait voulu et son collègue, George-Étienne Cartier, avait partagé ses vues. Ce qui choquait Côme-Séraphin Cherrier, c'est que le peuple n'avait pas été consulté, avant que l'on réalise le projet imaginé à Londres et dont Macdonald et Cartier s'étaient faits les protagonistes. Ce qui l'inquiétait, malgré tous les arguments des conservateurs, c'était surtout les jeux de la politique qui risquaient d'affaiblir les revendications d'un groupe en le noyant dans un tout.

Fait nouveau, le Haut-Canada devait s'appuyer sur le Bas-Canada pour réaliser l'évolution politique.

Que demain apportera-t-il à la solution d'un problème que Cherrier a entrevu, quand il écrivait dans le calme de sa bibliothèque ? Une photographie de l'époque nous en a gardé le souvenir, avec ces meubles victoriens, et ces livres qu'il avait accumulés au cours de sa carrière. Sa bibliothèque et sa pratique l'intéressaient plus que d'être juge et même juge en chef, comme on le lui avait offert.

*

Voyons ce qu'il pensait de l'avocat d'hier et d'aujourd'hui : sujet d'une conférence dont il est intéressant de rappeler ici le souvenir, après Honoré Mercier[56] :

> Dans le vieux Montréal, les plaidoiries faites au palais étaient des événements ; on allait les entendre comme on va aujourd'hui entendre une pièce de théâtre. Dans ce temps-là, les avocats faisaient des discours aux juges qui avaient le temps et la patience de les écouter, et la bonté de les admirer. Aujourd'hui on ne fait plus de discours aux juges ; on les abrutit avec des plaidoyers secs et arides, et ils se ven-

---

56. *Op. cit.*, p. 754 et ss.

gent bien en rendant leurs jugements. Alors on plaidait pour gagner ; maintenant on plaide pour aller en appel ; et si nos magistrats ne jugent pas aussi bien, c'est peut-être parce qu'on plaide plus mal.

Et il ajoute :

À l'époque où je suis entré au Barreau brillait à Québec et à Montréal une constellation d'avocats célèbres par des talents de premier ordre, par des connaissances légales étendues et une éloquence souvent entraînante. Ils étaient dignes d'entendre ces paroles flatteuses que l'un de nos gouverneurs les plus éclairés, à la suite d'une séance de la Cour d'appel qu'il avait présidée, adressait à un avocat éminent. Il lui dit en lui serrant la main : Vous faites honneur à votre pays. C'était à M. Vallières qu'il s'adressait...

... Parmi ces avocats il y en avait qui, par la variété de leurs connaissances, par leur goût littéraire, par l'urbanité exquise de leurs manières et par la finesse de leur esprit auraient bien pu faire l'ornement d'un salon européen, et y être recherchés comme ils l'étaient dans les nôtres[57]. L'aimable, le spirituel Plamondon a toujours exercé sur moi, lorsque je l'ai rencontré, une véritable fascination, et un charme dont j'avais peine à me rendre compte.

Mais à mes yeux, le plus grand mérite des membres de ce que je crois pouvoir appeler l'ancien barreau, leur plus beau titre à la gloire et à notre reconnaissance, c'est d'avoir revendiqué pour leurs pays les libertés constitutionnelles, et combattu avec énergie et persévérance ceux qui auraient voulu y porter atteinte.

C'est grâce à l'étendue de leurs connaissances en droit constitutionnel et à l'usage qu'ils en ont fait que notre régime politique a pu acquérir les développements dont nous avons été témoins ; c'est grâce à leurs sentiments généreux et à leurs patriotiques aspirations que nous jouissons de tous les avantages que procure à une société le régime constitutionnel, quand elle a le bonheur d'en être dotée. C'est en se prévalant des principes du gouvernement anglais et en étudiant

---

57. Ce jugement de Côme-Séraphin Cherrier rend encore plus étonnants les propos tenus sur le même sujet par Alexis de Tocqueville, venu au Canada vers 1831. Celui-ci jugeait par certains termes, inspirés de l'anglais qu'employaient les avocats, comme ils ont continué de le faire longtemps après.

l'histoire des pays libres qu'ils ont obtenu ces magnifiques
résultats.

*

Faut-il conclure ? Assurément. Dans cette phalange de
juristes (subirions-nous aussi l'influence de l'époque ?), il y
a deux groupes, ceux à qui le droit ouvre la carrière politique et ceux pour qui il est l'occupation à laquelle il faut
donner tout son effort. Côme-Séraphin Cherrier est du deuxième. Pour lui compte d'abord cette fonction du défenseur, de l'avocat qui plaide et cherche à obtenir justice pour
son client. C'est une notion intéressante, valable, même si
elle ne fait pas nécessairement avancer le droit. À côté, il y
en a une autre qui s'y apparente, celle de l'homme d'action
concrétisé par George-Étienne Cartier. Lui se rend compte
que l'exercice du droit au Canada est rendu difficile par la
multiplication des lois, des ordonnances et par une jurisprudence souvent contradictoire. Il a été avocat, mais il sait la
lourdeur, l'imprécision et les contradictions de la justice. Il
s'entend avec ses collègues Louis-Hippolyte La Fontaine et
Augustin-Norbert Morin, et le Code civil succède à l'imbro-
glio antérieur à 1866. Les auteurs, eux, sont à la fois du premier et du second groupe. S'ils sortent de leurs préoccupations momentanément, ils ne veulent pas être distraits du
métier qu'ils ont choisi, sauf pour essayer d'en faire évoluer
les règles.

*

Côme-Séraphin Cherrier se marie en 1833, à l'âge de
trente-cinq ans. Il épouse Mélanie Quesnel, veuve de Mi-
chel-Joseph Coursol, revenue habiter chez son frère dans le
Bas-Canada, après le décès de son mari à Amherstburg
dans le Haut-Canada, où l'appelaient ses affaires avec la
Compagnie de la Baie d'Hudson.

Mélanie Quesnel est la fille de Joseph Quesnel, un bien
intéressant et curieux bonhomme. Français d'origine, officier de marine, il était venu s'installer au Bas-Canada après
quelques avatars au cours de la guerre de l'indépendance

américaine. Il s'était marié ; puis il avait ouvert un magasin à Boucherville où il habitait. Comme il avait des loisirs, il écrivait des vers et des opérettes (*Colas et Colinette* ou *Le Bailli dupé*, par exemple, que Radio-Canada reprendra au siècle suivant après un long silence) et des pièces de théâtre telles *L'Anglomanie ou le dîner à l'anglaise* qui date de 1802. Il y décrivait cette manie dont certains souffrent dans la société de l'époque : tout ce qui est anglais étant bien. Il vient trop tôt dans une société qui n'est pas prête à lui rendre justice. Il est malheureux, mais autour de lui vivent des jeunes femmes gaies, jolies, pleines d'esprit. Côme-Séraphin Cherrier épousera l'une d'elles. Écoutons Pierre-J.-O. Chauveau en faire l'éloge, peu de temps après sa mort en 1875. Chauveau est un ami de la famille depuis longtemps. Il fréquente assidûment chez les Cherrier depuis que, venu à Montréal après une carrière politique pleine de succès et d'avatars, il enseigne le droit à cette faculté que l'Université Laval a ouverte au château Ramezay.

Voici ce qu'il écrit de la femme de son doyen. Le texte est un peu long, mais il nous fait vivre à côté d'une femme charmante, intelligente, cultivée. Et ainsi on voit mieux la vie du couple, à travers lequel on aperçoit une famille bourgeoise du dix-neuvième siècle, à Montréal :

Mme Cherrier n'était pas moins remarquable par les qualités de l'esprit que par celles du cœur.

Sa conversation était remplie de ces tournures piquantes, de ces mots heureux qui, sans paraître forcés, avaient le mérite de l'imprévu, de ces fines appréciations qui, tout en étant très justes, prennent leur monde par surprise.

Son caractère était un heureux mélange de qualités qui d'abord semblent s'exclure, une grande sensibilité et en même temps beaucoup de décision et de fermeté, une légèreté apparente qui paraissait voltiger de sujet en sujet, et cependant une aptitude peu ordinaire à suivre une idée, un raisonnement, j'oserais dire, une démonstration, un esprit qui bouillonnait, dont les saillies avaient besoin d'être contenues et réprimées, ce qu'elle faisait à force de raison et de bonté.

Fille d'un poète, connu surtout par ses chansons, Mme Cherrier avait hérité de cet esprit gaulois, de cette bonne

gaieté, nullement exempte de malice, que l'on trouve dans
les œuvres de M. Quesnel. Elle y mettait à vrai dire quelque
chose de plus franchement canadien. Mieux que personne,
elle savait tous les traits caractéristiques de l'habitant canadien, elle savait par cœur toutes les vieilles chansons du *cru*,
tous les dictons populaires, toutes ces petites anecdotes qui
sont si charmantes lorsqu'elles sont contées à propos.

Elle avait connu dans sa jeunesse les hommes marquants
d'une époque bien intéressante dans notre histoire, celle de
nos premières luttes constitutionnelles. Elle avait vécu dans
l'intimité de ceux qui dirigeaient l'opinion, et naturellement
elle avait beaucoup gagné à vivre au milieu de tout ce petit
monde de lettrés, d'hommes politiques, de magistrats qui
formaient la bonne société canadienne de Montréal. M.
Quesnel était ami de M. Marmet, poète comme lui, officier
dans ce brillant régiment des Meurons qui a laissé tant de
souvenirs dans le pays. M. Papineau, M. Denis-Benjamin
Viger figuraient au premier rang parmi les amis et les intimes. M. Jacques Viger, M. et Mme Berczy faisaient partie
d'une société charmante où l'on cultivait les lettres et les
arts, tout en s'amusant comme on savait alors s'amuser à
Montréal et à Québec.

Mme Cherrier faisait pour tout dire, revivre toute cette époque ; avec une mémoire étonnante, elle en rappelait tous les
souvenirs, en racontait toutes les anecdotes. Pour en donner
une idée, il suffit de dire que sa conversation était pour les
hommes et les choses de Montréal de ce temps ce que les
mémoires de M. de Gaspé sont pour une époque plus ancienne à Québec.

Mme Cherrier avait beaucoup lu, et les meilleurs auteurs.
Elle était familière avec Racine, Molière, Boileau, La Fontaine, Le Sage et surtout aussi Mme de Sévigné ; elle parlait
de cette dernière comme on parle d'une de ses connaissances, de quelqu'un avec qui l'on a vécu. Elle n'en appréciait
pas moins des auteurs plus modernes ; elle avait lu surtout
avec intérêt les meilleurs mémoires sur l'histoire de la Révolution et de l'Empire. Elle savait émailler sa conversation
de réminiscences littéraires toujours justes, toujours pleines
d'à-propos et faites avec si peu de prétentions qu'on n'était
pas tenté de l'accuser de pédanterie. Elle allait même volontiers jusqu'à la citation latine, mais cela tout en riant et
comme en se moquant d'elle-même.

Son salon réunissait, chaque dimanche, et assez souvent la semaine, une société peu nombreuse, mais choisie, où l'on causait et l'on s'amusait sans invitation préalable et sans aucune des contraintes de l'étiquette. Qui, parmi les habitués, a oublié les agréables soirées du *cottage* de la rue Saint-Denis[58] ?

Il y a une chose qui ne se décrète point, qui ne s'impose point, qui ne se fabrique point, et qui pourtant ne s'achète pas, c'est *un salon* dans le sens parisien du mot[59]. Il y en a eu à Montréal et à Québec ; mais qu'ils sont rares aujourd'hui.

Ce ne sont pas les invitations, si pressantes qu'elles puissent être, ni la richesse des personnages, ni l'intérêt que l'on peut avoir à se faire bien venir auprès d'eux, c'est plutôt le savoir vivre, le tact, l'amabilité, le bon vouloir de la maîtresse de la maison qui permettent à ces réunions intimes de se former, de s'étendre et de durer un certain nombre d'années. Or, Mme Cherrier avait toutes ces qualités ; seulement on l'aurait bien étonnée si on lui avait dit qu'elle faisait précisément elle-même ce qu'elle admirait tant, ce qu'elle racontait si souvent de plusieurs parisiennes dont les mémoires littéraires ou politiques des deux derniers siècles nous ont conservé le nom. « Eh bien, aurait-elle dit, en citant un de ses auteurs favoris, me voilà donc comme M. Jourdain, je fais de la prose sans le savoir. »

*

Devant ce couple, que penser d'Alexis de Tocqueville, qui vient dans le Bas-Canada pour quinze jours, cause avec John Neilson et Viger (probablement Louis-Michel, car Denis-Benjamin Viger est à Londres), entre au palais de justice de Québec et écrit ce qu'on a lu précédemment à propos des tribunaux et des avocats qui y plaident. Il conclut vite. Son excuse : il a vingt-cinq ans et il reste trop peu

58. Les Cherrier habitaient rue Saint-Denis, dans un quartier où vivait la bourgeoisie canadienne-française avant d'émigrer rue Sherbrooke, puis vers l'ouest et, plus tard, à Outremont ou à Westmount.

59. Le plus célèbre était à cette époque celui de Mme de Girardin. Mais il y en avait bien d'autres. Pour les décrire tous, il faudrait un livre, écrit Louis Allard dans ses *Esquisses Parisiennes en des Temps heureux, 1830-1838,* aux Éditions Variétés, Montréal, 1943.

de temps pour juger un milieu qu'il n'a pas vraiment compris. Longtemps plus tard, un autre Français André Siegfried écrira *Le Canada et les deux Races*. Son livre reste vrai, bien qu'il ait été écrit vers 1905. Il n'a pas vieilli parce que son auteur a pris la peine de réfléchir et de rester assez longtemps dans le pays pour comprendre le milieu avant de le présenter à ses lecteurs.

Et cependant, Alexis de Tocqueville s'est révélé un grand bonhomme par la suite. Mais dans son texte sur le Bas-Canada, que d'erreurs de détail ou d'interprétation se sont glissées !

Par ailleurs, il faut retenir ceci qu'il a écrit à la suite de son voyage[60] :

> Il y a donc fort à parier que le Bas-Canada finira par devenir un peuple entièrement français. Mais ce ne sera jamais un peuple nombreux. Tout deviendra anglais autour de lui. Ce sera une goutte dans l'océan. J'ai bien peur que, comme le disait M. Neilson avec sa franchise brusque, la fortune n'ait en effet prononcé et que l'Amérique du Nord ne soit anglaise.

---

60. *Tocqueville au Bas-Canada*, Montréal, Éd. du Jour, 1973, p. 105.

13

Postface

Sont très curieuses ces deux opinions sur Denis-Benjamin Viger exprimées par Julie Papineau dans une de ses lettres à son mari et par Louis-Joseph Papineau à sa femme, un jour qu'il juge son cousin, ami et partisan fidèle. Les deux en arrivent à la même conclusion : Viger n'est pas un chef. « Il est honnête, dévoué à son pays, gentilhomme, écrit la première ; mais il n'a jamais été capable d'être un chef de parti. » Seule l'influence de mon mari l'a protégé au cours de sa carrière politique[1]. De son côté, Louis-Joseph Papineau écrit : « Il est faible, porté à adopter une politique timide. » Lui qui a toujours été pour la violence verbale tout au moins, il ne peut penser autre chose d'un homme à qui la violence a toujours déplu. Honnête, droit, ajoute Papineau, « il est intelligent, intègre, mais sa naïveté a été trompée pendant des années par les promesses de gouverneurs, à qui la Métropole n'a pas donné les pouvoirs nécessaires[2]. »

---

1. Page 6. Lettre du 28 octobre 1844. Citée par André Lefort dans *Les deux Missions de Denis-Benjamin Viger en Angleterre, 1828 et 1831-1834.* Nous tenons à rendre hommage à nouveau à Monsieur Lefort dont la documentation nous a été fort utile. Dans d'autres lettres, l'épistolière ne se gêne pas pour étriller Viger et son collègue Denis-Benjamin Papineau.

2. Lettre de Louis-Joseph Papineau à son fils Lactance le 15 septembre 1844. (Papiers Papineau, carton 3, p. 4033.) Voici un extrait de la lettre que Mme Papineau adresse à son mari le 28 octobre 1844 ; « . . . croyant M. Viger retourné pour les Anglais ou fou par le grand âge ; ne peut revenir dans un moment d'exci-

Le jugement est dur. Il faut le noter, cependant, parce qu'il vient de deux êtres qui ont bien connu l'homme. Cousins par leur mère, Denis-Benjamin Viger et Louis-Joseph Papineau ont fait une partie de leurs études au même collège, à des moments différents il est vrai, mais ils sont entrés ensemble à l'Assemblée législative. À Québec, ils ont logé au même endroit pendant assez longtemps. Fondamentalement, ils pensent de même sur les mêmes questions. Papineau attaque durement, avec fougue ; il est un excellent orateur mais Viger, lui, est plus calme. S'il convainc, c'est par la qualité de son argumentation. Avocat, il s'est orienté notamment vers l'étude du droit constitutionnel anglais dont il reconnaît la valeur pour des coloniaux qui doivent lutter pied à pied contre l'abus. Pour réussir, ils doivent tirer d'une procédure, mise au point en Angleterre, le moyen de venir à bout de l'adversaire. Comme Augustin-Norbert Morin, Viger sera longtemps un des conseillers de Papineau, président de la Chambre qui a besoin d'une équipe pour mettre au point les textes qu'il veut faire passer et pour obtenir que les lois soient agréées par la Chambre, même s'il sait que le Conseil législatif ou le gouverneur les bloqueront. En 1834, Augustin-Norbert Morin est un de ceux qui préparent les Quatre-vingt-douze Résolutions. On lui confie le soin de faire valoir les griefs de la Chambre basse auprès des parlementaires anglais, mais on lui demande d'agir en collaboration avec Viger qui, à Londres, a obtenu que le procureur général, James Stuart, soit cassé de ses fonctions. Viger et Morin se heurteront cette fois à un mur, comme on l'a vu.

Puis, viennent les événements de 1837 et ceux de 1838. En fuite, Papineau laisse derrière lui amis et collaborateurs. Plusieurs d'entre eux feront de la prison et paieront pour ce

---

tation ; c'est ainsi que M. Viger a perdu son élection, il n'a pas dépensé d'argent, ni employé le mensonge ni les intrigues de tout espèce, toujours gentilhomme, modéré et consciencieux ainsi que ses amis ; il ne peut jouer un pareil rôle, mais ce que je trouve mal chez lui c'est de vouloir faire le bien ; malgré eux il a consenti encore en se présentant ici pour le comté où il ne pourrait être élu que par les Anglais, c'est mal car il perdra, et puis ... il sera encore dans une fausse position ... »

qu'ils ont déclenché. Viger en sort. C'est lui que Papineau, de Paris, et sa femme, de Varennes, jugent sans pitié.

*

De notre côté, essayons d'expliquer notre personnage avec le recul du temps. Le problème n'est pas facile car, pour trancher, il faut tenir compte de l'homme et des circonstances.

Denis-Benjamin Viger a vécu des temps difficiles, oh ! pas personnellement, il est vrai. Avocat, sa compétence a été vite reconnue dans une ville où il était appuyé de toutes parts : famille, clergé, groupe social, tout lui était favorable. Riche par ses parents, sa belle-famille et ses acquêts, il aurait pu vivre une vie d'un grand agrément personnel. Il aimait le travail en soi et un démon le poussait à s'occuper des affaires des autres. Rapidement, le virus de la politique avait mordu en lui. Tenace, obstiné, toute sa vie s'est passée entre deux pôles extrêmes : la réflexion et l'action politique. Viger vivait aussi pour sa bibliothèque, pour ses dossiers. D'où sa désolation quand, en prison, il apprit qu'on avait emportés ceux-ci pour y découvrir une preuve de félonie. Comme ses amis Augustin-Norbert Morin et Louis-Joseph Papineau, il aimait les livres. Il en avait acheté beaucoup chez ses amis Octave Crémazie, à Québec, et Édouard-Raymond Fabre, à Montréal. Intellectuel, il souffrait de cette passion licite et encombrante. Avec eux et avec d'autres, il se rencontrait chez leur libraire commun, Édouard-Raymond Fabre qui avait sa boutique rue Saint-Vincent. Et là, à quels palabres, à quelles discussions, ils se livraient entre hommes qui pensaient de même sur presque tout si, sur le moyen de résoudre les problèmes, ils différaient souvent d'opinion. Ces livres, Viger les lisait, les annotait ; il se pénétrait des idées de leurs auteurs au point d'écrire lui-même des pensées, des maximes inspirées d'eux ou tout au moins évoquant à sa manière leur réaction devant la vie. On a trouvé dans ses dossiers des textes, venus en droite ligne de Montesquieu ou de quelques autres auteurs dont il aimait la pensée.

Homme de bibliothèque, Viger écrivait beaucoup ici et là dans les journaux. À la Chambre, il prononçait des discours portant sur les questions de l'heure au fur et à mesure qu'il avançait dans l'étude des problèmes qui l'assaillaient. Pour mieux comprendre les questions constitutionnelles, il en traitait en avocat habitué au factum, où la connaissance de la procédure doit s'accompagner d'un appareil qui s'acquiert au prix d'un effort tenace, soutenu.

En politique, il ne faut pas se contenter de réfléchir, de lire, d'imaginer des solutions ; il faut agir. Il a agi en Chambre, à l'extérieur auprès de ses électeurs qui l'ont élu fidèlement, sauf ceux de Richelieu qui, un jour, l'ont lâché en pleine bagarre. Battu, il a trouvé un appui auprès des Trifluviens qui l'ont renvoyé à la Chambre basse à la fin de sa carrière, quand il a demandé leurs suffrages, alors que ministre, il n'était plus député. Ce qui embarrassait fort le gouverneur Metcalfe, conscient de l'isolement de son poulain.

À l'extérieur, Viger avait plaidé à Londres, comme on l'a vu ; là aussi, il avait agi lentement, posément, en la compagnie de John Neilson et d'Austin Cuvillier lors de son premier voyage en 1828 ; puis, avec la seule aide de François-Xavier Garneau, son secrétaire, au cours de son deuxième séjour en Angleterre. De retour à Québec, il avait repris sa place à la Chambre haute ; il y avait siégé en gardant la même idée solidement ancrée en lui : l'Angleterre doit évoluer avant qu'il ne soit trop tard. Ce n'est pas en brimant les Canadiens qu'on les gardera dans le giron britannique, mais en leur accordant un régime qui leur rendra justice contre des éléments venus de l'extérieur et qui abusent de leur autorité ou de leur pouvoir.

C'est ce que réclamaient les deux cousins sur des tons bien différents : l'un avec fougue, avec des injures au besoin et avec un dynamisme qui emportait les foules venues l'entendre. Viger, lui, le disait, le redisait, l'écrivait et le faisait écrire par ses amis journalistes, à qui il fournissait, au besoin, le nerf de la guerre ; ce qui sera invoqué contre lui, entre autres choses, quand il ira rejoindre ses amis derrière les barreaux en 1838 ; tandis que l'autre s'esquivait pour ne pas devenir le bouc émissaire du régime. Et aussi, il est vrai, pour tenter d'intéresser l'étranger à la cause.

De sa prison, quand on consentira à lui donner les moyens d'écrire, Viger protestera, fera valoir des arguments qu'à sa sortie il reprendra quand, revenu à la Chambre, il emboîtera le pas derrière La Fontaine et Baldwin. Puis, se présentera l'autre versant de sa carrière. Au lieu de continuer à protester avec ses amis, il acceptera de collaborer avec le Gouverneur. Il appliquera alors une politique de louvoiement : politique timide, politique de naïf dont on abuse, écrit Papineau. Mais il a beau jeu de juger ainsi son ami et compagnon de toujours ! Sans lui donner raison, peut-être pourrait-on apporter quelques nuances à la question : Viger fut-il un chef ? Oui, nous semble-t-il, mais faible comme Morin qui lui succédera avec Hincks un peu plus tard. Les deux étaient ce qu'on appellera, au siècle suivant, des intellectuels plus que des hommes d'action, mais non des velléitaires. Comme nous l'avons fait précédemment, notons que Viger était avant tout un studieux, un tenace, un obstiné qui a accompli des choses assez remarquables à l'époque. C'est cela que Louis-Joseph Papineau ne pouvait imaginer de Paris, tant il avait perdu contact avec le milieu. Il ne pouvait pas se rendre compte qu'en temporisant, en louvoyant comme il était dans sa nature de le faire, Viger avait empêché de nouveaux heurts sanglants qui auraient pu se produire devant les positions catégoriques, intransigeantes de La Fontaine et de Baldwin. L'attitude de Viger n'allait-elle pas permettre d'obtenir la reconnaissance du *gouvernement responsable* sans de nouvelles bagarres ? Devant les positions de lord Metcalfe dictées par Londres, c'était un résultat important qui aurait dû lui éviter d'être traité de politique timide, timoré, de naïf par celui qu'il appuyait depuis que, jeunes députés à Québec, ils avaient vécu dans la même maison et, souvent, ils avaient palabré jusqu'à l'aurore.

Pour Papineau, tout était noir sur blanc. Le compromis était un mot qui n'entrait pas dans son vocabulaire de romantique impénitent. Viger, lui, préférait attendre le moment favorable. En procédant ainsi de 1843 à 1846, il s'exposait à perdre bien des amis. Il les perdit presque tous, mais peut-être eut-il raison d'attendre le départ de lord Metcalfe. Son remplaçant consentit à une évolution à laquelle Londres s'objectait tandis que, fonctionnaire intègre, mais soumis, lord Metcalfe ne voulait et ne pouvait accepter ce qu'on lui demandait avec insistance. Il savait sans doute que tôt ou tard on y viendrait, mais ses instructions lui défendaient de passer outre pour le moment.

*

C'est ainsi que se termine cette étude sur la vie studieuse et obstinée de Denis-Benjamin Viger : bourgeois de Montréal, contestataire, rebelle (ou considéré comme tel) puis ministre de Sa majesté la Reine Victoria, et premier ministre démissionnaire. Pour assurer la paix et l'évolution constitutionnelle, il ne craignit pas de se mettre à dos les hommes politiques avec qui il avait lutté toute sa vie. Plus tard, dans le siècle, la Reine l'eût fait chevalier, peut-être *baronnet*[3]. Le gouverneur général Cathcart se contenta de lui écrire une lettre, dans laquelle il exprima ses remerciements d'avoir appuyé son prédécesseur. Et la vie continua pour le vieil homme, vilipendé et moqué, mais qui avait conscience d'avoir joué un rôle à un moment grave, même s'il en sortait meurtri, désabusé[4].

---

3. Titre d'un rang supérieur à *knight*, mais inférieur à *baron* dans l'aristocratie britannique.

4. Napoléon Aubin en particulier est très dur pour lui. Il n'hésite pas à écrire en juin 1847, à propos de Denis-Benjamin Papineau : « L'un de vous (Viger) a déjà été expulsé du Conseil, l'autre le sera bientôt. » Et de Viger ne dit-il pas : « Un Canadien-français qui serrait ses principes pour les appâts du pouvoir ... »

14

Annexes

I. Documents

1. Première adresse des Canadiens au roi d'Angleterre.

2. Instructions de Mgr Lartigue, de Mgr Panet et de Mgr Joseph Signay à Denis-Benjamin Viger avant son départ pour l'Angleterre en 1828.

   a) Notes secrètes à D.-B. Viger, Ecr. pour son séjour à Londres.

   b) Deux lettres de Mgr Panet et de Mgr Joseph Signay, l'une à lord Goderich (5 juillet 1831) et l'autre à Denis-Benjamin Viger (7 juillet 1831).

3. Extrait des registres de sépulture.

4. Éloge de Denis-Benjamin Viger par Napoléon Bourassa : poème.

5. Banquets d'autrefois.

6. Ici vécut Denis-Benjamin Viger.

7. Ordre d'écrou du 4 novembre 1838.

1. Première adresse des Canadiens
au roi d'Angleterre.

PREMIÈRE ADRESSE DES CANADIENS
AU ROI D'ANGLETERRE

PÉTITION POUR OBTENIR LE CONCOURS DE L'ANGLETERRE

Très humble et Respectueuse addresse des Citoyens
de
La Ville de
Montréal à Sa Majesté Britannique.[1]

SIRE,

Les Citoyens de la Ville de Montréal en Canada ose*nt prendre la liberté de se prosterner au pied de Votre Trone Persuadés que C'est là ou résident le Sanctuaire de la Justice, et
le Temple de toutes les autres Vertus.

Les Préliminaires de Paix signés au mois de Novembre dernier entre Votre Majesté, et leurs Majestés Très Chrestienne
et Catholique ne nous Laissent plus lieu de douter que le
Canada devant faire partie de vos Etats, nous allons devenir
vos sujets : C'est en cette qualité que nous avons recours au
plus Généreux et Magnanime des Rois. Tendre Père de son
peuple nous nous flattons qu'il daignera écouter le Récit de
nos Infortunes.

Les fléaux de la guerre et de La famine longtemps avant La
reddition du Canada. Désoloient ses malheureux habitans,
des Dépenses dans les finances multipliées à Lexcès avoient
Longtemps avant Sa Chute repandu une quantitée Extraordinaire de papier ; des Societes aussy avides que puissantes
se formèrent. Tout le commerce fut envahy et les negociants
du Canada furent les Tranquilles Spectateurs d'un négoce

---

1. Arch. Can. Série Québec, vol. I, (février 1763), p. 67.

qui devoit leurs appartenir. Plut au Ciel que le ministere de la france eut été plutot instruit de ces Injustices ? il eut mis un frein a des abus si contraires au bien d'une Colonie !

Ces mêmes negotiants avoient fait des achats de Marchandises. En france dans les années *1757* et *1758*. La Crainte de les exposer sur mer en tems de guerre leur avoient fait prendre la resolution d'attendre une Circonstance plus favorable ; ils prirent le party de les laisser en magazins en attendant la paix. Cette paix sy chere et sy desirée leur laissoit lespoir de recommencer leurs Travaux ; mais Esperance vaine, le Canada passat sous la domination de Votre Majesté.

Des Cet Epoque la monnoye du papier seule qui circuloit en ce pays est devenuë Totalement decreditté et entierement Inutile. La suspension du payement des lettres de change nous portat Le dernier Coup ; enfin tous les Etats à la fois se sont trouvés et se trouvent aujourd'hui dans une détresse affreux et la Scituation la plus deplorable. Les Marchés publiques sont couverts des meubles et des dépoüilles les plus necessaires pour subvenir à la subsistance de nos familles.

Au milieu de Ces Infortunes le sage et genereux Gouverneur de cette Ville a Tendu une main secourable aux plus opprimés ; Tendre et Compatissant il a compté ses jours par ses Bienfaits que de Tels hommes font honneur à l'humanité ! qu'il seroit à souhaiter que nous le possedassions Longtemps.

Cependant l'avenir effraye encore d'avantage les Citoyens du Canada, que deviendront ils Sy lon differe plus longtems le payement de leur monnoye ? que vont devenir leur familles ? Le laboureur des Campagnes trouvera du moins dans la fertilité de la terre la Recompense de ses Labœurs il vivra, mais plus malheureux que luy les habitans des Villes, n'auront aucunes ressources ; ils seront tout dans l'impuissance de se soulager parce que leurs meaux seront communs.

Le Cœur vraiment Royal de Votre Majesté est emu à la vue de La foible Peinture de nos malheurs ; il plaint le sort de Tant d'Infortunés. Permettés donc Grand Roy que nous saisissions cet heureux moment pour obtenir de vous un regard Favorable. Daignez vous Interesser au prompt payement de notre Papier ; assez et trop Longtemps nous gemissons sans nous plaindre, nous ne sommes point les auteurs des Desordres qui se sont commis dans les Finances du Canada ; et rien nest plus Juste que de discerner L'innocent d'avec le Coupable.

Daignés aussy nous accorder la permission de faire venir de france nos marchandises acheptées depuis Longtemps et qui Tomberont en pure perte Sy elles restent d'avantage en magazins, cet objet n'est pas assez Considereble pour pouvoir occasionner le moindre Tort au commerce de vos ⌐nciens sujets ; il ne se glissera aucuns abus par les precautions que l'on prendra de n'envoyer que celles que nos Commissionnaires justifieront avoir été anciennement acheptées.

Nous supplions humblement votre Majesté de vouloir bien nous accorder sa protection Royale. Sy notre Soumission notre Zele et les vœux ardents que nous formerons pour Elle sont Suffisants pour la meriter, aucuns peuples de Lunivers ne Lacquereront a plus juste Titre que les Tres humbles et Très fidels sujets de Votre Majesté[2].

(Signé)

Corps du Clergé :

MONTGOLFIER Vic. Gen.
S·r S·t SIMON, Spre de la C. G. N. D.
SOEUR CATHERINE MARTEL sup·r de l'hotel dieu de St Joseph.
M. M. LAJEMMERAIT VEUVE YOUVILLE directrice de l'hoptal general.

Corps de la Noblesse :

DAILLEBOUST DE CUISY
LE CH·r DAILLEBOUST DARGENTEUIL
LA CORNE ST LUC
LA VALTRIE
DES RIVIÈRES BEAUBIEN
LE COMTE DUPRÉ.

---

2. Extrait de Gustave Lanctot. *Histoire du Canada*, vol. III, Beauchemin, 1964.

Corps du Commerce :

Ignace Gamelin   Legras
Mézière   Lemoine
Hervieux Fils   Bourassa
Hervieux   Du Bartzsotz
Neveu Sevestre   Pilet
Lacoste Fils   Jean Veillat
Jacques Hervieux   Toussains Baudry
P. Hervieux   Moran
Saint-George Dupré   LeFebvre
Gauetreu   J. Deshautel
Courraud Lacoste   Jacque Vigé
Amiod   L. Prudhomme
Js Le Guillon   Mesière
Frs Lhuillier chevalier   Cheneville
Léchelle   St Disier
Le Cte Dupré Fils   Giasson
Le Pallieur   F. Papin
Courthiau   Du Chouquet
Carignant   Estève
Pierre Ranger   Viger
F. Perrin   Jean Décary
Renard Menard   Cenedeville
Netille   Sibenberger
R. Duvuagn (sic)   Marechessau
Dufy Desauniers   Fs Germain
Rhéaume   Hery
Bondy   Panet
Desrivières Lamoinodière Pier Leduc
D. Bazy   Pre Desaunier
Curot   P. Pillet
Sanguinet   Le Grand

2. *Instructions de Mgr Lartigue, de Mgr Panet et de Mgr Joseph Signay à Denis-Benjamin Viger avant son départ pour l'Angleterre en 1828.*

a) Notes secrètes à D.B. Viger, Ecr. pour son séjour à Londres[1].

*

1° Outre l'opposition que nos Agents auront à faire, s'il en est question, à l'Union des provinces du Haut et du Bas-Canada, laquelle serait aussi préjudiciable à la Religion qu'à nos droits civils en ce pays, il doivent objecter avec autant de force au nouveau projet des Bureaucrates, qui serait de distraire du Bas-Canada une partie considérable du District de Mont-réal, par exemple, toute la partie qui est au-dessus de Varennes et de Repentigny, pour l'annexion au Haut-Canada, sous prétexte de donner un port de mer à cette dernière Province ; comme s'il n'était pas possible, par le moyen de canaux sur le Saint-Laurent et l'Ottawa, de faire parvenir des vaisseaux dans un port du Haut-Canada tel qu'il est à présent, sans y ajouter une partie de notre Province aussi considérable que tout le reste de cette même Province : car dans le retour officiel du dernier *census* du Bas-Canada, la population du seul District de Montréal excédait de 60,000 âmes celle des quatre autres Districts de St-François, de Troisrivières, de Québec et de Gaspé ensemble ; or il n'est pas probable que la population depuis Repentigny jusqu'à Berthier, et depuis Varennes jusqu'à Sorel, s'élève à 60,000 âmes. Et ce changement s'effectuerait dans la partie la plus dense de la population canadienne, à laquelle on ôterait tout à coup sa langue et ses lois, qu'on lui a garanties par l'Acte de 1774, et par le Bill constitutionnel de 1791, qui autorise la division des deux Provinces. Il

---

1. Archidiocèse de Montréal, Archives de la Chancellerie.

Ce document est une copie dactylographiée de la pièce numéro 901-023-828-1, qui se trouve aux archives de la Chancellerie de l'Archevêché de Montréal. Difficile à lire, il a été transcrit le mieux qu'il était possible dans l'état où se trouvait l'original. Nous nous excusons des inexactitudes qu'il pourrait contenir. Il nous a semblé assez précis, cependant, pour indiquer les directives que l'évêque donne à son cousin Denis-Benjamin Viger, avant son départ pour Londres, au sujet des problèmes qui se posent à lui et à son diocèse.

À signaler aussi que certains mots ont été écrits à la moderne comme *pouvait, connaître*, etc. au lieu de *pouvoit, connoître*, comme on s'exprimait à l'époque.

est évident d'ailleurs qu'on perdrait par là toute espérance d'un Évêque canadien à Mont-réal : car le Siège Épiscopal de Kingston, qui probablement serait alors transféré à Mont-réal, sera toujours occupé par un Prélat étranger à nos mœurs et à notre langage : l'Évêque suffragant y serait regardé comme inutile ; et s'il n'était obligé de se retirer, il serait du moins le dernier qui y résiderait en cette qualité.

2° Le District de Mont-réal seul surpassant, comme il est dit ci-dessus, en population tout le reste de la Province ensemble, mérite bien mieux d'avoir conformément au désir de l'Évêque de Québec actuel ainsi que de son prédécesseur (!), un Évêque en titre, que la Province du Haut-Canada, qui n'a pas la moitié de la population catholique du District de Mont-réal, signe qu'au moins le gouvernement a jugé digne d'en avoir un. Toutes les autorités catholiques de notre Église sont d'accord sur la nécessité d'un pareil établissement ; la généralité des habitants et du clergé du district le désire ; les troubles religieux, qui s'étaient élevés au sujet du suffragant, sont éteints : le gouvernement anglais ferait donc une chose agréable aux Canadiens, que de reconnaître le suffragant actuel pour *Évêque Catholique de Mont-réal*. Mais si la personne, qui gouverne maintenant ce District comme Évêque suffragant, était désagréable ou suspect au gouvernement de Sa Majesté, elle se retirerait volontiers pour faire place à un autre plus agréable au gouvernement, qui le reconnaîtrait comme Évêque Catholique de Mont-réal, pourvu que celui-ci fût nommé par l'Évêque de Québec, et canoniquement élu. — Il ne faudrait parler de cet article au Ministre, qu'autant que le Dr. Bramstone, V.G., trouverait le temps opportun : si le dit article était accordé, il ne faudrait pas demander au gouvernement des revenus pour cet Évêque de Mont-réal, mais seulement qu'on lui donnât, en le reconnaissant dans sa qualité, des lettres patentes qui lui permissent d'acquérir, pour lui et ses successeurs, des fonds du revenu de £ 2, ou 3, ou 1,000, qu'il se procurerait ensuite comme il pourrait. — Si le Ministre objectait qu'il ne voudrait avoir affaire, et correspondre directement pour les matières ecclésiastiques du Canada, qu'avec un seul Évêque en ce pays, on lui répondrait d'abord qu'on ne suit pas cette règle pour l'Évêque de Kingston, qui traite directement comme celui de Québec avec le gouvernement : et ensuite qu'il n'y a aucune difficulté à ce que le futur Évêque de Mont-réal reste dans la *dépendance* de l'Évêque de Québec, soit que le gouvernement reconnût celui-ci comme Archevêque de Québec (ce qu'il serait bon de tâcher aussi d'obtenir par les mêmes raisons politiques de la satisfaction qu'en ressentiraient les Canadiens), soit qu'en gardant le simple titre d'Évêque de Québec, il fût reconnu comme Métropolitain du siège de Mont-réal (ce que le St-Siège accorderait facilement, comme il y en a plusieurs autres exemples dans l'Église) ; en sorte que le gouvernement pourrait ne correspondre qu'avec l'Évêque de Québec, à qui celui de Mont-réal ferait rapport dans les choses qui concerneraient le service de Sa Majesté.

3° Si, au contraire, on ne pouvoit obtenir du gouvernement cette érection d'un nouvel Évêché à Mont-réal, il faudrait du moins presser le Ministre Britannique de signifier officiellement à l'Administration Provinciale la dépêche de Lord Bathurst à qui Mgr l'Évêque de Québec, en date du 15 septembre 1819 (3.) que cet Ex-Ministre avoit promis dans le temps de faire connoître au gouverneur, et dont cependant il ne lui a jamais donné connaissance : cette dépêche, reçue par le gouvernement provincial, suffirait au suffragant de Mont-réal pour gouverner ce District en ladite qualité, sans inconvénients civils. Mais, soit que le gouvernement reconnaisse l'Évêque résidant à Mont-réal comme diocésain, ou simplement comme chef spirituel du District, il serait toujours nécessaire que le gouvernement incorporât lui et ses successeurs, comme supérieurs ou surintendants ecclésiastiques de ce District, avec permission d'acquérir des biensfonds amortis jusqu'à la valeur de 2, ou 3, ou 4,000 livres sterling de rente. (4.)

4° On gagnerait beaucoup pour la Religion, si l'on obtenait du Ministre en Angleterre qu'il recommandât à notre Administration provinciale de ne point admettre les Catholiques comme formant une branche de l'*Institution Royale d'éducation* dans cette Province, mais qu'on nous accordât, pour nous seuls comme Catholiques, une *Institution Royale d'éducation*, différente de celle qui est déjà établie à Québec, et qui serait pour les seuls Protestants.

5° On ne rendrait pas un moindre service à la Religion, en empêchant en Angleterre la sanction de l'Acte pour l'établissement civil des Paroisses, qui y a été transmis l'année dernière, à la sanction royale, et qui ferait plus de mal que de bien, pour les raisons consignées dans une lettre de l'Évêque de Telmesse à D. B. Viger, Ecr. en date du 8 mars 1827, dont on pourrait se procurer copie s'il en est besoin (5.). Il vaudrait mieux que le gouvernement s'engageât à sanctionner un Bill qui règlerait simplement, que l'Évêque de Québec jouira des droits qu'il avait par la Loi, avant la conquête, pour l'érection des Paroisses en ce pays, à exercer par lui-même ou par ses Grands Vicaires ; et que le gouverneur ou ses commissaires auront, dans cette matière, les mêmes prérogations qu'avait alors le Roi de France et ses Officiers au Canada.

6° Il faudrait insister, par des raisons de politique, de droit public, et de Loi civile, pour que les biens des Jésuites en ce pays soient rendus à leur destination primitive, conformément à la volonté expresse des Donateurs, c'est-à-dire à l'éducation religieuse des Catholiques du Canada, et aux Missions Catholiques chez les sauvages.

7° On devrait faire sentir au Ministre qu'il est honteux qu'une si grande et si riche partie des terres de la Couronne en ce pays soit réservée pour le seul Clergé Protestant, même Presbytérien, tandis qu'on n'a rien réservé pour le Clergé Catholique et canadien, qu'on prétend néanmoins soutenir comme un Clergé établi par la Loi. — Si le Ministre répondait que ce Clergé a assez des dîmes et droits accoutumés pour se soutenir, il faudrait dire que probablement le Clergé catholique de ce pays renoncerait volontiers à la dîme, d'accord avec ses Supérieurs Ecclésiastiques, si on lui assignait des biens-fonds capables de le dédommager de ce sacrifice : car le nombre des Protestants, qui occupent les terres sans devoir la dîme au Clergé Catholique, augmentant tous les jours, et l'usage d'ensemencer les blés, les pois et l'avoine, seuls grains qui doivent la dîme légale, décroissant dans la même proportion, il est douteux si par la suite le payement de la dîme pourra suffire seul au soutien du Clergé Catholique.

8° Il faudrait montrer que les biens des Sulpiciens de Mont-réal ne peuvent leur être arrachés sans injustice et sans mécontenter tout le pays, qui ne verrait dans cette première spoliation que le présage de celle de toutes les autres Communautés ou établissements religieux : que ce n'est plus laisser de bonne foi le libre exercice de la Religion Catholique, garanti par les Traités et les Actes du Parlement, que de dépouiller le Clergé de cette Religion : qu'il est impossible au gouvernement de donner aux Sulpiciens une compensation équivalente à ce que vaudront leurs biens-fonds dans 50 ans, dans un siècle, dans un temps illimité pendant lequel peut les posséder un Corps qui ne meurt pas qu'outre les autres raisons légales qui militent en faveur des Sulpiciens, quand il n'y aurait qu'une possession sans trouble de leurs biens pendant plus de soixante ans, durant lesquels ils ont joué de bonne foi, et contesté dans les Cours de Justice en vertu de leurs titres qui y ont été admis, sans qu'on ait tenté par aucune procédure légale de les déposséder, mais qu'au contraire on ait donné des instructions aux gouverneurs de les laisser se propager et agréger de nouveaux sujets ; c'en serait assez pour leur assurer la propriété incontestable de leurs biens, d'autant plus que la majorité des Membres de cette Communauté est composée de Sujets Britanniques, nés ou naturalisés (10 nés Anglais, 3 naturalisés, 8 étrangers, 21 total de la Maison) : que tout le Clergé de ce pays, *nomine excepto*, serait blessé au vif en apprenant une pareille usurpation ; et que dans des circonstances critiques où pourrait se trouver dans la suite le gouvernement, il est à croire que (le clergé) se montrerait bien froidement en faveur de ceux qui l'auraient dépouillé d'une des plus belles parties de ses biens : (6.) que les Sulpiciens, quand ils voudraient transiger avec le gouvernement pour se dénantir de la Seigneurie de Mont-réal, ne pourraient le faire d'après les Lois civiles existantes, dont la possession nous est assurée par le Bill de 1774 ; parce que ces Lois défendent aux Communautés Ecclésiastiques d'aliéner sans la permission de l'Évêque ; que l'Évêque ne donnerait pas cette permission sans l'avis de son Clergé qui n'y consentirait jamais ; et que d'ailleurs ce bien n'a été donné aux Sulpiciens qu'à condition de ne jamais l'aliéner, et pour des fins que le gouvernement est incapable de remplir (Par exemple, le gouvernement Britannique fera-t-il chanter des Messes et des Services, actes qu'il regarde comme une abominable idolâtrie ?). Il ne manquera pas d'autres raisons à alléguer pour St-Sulpice ; mais les motifs politiques sont probablement ceux qui feront plus d'impression.

9° S'il était question de quelque Bill à passer dans le Parlement Britannique, pour régler les différends de la Province, il faudrait bien prendre garde de n'y pas laisser introduire la déclaration de la Suprématie Royale en fait de Religion, comme on le fit à notre égard dans le Bill de 1774 et dans le projet de Bill pour l'union des deux Provinces ; en réclamant, s'il se peut, contre de pareilles clauses, injurieuses à la liberté qu'on prétend laisser à la Religion Catholique en ce pays, et fesant sentir que c'est donner d'une main et reprendre de l'autre, puisqu'on ne saurait être Catholique-Romain en se soumettant à la Suprématie du Roy dans les matières ecclésiastiques. Il faudrait également veiller à ce qu'on n'insérât dans un semblable Bill aucune autre clause qui blessât la liberté du Catholicisme, comme celle qu'on avait mise dans le susdit projet de Bill pour l'Union, laquelle ôtait à l'Évêque le droit de nommer les curés, comme ci-devant, sans l'approbation du gouverneur.

10° Il serait à propos de s'informer secrètement si l'Évêque de *Rhéginas* ou de Kingston n'aurait pas signé quelque adresse, tendant à réunir à la Province du Haut-Canada la plus grande partie du District de Mont-réal, conformément au plan des Bureaucrates mentionné dans le premier paragraphe ci-dessus ; car la chose serait possible, vu qu'il a grand intérêt à cette union, à cause de l'état actuel de son Diocèse dénué de Prêtres et d'autres secours religieux, lequel serait grandement amélioré par là : vu aussi qu'il est sorti de Glengary une adresse du gouverneur, qui pourrait avoir trait à ce nouveau projet. Or si j'avais connaissance qu'il eût signé une telle Requête, je ferais mon possible pour en détourner l'effet ; et j'espèrerais y réussir.

11° Il serait nécessaire de s'informer qu'est devenue une Pétition faite au Roi il y a cinq ou six ans, pour l'amortissement de l'incorporation du Collège de St-Hyacinthe d'Yamaska, que Lord Dalhousie prétend avoir recommandée au Ministre, mais dont on n'a point entendu parler depuis ce temps-là. Il faudrait presser la concession de Lettres patentes pour cet établissement, par les raisons générales et particulières de la faveur qu'on doit accorder à l'éducation dans ce pays, et surtout dans ce district populeux, qui n'a pas trop de deux Collèges : mais il faut avoir soin que les Lettres patentes soient conformes à la Pétition, relativement aux *Trustees* et aux autres choses y demandées. (7.)

12° Enfin, il faudrait aussi savoir qu'est devenue une autre Pétition des Religieuses de l'Hôtel-Dieu de Mont-réal, que Lord Dalhousie dit également avoir recommandée au Département Colonial vers le même temps que la précédente, et par laquelle on demandait que ces Dames eussent permission d'appliquer en rentes sur ce pays-ci l'argent qu'elles pourraient tirer de leurs anciens fonds en France. Mgr de (...), qui s'en est informé à son dernier voyage à Londres, a rapporté, dit-on, que ces Lettres patentes avaient été accordées, et étaient parties pour Québec avant même son départ d'Angleterre pour revenir en Canada : si c'était le cas, elles dormiraient apparemment dans le Secrétariat de cette Province ; et il serait à propos de les réveiller.

N° 2 (Mémoire du défunt Évêque de Québec à Lord Bathurst pour obtenir un Évêque Diocésain à Mont-réal).

N° 3 (Réponse de Lord Bathurst à ce Mémoire, par laquelle il accorde la demande, avec restrictions).

N° 4 (Requête de l'Évêque de Telmesse à Sa Majesté pour amortissement de St-Jacques, sec.)

N° 5 (Lettre de l'Év. de Telmesse à D.-B. Viger, Écr. en date du 8 mars 1827).

N° 6 (Mémoire de feu Mgr Plessis, Évêque de Québec, à lord Bathurst, pour la conservation des biens du Séminaire de Mont-réal).

N° 7 (Requête au gouverneur pour l'incorporation du Collège de St-Hyacinthe d'Yamaska).

Montréal, le 1er février 1828.

b) Pour mieux comprendre comme étaient difficiles et délicates les relations du clergé avec la métropole, on peut prendre connaissance de certaines lettres adressées par Mgr B.-C. Panet à lord Goderich et à Denis-Benjamin Viger, en 1831. Les voici résumées par les soins des Archives de Québec dans le rapport de l'archiviste (pages 181 et 183) :

Mgr B.-C. Panet et Mgr Joseph Signay au très honorable lord vicomte Goderich, secrétaire de Sa Majesté pour le département colonial. Downing street, London (Québec, 5 juillet 1831). Ils prennent la liberté de lui recommander une affaire d'un grand intérêt pour les sujets catholiques qui habitent le district de Montréal. En 1829, ils adressèrent à Sa Majesté George IV une requête pour obtenir la séparation du district de Montréal du diocèse de Québec, pour en former un autre. Cette demande fut rejetée dans le temps : ils espèrent que la même supplique sera mieux accueillie dans le moment présent. Lord Goderich trouvera dans leur pétition les raisons qui les portent à faire cette nouvelle démarche. Ils prient donc le secrétaire des colonies de vouloir bien la déposer au pied du trône de Sa Majesté, en protestant de leur attachement sincère à son gouvernement. Ils ont chargé l'honorable Denis-Benjamin Viger, maintenant à Londres, de conférer avec Sa Seigneurie au sujet de cette affaire. (*Registre des lettres*, v. 14, p. 414.)

Mgr B.-C. Panet à M. (Denis-Benjamin) Viger, à Londres (Québec, 7 juillet 1831). Il veut ajouter quelque chose à ce qu'il a déjà écrit à M. Viger au sujet des affaires qu'il aura à traiter : 1° M. Viger ne parlera au ministre des colonies de l'érection du diocèse de Montréal et des lettres patentes pour le collège de Saint-Hyacinthe, que si les affaires qui lui ont été confiées par la Chambre d'assemblée prennent une bonne tournure ; 2° il lui faudra faire remarquer à lord Goderich qu'on ne demande pas d'argent pour la dotation de l'évêché de Montréal et du collège de Saint-Hyacinthe. Il lui envoie une copie des requêtes présentées à Sa Majesté et une copie des lettres qu'il adresse à lord Goderich. Mgr de Telmesse est maintenant dans le district de Québec, en repos à la Rivière-Ouelle. (*Registre des lettres*, v. 14, p. 420.)

3. Extrait des registres de sépulture.

EXTRAIT des Régistres des BAPTÊMES, MARIAGES et SÉPULTURES, faits dans la Paroisse de Montréal, sous le titre du S. NOM de MARIE, dans l'Ile, Comté et District de Montréal, Province du Bas-Canada, pour l'année mil *huit* cent *soixante et un.*

> Le dix-huit février, milhuit cent soixante et un, Je prêtre soussigné ai inhumé le corps de l'Honorable Denis Benjamin Viger, Avocat, et ancien membre du Conseil Législatif de la Province du Canada, décédé en cette paroisse le treize du courant, à l'âge de quatre-vingt-six ans cinq mois et vingt-cinq jours : étaient présents à l'inhumation, l'Honorable Louis Joseph Papineau ; l'Honorable Antoine Aimé Dorion ; l'Honorable Louis Antoine Dessaulles ; Denis Sénécal, Ecuyer ; et l'Honorable Frédéric Auguste Quesnel, soussignés. (Une lettre effacée nulle.)
>
> (signé)
>
> L. J. Papineau ; L. Papineau ; L. A. Dessaulles ; A. A. Dorion ; D. H. Sénécal, F. A. Quesnel.
>
> Bardey ptre

Texte d'une photocopie de l'extrait d'inhumation remise à l'auteur par M. Bruno Harel, le 23 mai 1980.

4. Éloge de Denis-Benjamin Viger par Napoléon Bourassa : poème.

Un jour de 1861, Napoléon Bourassa met la dernière main à une ode consacrée à son ami et parent, Denis-

Benjamin Viger, mort le 21 février dans sa maison de la rue
Notre-Dame. Il a accompagné ses restes au cimetière de la
Côte-des-Neiges, sans aller, cependant, jusqu'à signer le registre du cimetière, comme l'a fait son beau-père Louis-Joseph Papineau. Quelques jours plus tôt, il avait modelé le
masque funéraire de Viger. Et voilà que, tout à coup, les
premiers vers d'un poème se présentent à son esprit :

> Vieux vétéran de l'illustre cohorte
> Qui protégea les droits de nos aïeux.

C'est le point de départ d'un long poème à la manière
un peu ampoulée qui a cours parmi tant de gens de sa génération : écrivains sincères sans doute, mais poètes médiocres.

Poussé par une inspiration bouillonnante, qui coule d'a-
bondance comme l'eau tiède d'un robinet, il continue :

> Tu n'es donc plus ! . . . et l'âge qui t'emporte
> Laisse nos cœurs dans un deuil anxieux.
> Tes blancs cheveux avaient vu s'accomplir
> Quatre-vingts ans de notre triste histoire,
> Et tu comptais dans nos pages de gloire
>   Un bien grand souvenir !
>
> Nous contemplons ta tombe solitaire
> D'un œil rêveur, comme ces vieux débris
> Que couvre encor la poudre séculaire
> Et sur lesquels les peuples ont inscrit
> Leurs noms fameux. Lorsque tu vis le jour,
> Un roi perdu de vile turpitude
> Avait livré nos mains en servitude
>   Et troqué notre amour.
>
> Nous étions seuls . . . un océan immense
> Avait voilé l'horizon de nos cœurs
> Comme un suaire . . . En nous cachant la France,
> Il étouffait le cri de nos douleurs . . .
> Dieu, quel moment ! . . . Ces fils que nourrissait
> Votre flanc pur, ô nos vaillantes mères !
> Ces fils portés durant les nuits amères
>   N'étaient plus des français !
>
> Au champ d'honneur avait péri l'élite
> De nos guerriers. Fuyant un joug honteux,

Nous avions vu s'éloigner à la suite
Du drapeau blanc les plus fiers de nos preux.
Nous étions seuls, nous pauvres fils des champs,
Nous dont le bras négligeant la charrue
Avait versé pour la cause perdue
Ses sueurs et son sang !

Il ne faut pas sourire de ce style et mettre de côté une ode en trente-deux couplets qui se termine ainsi :

Sans oublier nos saintes infortunes,
Frères, amis, soumis au même sort
Ne souillons pas par d'aveugles rancunes
Nos cœurs souffrants ; l'amour sera plus fort
Pour nous sauver — L'amour est immortel :
Il vient de Dieu ; c'est le lien du monde,
Sans lui, la terre est un abîme immonde,
Et lui seul fait le ciel ! ...

Napoléon Bourassa a noté par la suite que le poème était destiné à ses intimes et qu'il l'a lu devant les membres d'une société littéraire, probablement l'Institut Canadien. Poussé par ceux que la longueur du texte et un doux ennui ne gênaient pas, l'auteur décida de publier son œuvre. On en trouve le texte manuscrit et l'épreuve corrigée de la main de l'auteur dans le fonds Roger Le Moine, à l'Université d'Ottawa[1]. Même si nous en parlons avec un certain ir-respect, nous nous inclinons devant l'artiste et le charmant homme qu'était Napoléon Bourassa. Conférencier disert qu'Hector Fabre appréciait puisqu'il en fit l'éloge un jour dans *La Revue canadienne*, mais poète qu'hélas ! les fées n'avaient pas comblé. Il admirait Denis-Benjamin Viger. C'est cela que nous voulons noter ici, même si nous le fai-sons d'une manière qui perd en respect ce qu'elle gagne en sincérité. Pour la réputation de Napoléon Bourassa, peut-être aurait-il mieux valu dire plus brièvement du bien de l'homme qu'il admirait, plutôt que rappeler aussi longue-ment son souvenir en un poème de cendres qui est plus un hommage qu'une œuvre de qualité.

---

1. Où se trouve le Centre de recherche en civilisation Canadienne-française.

5. Banquets d'autrefois.

Le 5 mai 1831, on offre un banquet à Denis-Benjamin Viger, à l'occasion de son départ pour l'Angleterre où il va faire valoir le point de vue de l'Assemblée législative. Le banquet a lieu au Masonic Hall. Cent cinquante personnes « des différentes classes de la société de la ville et de la campagne » y assistent, note Romuald Trudeau dans ses *Tablettes*[1] dont la Collection Gagnon a un exemplaire. Voici ce qu'en dit le mémorialiste :

> Le repas a été présidé par M. Bourdages, le doyen de la Chambre d'Assemblée ; à sa droite étoit M. Viger et à sa gauche l'Honorable Orateur L.-J. Papineau ; Mrs. Malhiot & Jacob De Witt remplissaient les fonctions de vice-présidents. Vingt-trois santés ont été proposées par le président qui toutes ont été accueillies avec enthousiasme et des applaudissements répétés. Il a été prononcé plusieurs discours sur les intérêts du pays par M. Bourdages, M. Viger, M. Papineau, M. N. Morin, le Docteur W. Nelson, le Docteur Beaubien, M. Jacques Viger, Duvernay, P. Létourneux, un M. McKenzie avocat du Haut-Canada ont aussi chanté tout à tour des chansons patriotiques.
>
> Voici les santés proposées par le président :
>
> 1. Au Roi.
> 2. À la Reine.
> 3. À la Princesse Victoire & la famille royale.
> 4. Au gouverneur en chef Lord Aylmer.
> 5. Au Lieutenant-Gouverneur Sir Francis Burton.
> 6. À l'Honorable D.-B. Viger.
> 7. Sir James Kempt.
> 8. L'armée et la marine de la Grande-Bretagne.
> 9. La Constitution britannique.
> 10. À notre Constitution.
> 11. Le Comte Grey et le Ministère actuel d'Angleterre.
> 12. L'Honorable L.-J. Papineau & la Chambre d'Assemblée.
> 13. À nos agens en Angleterre en 1828.
> 14. Aux Évêques et au clergé du Bas-Canada.
> 15. À l'Éducation.

---

1. *Mes Tablettes*, numéro 9. 1828-1844, p. 510 et ss. Cf. Collection Gagnon à la Bibliothèque municipale de Montréal.

16. À l'agriculture et au commerce.

17. Au Haut-Canada et aux Possessions britanniques de l'Amérique du Nord.

18. À nos voisins les habitans des États-Unis.

19. À la Milice canadienne.

20. À la mémoire du vertueux Waller.

21. Au 28 mars 1831 (nomination d'un Agent)

22. Aux habitans de notre pays.

23. À lady Aylmer et au beau sexe.

Les santés volontaires suivantes furent ensuite portées :

    1. À Joseph Papineau, Écr. père.

    2. Daniel O'Connell et l'Irlande.

    3. À la presse libérale du Bas-Canada.

    4. À l'Honorable Colonel de St-Ours.

    5. À l'Honorable Colonel L. Guy.

    6. Au Président du dîner.

    7. Aux Vice-Présidents.

    8. À la bonne soirée.

Pour les discours, voyez le numéro 25 du 5e volume de *La Minerve* (année 1831).

La plus franche cordialité a régné pendant toute la durée du repas qui a duré jusqu'après trois heures du matin.

Pour tenir le coup, il fallait avoir une bonne santé et une patience à toute épreuve. Cela, c'est nous qui le notons.

6. Ici vécut Denis-Benjamin Viger.

Il est intéressant de suivre notre personnage dans ses déplacements à Montréal. En 1774, il naît dans une maison de pierre, qui appartient à son père, au coin nord-est des rues Saint-Vincent et Saint-Paul. Il en héritera. À son tour, il la laissera à son cousin Côme-Séraphin Cherrier, au moment de son décès. Toute sa vie, il restera dans ce qu'il est convenu d'appeler maintenant le Vieux-Montréal, c'est-à-dire cette partie de la ville qui se trouve à l'intérieur des murs à partir de l'actuelle rue Berri jusqu'à la rue McGill.

Rue Saint-Vincent, la maison de Denis Viger est à côté de celle de son beau-frère, le chirurgien Lartigue, pas très loin par conséquent de l'ancien château de Vaudreuil où, plus tard, les Messieurs de Saint-Sulpice logeront leur établissement qu'ils appelleront le collège de Montréal pour succéder à celui de Saint-Raphaël.

Plus tard encore, selon E.-Z. Massicotte, après son mariage Viger habitera une maison de bois peinte en jaune qui se trouve sur la terre paternelle, en dehors des murs. Terre que plus tard, on connaîtra partiellement sous le nom de Square Viger. Il y sera chez sa mère en attendant de se loger chez lui à son retour d'Angleterre dans une maison de pierre, rue Notre-Dame, près de Bonsecours, voisine de celle qu'habite la baronne Grant[1]. En 1836, il en achètera une autre que E.-Z. Massicotte situe ainsi :

> À l'est de l'immeuble qui fut le second hôtel Donegana, puis l'Hôpital Notre-Dame. La propriété comprenait un jardin une remise, une écurie et une glacière.

C'est là, semble-t-il, que mourra sa femme en 1854. C'est là aussi qu'il recevra les deux notaires venus recueillir ses dernières volontés, deux ans avant sa mort.

Nous pourrions nous arrêter là, mais ce qui est gênant c'est que les almanachs ne sont pas tout à fait d'accord. Qu'on en juge :

a) *An Alphebetical List of Merchants, Traders and Housekeepers* : 1819-20. D.B. Viger, attorney at Law, 8 rue Notre-Dame.

b) *Lovell & Gibson* — 1842-43 : 7 rue Notre-Dame. Cette fois, l'almanach ne mentionne pas que Viger est avocat. Il a cessé de l'être depuis qu'orienté vers la politique, il est sur le point d'être ministre.

c) *Ibid.* 1854-55 : 7 rue Notre-Dame. Même adresse, qui confirme la note précédente, tandis que son cousin Jacques habite au 7 de la rue Bonsecours.

Par ailleurs, le même almanach de 1858-59 indique le numéro 5 rue Notre-Dame, adresse que confirment le *MacKay's Directory* de 1860-61 et le cadastre de Montréal de 1860, en donnant à la propriété une valeur de 10 000

---

1. *Cahiers des Dix.*

dollars et en lui accordant un loyer de 600 dollars. Comment expliquer que ces montants soient exprimés en dollars alors qu'auparavant ils l'étaient en livres ? Tout simplement que, depuis 1858, le dollar est devenu la monnaie officielle de la Colonie, au grand scandale de Londres qui craint qu'il n'y ait là un premier pas vers l'annexion. Au Canada, on a passé outre en songeant aux liens commerciaux qui déjà unissent les deux voisins.

*

Nous donnons notre langue au chat, tout en invitant le lecteur à tirer le problème au clair, si le cœur lui en dit. Nous y renonçons, tout en notant à nouveau que si notre personnage a changé plusieurs fois de domicile, il est resté dans ce quartier où son père était né et où il possédait de nombreuses maisons. Au lieu de chercher ailleurs sinon le repos ou la tranquillité, car Montréal à l'époque n'est pas bien bruyante, du moins le dépaysement de la campagne, il le trouve assez loin de là, à l'île Bizard. Sa femme et lui se réfugient de temps à autre dans cette seigneurie dont, à la suite d'un jugement de la Cour d'appel, Madame Viger est devenue la propriétaire.

*

7. *Ordre d'écrou du 4 novembre 1838.*

À L'HONORABLE DE ST. OURS, ÉCUYER, SHERIFF,

Monsieur,

Vous êtes requis par ces présentes et il vous est ordonné de recevoir dans la prison commune de Montréal les prisonniers suivans *jusqu'à nouvel ordre* :
Louis Hypolite Lafontaine, Denis Benjamin Viger, Charles Mondelet, Louis Michel Viger, Jean Joseph Girouard, John Donegany, Francis W. Desrivières, Écuyers, Lewis Joseph Haikin, Dexter Chapin, Toussaint Labelle,

Augustin Racicot, François Xavier Desjardins, George Dillon, John Terrell, Henry Badeau, Louis Coursolles, François Pigeon, Cyrille David et Hyram J. Blanchard.

Montréal, 4 Novembre 1838

(Signé)

H. EDMOND BARRON, J. P.

(Vraie Copie)

(Signé)

CHS. WAND,

Geolier.

II. Illustrations

1. Denis-Benjamin Viger

Denis-Benjamin Viger est à Londres, en 1831, quand le graveur fait de lui cette lithographie d'après nature, y note-t-on. L'œuvre est agréable ; l'homme est là devant nous bien vivant, comme l'artiste l'a vu quand il venait à son atelier prendre la pose, après avoir quitté le London Coffee House où habitait l'agent de l'Assemblée législative à qui on payait des indemnités de séjour assez faibles. Il était riche. Aussi pouvait-il s'offrir le luxe de venir en Angleterre pour attaquer, cette fois, l'administration de James Stuart, suspendu par lord Aylmer dans ses fonctions de procureur général. Viger était à Londres pour obtenir que la suspension prononcée fût maintenue. Dans une de ses lettres, lady Aylmer écrit qu'il en coutât beaucoup à son mari de prendre une pareille décision, mais qu'il devait s'incliner devant le désir de la Chambre basse.

C'est au London Coffee House que François-Xavier Garneau vint rendre visite à Viger, un jour de 1831. « Il me reçut avec toute la politesse d'un homme d'ancien régime », nota-t-il dans ses souvenirs de voyage.

Revenu à Londres après un agréable périple en France et dans les Pays-Bas, Garneau accepta d'aider Viger dans la préparation de son mémoire contre James Stuart, venu se défendre avec l'aide de ses amis.

Source : Collection Gagnon, Bibliothèque Municipale de Montréal. [Photo Archives Nationales de Québec.]

2. *Mme Denis-Benjamin Viger*

Femme un peu effacée, mais intelligente, très simple, désolée de ne pas avoir d'enfant, confite dans ses dévotions. Voyant au-delà de sa famille immédiate, elle s'occupe activement de certaines œuvres : les orphelins, avec la collaboration des Sœurs Grises, et les filles repenties qu'accueillent les Sœurs du Bon-Pasteur, venues s'installer à Montréal dans cette maison construite sur le terrain que Marie-Amable Viger a hérité de son père et qu'elle leur a donné.

Au cours de sa carrière politique, son mari s'absente durant de longs mois, des années même quand il va en Angleterre plaider contre lord Dalhousie, puis, plus tard, contre James Stuart, mais aussi en faveur de la Colonie qui a de bien grands besoins. En 1831, elle ne l'accompagne pas comme lady Aylmer, qui vient à Québec avec son mari, malgré le froid, le milieu bien différent, les chausse-trapes qui l'attendent. Marie-Amable Viger, elle, reste au Canada, même si à certains moments elle se sent bien seule. C'est alors que, de temps à autre, elle accepte d'aller habiter au manoir de l'Assomption, chez son amie Madame Louis-Michel Viger. Elle y retrouve le sourire discret et cette sérénité que révèle la photographie d'une peinture faite par un artiste dont l'histoire ne nous a pas gardé le nom. Mais peut-être n'est-ce qu'une daguerréotype coloriée ! On commençait à en faire à cette époque, sous l'influence du photographe William Notman qui groupait autour de lui certains peintres auxquels il donnait l'occasion de gagner un peu d'argent en attendant qu'ils pussent percer.

Source: Château Ramezay.
Photo : Robert Pelletier.

3. Mgr Jean-Jacques Lartigue

Esprit curieux, prêtre intègre, prélat intelligent, énergique, qui cherche avant tout le bien de l'Église. Souvent, il est placé dans des situations difficiles : les Sulpiciens, ses frères, s'opposent longtemps à son titre, sinon à sa fonction ; ce qui ne lui permet guère de sauver la face auprès des Anglais qui ne reconnaissent pas son poste et même l'état civil de son diocèse avant 1836. Et puis, au moment des troubles de 1837 et de 1838, dans quelle situation cornélienne il se trouve ! Il ne peut pas ne pas penser comme ses ouailles qui cherchent la liberté, à travers la violence, il est vrai ; alors que lui invoque saint Paul et la soumission à l'autorité. De l'autre côté de la barrière, il y a ses cousins qu'il condamne comme les autres : l'un est en fuite ; on a offert 1,000 livres à qui faciliterait ou permettrait sa capture ; les autres seront bientôt en prison. Lui condamne, anathème à la bouche. Il fait ce qu'il croit être son devoir, ce qui n'est pas facile quand on est lié par les liens du sang à ceux qu'on fustige. Mais il le fait.

Puis, il meurt.

On a de lui cette toile attribuée à James Duncan, où[1] on le montre, visage fin, émacié. Il porte un costume non d'apparat, mais de tous les jours, avec la croix pectorale et le rabat à la française que son successeur, Mgr Bourget, remplacera un jour par ce qu'il juge être une tenue plus conforme à l'autorité de Rome. Dans son esprit, elle doit avoir préséance sur l'autre, qui révèle trop l'influence sulpicienne et française.

Source : Château Ramezay.
Photo : Pelletier.

---

1. Irlandais venu au Canada en 1830, à qui on doit une œuvre picturale intéressante. Et entre autres, certaines illustrations de Hochelaga Depicta, de Newton Bosworth. Cf. *The MacMillan Dictionary of Canadian Biography*.

4. Le masque funéraire de D.-B. Viger

En février 1861, Denis-Benjamin Viger vient de mourir. Suivant l'usage, sa dépouille est exposée au rez-de-chaussée de sa maison, à une époque où le salon funéraire n'existe pas. Parmi ses amis, il y a Napoléon Bourassa qui demande la permission de faire le masque funéraire du défunt. On la lui accorde. C'est ce médaillon que l'on voit ici. Il est en plâtre, revêtu d'une peinture imitant le bronze. A-t-on eu raison ou tort de conserver ainsi l'effigie de l'homme que les ans n'ont pas ménagé au cours d'une si longue vie de luttes ? Le gisant du salon est la dernière étape avant la mise en terre, à une époque où l'on n'incinère pas et où on laisse aux vers le soin de ronger celui qui n'est plus.

Comme nous l'avons noté, Bourassa est allé plus loin dans le souvenir de l'homme. Il lui a consacré un long poème où il a célébré ses mérites et ses vertus. Son texte a les défauts de l'époque : il manque de simplicité et de souffle, même s'il est bien long. Il est un témoignage rendu à celui qui, avec ses défauts, a été un grand citoyen à une époque où d'autres songeaient avant tout à s'enrichir.

Viger avait une certaine aisance, mais il donnait à d'autres valeurs tout leur poids. Il faut remercier Napoléon Bourassa de l'avoir rappelé par un double procédé tenant de l'image et de la parole.

Source : Collection de Mme R. V. Pager.
Photo   : Éric Parizeau.

5. La première église Notre-Dame

C'est dans la première église Notre-Dame que Denis-Benjamin Viger a été baptisé. C'est là aussi qu'il a épousé la fille de Pierre Foretier, au milieu de tous ces gens accourus pour assister à un grand mariage. On y aurait chanté son service funéraire si, une trentaine d'années plus tôt, les Sulpiciens n'avaient décidé de remplacer l'église du XVIIᵉ siècle, encombrante parce qu'elle obstruait la rue Notre-Dame et insuffisante pour les fins du culte, par une autre plus grande et convenant davantage à ce qu'était devenue *la Paroisse*.

Mgr Lartigue voulait une grande église et un palais épiscopal. Il les construisit un peu plus loin vers l'est, là où Madame Viger lui avait offert un terrain, là où, plus tard, seront l'église Saint-Jacques et, beaucoup plus tard, l'Université du Québec à Montréal : cette bien curieuse institution dont deux pavillons rappellent une grande journaliste de la télévision et un écrivain qui a relativement peu écrit, mais dont la mort a été à la fois désolante et spectaculaire.

La gravure — car c'en est une — est de H. Bunnett. Elle rappelle comme était gracieuse cette architecture d'autrefois quand on s'inspirait tout simplement des lignes et des proportions venues à travers les siècles d'une civilisation ayant le goût et le sens des proportions. On les perdit au XIXᵉ siècle, sous l'influence de certains architectes comme James O'Donnell, qui a voulu rappeler à Montréal un gothique anglais mal digéré.

Source : Collection Gagnon.
Photo   : Éric Parizeau.

6. *La maison Denis-Benjamin Viger*

Au coin de la rue Saint-Amable et de la place Jacques-Cartier, il y a la maison dite de Benjamin Viger. On l'appelle ainsi à tort, il est vrai, car, si elle lui a appartenu, il n'y est pas né et il n'y a pas habité comme certains le croient. Au moment du soulèvement de 1837, on y logeait une imprimerie dont les presses furent enlevées pour empêcher qu'on y imprime des écrits « subversifs ». Par la suite, quand le matériel y fut rapporté, on imprima, entre autres choses, certains des textes de Denis-Benjamin Viger.

Longtemps plus tard, on a restauré l'immeuble de façon très agréable, tout en laissant intacte la structure de bois qui soutient le toit. Elle est belle. C'est pourquoi nous avons tenu à la reproduire ici afin de rappeler la nature et la solidité de l'appareil de bois qui soutenait le toit à l'époque.

Photo   : Éric Parizeau.

7. *Une vieille maison grise à l'île Bizard*

Une petite maison de pierre à l'île Bizard, celle du seigneur, qui n'a rien d'un manoir. Actuellement, elle accueille des vieillards. Au moment où elle fut construite en 1843, souvent le samedi, Denis-Benjamin Viger s'y réfugiait avec ses amis venus pour le *week-end*. Pourquoi tournait-elle le dos à la rivière des Prairies aux eaux brunâtres, au lieu d'être de l'autre côté de l'île, face au lac des Deux-Montagnes ? C'est simplement qu'à l'époque on n'avait pas la même conception de la maison de campagne. Et puis, elle était à côté de l'église Saint-Raphaël. Plus tard, il y eut un manoir du même nom. Ce sont les Monk — descendants de la même souche par l'ancêtre François Viger, qui le construisirent, dans un cadre plus fastueux.

La maison de Denis-Benjamin Viger était rustique, toute simple. Elle correspondait aux goûts de ses propriétaires : Marie-Amable, née Foretier et son mari Denis-Benjamin Viger.

Parvenu au faîte des honneurs, celui-ci aimait la campagne pour ses odeurs, pour son calme, pour la compagnie des amis qu'il y amenait. Et puis, l'église tout à côté lui permettait de faire ses dévotions auxquelles il tenait.

Photo de l'Auteur.

8. Louis-Joseph Papineau

On a de Louis-Joseph Papineau d'excellents portraits. Dans l'un, on voit Papineau dans sa maturité, énergique, prêt à toutes les déclarations, à tous les enthousiasmes, à toutes les indignations. Tour à tour, il est calme et emporté à l'époque où il veut sinon affamer l'Angleterre, du moins priver le commerce anglais de ses affaires canadiennes. C'est le moment où lui et ses amis se promènent dans des complets en étoffe du pays, où l'on recommande de retirer ses fonds de la Banque de Montréal et, enfin, où l'on fonde la Banque du Peuple. C'est aussi le moment où l'on reproduit les portraits de Louis-Joseph Papineau et de Denis-Benjamin Viger sur des billets de la maison Viger et De Witt ; ce qui montre le prestige dont les deux cousins jouissent. Au lieu de l'effigie de la Reine ou de lord Gosford, gouverneur général, on a choisi celle des deux principaux bagarreurs de la colonie du Bas-Canada.

Un second portrait date du moment où, revenu d'Europe, assagi quoique encore violent quand il s'agit de contredire son vieil adversaire Ignace Bourget, Papineau s'est réfugié dans son domaine de Monte-Bello. Son gendre, Napoléon Bourassa, le représente en irrédentiste, en personnage romantique, toupet dressé sur le crâne avec, à l'arrière-plan, l'Outaouais et ce paysage qu'il aime. C'est la toile sur laquelle nous avons jeté notre dévolu.

Et puis, le masque de l'homme dont son gendre a voulu garder le souvenir, comme il l'a fait pour Denis-Benjamin Viger quelques années plus tôt. On se trouve devant un visage énergique, figé dans la mort. Le médaillon de bronze que Mlle Anne Bourassa a reproduit dans son livre sur son arrière-grand-père est peut-être l'une des plus belles œuvres de l'artiste.

Source : Musée de Québec.
Photo du Musée, 1978.

9. Jacques Viger

Il n'était pas beau, mais il était gentil, spontané, extro-
verti. Il se mêlait à tous et on l'aimait, sauf peut-être J. G.
Barthe qui, dans ses *Souvenirs d'un demi-siècle*, le rabroue
un peu. Il faut dire que Viger, un jour, lui avait demandé
des nouvelles de « l'Horreur des Canadas », bien mauvais
jeu de mots sur *L'Aurore des Canadas*, le journal de Barthe.

Jacques Viger a fréquenté beaucoup de gens des deux
côtés de la barrière. Il se tint soigneusement à l'écart de la
Rébellion, cependant. Lui qui aimait la nature, la campagne, les vieux grimoires, la fantaisie, il fuyait les complots.
Ce qui ne l'empêcha pas, dans le déferlement des délations,
d'être éclaboussé par l'une d'elles. « Lord Gosford n'a pas
inventé la poudre . . . , on l'endort aisément », lui fait dire
un de ces délateurs anonymes en 1837. Cela ne le conduisit
pas en geôle, car il n'avait rien d'un conspirateur : tout en
lui étant joie et plaisir de vivre, comme chacun le savait.

S'il fut prisonnier, ce fut de ses *Saberdaches*. Mais alors
quelle passion !

*

On doit à Viger la devise de Montréal : *Concordia Salus*. Pendant quelques années, on lui a dû également les armoiries de Montréal dessinées par son ami Von Berczy, Allemand dont le père échoua à Montréal après avoir voulu
créer une grande entreprise qui en aurait fait le fondateur
de York en Ontario, si elle n'eût fait faillite ; ce qui lui valut de faire de la prison pour dettes, après que l'initiative
eût échoué lamentablement.

Berczy dessina donc les armoiries de Montréal dès la
naissance de la municipalité. Plus tard, on les refit pour
leur donner un aspect respectant davantage l'art héraldique.

Photo d'une peinture de Charles Gill.
Source : Château Ramezay.

10. Louis-Michel Viger

Ici on le présente au cours d'un séjour en prison à la suite des événements de novembre 1837. C'est son ami et compagnon de geôle, le notaire J.-J. Girouard, qui l'a croqué. Ce n'est plus Viger le jeune que l'on a devant nous, mais Viger l'homme mûr qui a assez grande allure malgré les ans : celui qui, avec Jacob De Witt, a formé une société en commandite pour des affaires bancaires, en 1835, en attendant qu'avec le calme revenu, un autre de ses compagnons de captivité, Denis-Benjamin Viger, ait pu convaincre le gouverneur général d'appuyer auprès de la Métropole la création d'une banque nouvelle qui s'appellera la Banque du Peuple.

Derrière lui, Louis-Michel Viger laisse sa femme qu'a rejointe son amie Marie-Amable Viger. Les deux sont atterrées par la nouvelle de l'incarcération. Elles sont allées prier à l'église pour que le Bon Dieu protège ceux qui viennent d'être incarcérés même s'ils n'ont pas pris part aux combats de 1837. En période de troubles, ne se saisit-on pas de tous ceux qui, de près ou de loin, paraissent avoir appuyé la révolte ou ce qu'on appellera par la suite un mouvement subversif ? Louis-Michel Viger et Denis-Benjamin Viger se sont bien exposés, il est vrai, le premier par la parole et le second par ses écrits et ses influences. Or, le général Colborne, qui commande la répression, ne s'est jamais embarrassé de scrupules ou d'hésitations. Souvent, il commande, puis réfléchit. Il ordonne les arrestations et on lui obéit.

Source : *J.-J. Girouard et les patriotes de 1837-38. Portraits,* Montréal 1973.
Photo : Armour Landry.
Éditeurs : Osinis (Montréal) et Bibliophile de Canadiana (Montréal).

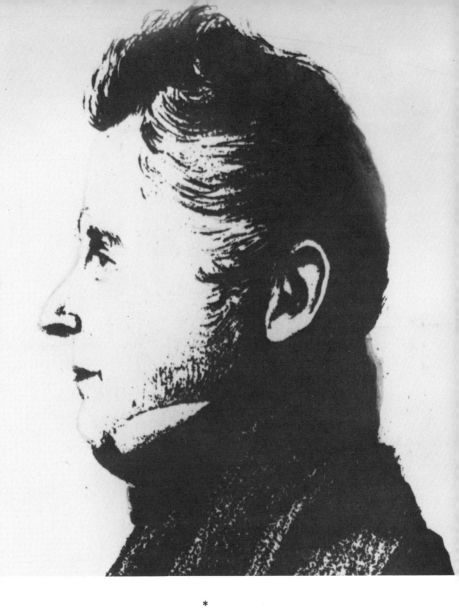

*

Dans la collection Maurice et André Corbeil, il y a
deux miniatures sur ivoire d'Antoine-Sébastien Plamondon
qui datent de 1833 ; l'une représente le mari et l'autre la
femme. Plus jeune, Louis-Michel Viger mérite davantage
cette appellation du « Beau Viger » que ses contemporains
nous ont gardée. Sa femme a de l'allure. Elle est racée et
pleine d'esprit, précise dans ses jugements.

11. Côme-Séraphin Cherrier

On a deux portraits de lui. Dans l'un, il est vieux, barbi-
chu, pas très sympathique : l'âge a buriné ses traits. Il a la
réputation d'un grand bonhomme du droit, mais il a subi
des ans un bien redoutable outrage. Napoléon Bourassa l'a
vu à un âge moins avancé. Il nous a laissé de lui une image
agréable : l'homme dans toute sa plénitude. Il vient d'avoir
soixante ans. Un peu lourd, l'œil inquisiteur, intelligent, le
front à peine dégarni, le collier de barbe discret qui longe
le col blanc, la redingote impeccable qui souligne l'harmonie des formes.

Comme il est agréable d'avoir un portraitiste habile qui,
tout en gardant la ressemblance, fait valoir les qualités phy-
siques et morales de son modèle !

Source : Musée de Québec.
Photo : Musée de Québec.

12. Le bureau de Côme-Séraphin Cherrier en 1885

Côme-Séraphin Cherrier a son bureau rue Saint-Vincent, au coin de la rue Saint-Paul, dans cet immeuble où Denis-Benjamin Viger est né. C'est là qu'un jour le photographe William Notman vient le photographier avec son matériel encombrant. C'est là aussi que Cherrier se réfugie quand il veut lire, réfléchir, recevoir sa clientèle ou écrire ces conférences, comme celle qu'il intitule « Denis-Benjamin Viger et son Temps ». Il y rappelle ce cousin qu'on a loué ou vilipendé selon les moments de sa vie politique. C'est là aussi sans doute qu'il a écrit cette conférence où il explique l'avocat, ses difficultés, son orientation.

Il y reçoit parfois ses professeurs de la faculté de Droit qui enseignent au château Ramezay, pas très loin de là, en attendant qu'on les accueille ailleurs pour faire place aux étudiants plus nombreux, au fur et à mesure que les années passent.

C'est aussi dans son bureau qu'il reçoit ses amis politiques quand s'élabore le programme d'un parti nouveau, qui réunit L.-O. David, les Doutre, Wilfrid Laurier, Honoré Mercier et son associé Antoine-Aimé Dorion. Lui ne parle guère. Il écoute, puis fait valoir ses idées en pensant à son ami l'évêque Ignace Bourget auprès de qui il devra les défendre pour éviter que la réaction ne soit trop négative ou violente. Le prélat aime bien cet homme intègre avec qui il discute longuement, mais il se méfie un peu de ses idées de liberté qu'il critique parce qu'il les craint.

Dans cette pièce impersonnelle, froide comme une cellule de moine, il manque des fleurs, une peinture, une moquette de couleur même sombre pour en faire un lieu accueillant où l'on verrait l'homme vivre.

Photo Notman.
Photographie : Archives du Musée McCord.

13. Lady Aylmer

Voilà une bien jolie toile de lady Aylmer que le peintre Joseph Légaré a faite au moment où son mari était gouverneur général du Canada, entre 1831 et 1835. Dans une des lettres qu'elle adressait à son amie Sophy en Angleterre, lady Aylmer parle ainsi du plaisir qu'elle avait à fréquenter la supérieure des Ursulines à Québec :

> The Ursulines is another convent in Quebec, which I often visit. The Superior, St Henri, is a very sensible kind-hearted woman rather in face like Aylmer's mother, though not so elegant, in person, or manner's. She is sister to Dr Maclaughlin, and is a great friend of mine. The Ursulines superintend several schools and most of the young ladies, who are of canadian parents, receive their education there on the most liberal principles however, as Protestants are admitted, these latter however, are chiefly day scholar's, but there is no attempt made to convert them to Catholicism. The superior has lately established a uniform which all the children must wear while, in the convent. *La mère St Henri* is, indeed, quite a mother to them. I have just placed a young canadian there, the daughter of the widow of an officer left with ten children, entirely destitute, the whole expense, including living, is 25 a year and half that sum as day boarder, so that a family of daughters, without music, drawing, or dancing, may be well instructed at a very cheap rate. When I go among them, there is so much affection towards me, that you would not imagine I was considered as a heretic[1].

Cette intimité née entre la grande dame anglaise et la supérieure explique la présence de la toile de Légaré chez les Ursulines : l'une ayant voulu laisser à l'autre un souvenir de leurs relations, dont lady Aylmer a noté l'agrément dans ses lettres à son amie.

> Source : Collection du Monastère des Ursulines à Québec.
> Photo : Brian Merrett.

---

1. *R.A.Q. 1934-35*, p. 294.

14. Sir Charles Metcalfe

Sir Charles Theophilus Metcalfe est gouverneur général du Canada à une époque difficile (1843-45). Londres a imposé l'Acte d'Union à ses colonies du Haut et du Bas Canada. À sir Charles, on a confié le soin de calmer les esprits, de mettre la machine administrative en marche, de rétablir l'ordre. Il a accepté, même si sa santé n'est pas bonne. Devant ce *squire* anglais, à la forte carrure qu'a représenté Cornelius Kriegoff, on ne se douterait pas qu'il devra revenir en hâte à Londres en 1845. Menacé par le cancer qui le ronge, il quittera son poste, en laissant derrière lui une œuvre commencée mais qu'il n'a pu terminer, face à une chambre turbulente, récalcitrante. Nommé à la Chambre des Lords, il n'y siège pas longtemps. Il meurt en 1846, et laisse le souvenir d'un homme fidèle à son gouvernement, appliquant à la lettre les instructions qu'il a reçues, essayant de donner au poste de gouverneur général le prestige qu'on lui a recommandé. Il est incapable de garder son autorité intacte, cependant, malgré le vieillard prestigieux qui l'appuie, auquel s'oppose l'équipe La Fontaine-Baldwin, qui cherche avant tout à faire reconnaître le droit de la Colonie à l'auto-détermination.

Source : Château Ramezay, Montréal.
Photo : Pelletier.

TABLE DES MATIÈRES